C000101699

Arto Paasilinna

Le potager des malfaiteurs ayant échappé à la pendaison

Traduit du finnois
par Anne Colin du Terrail

Denoël

Arto Paasilinna est né en Laponie finlandaise en 1942. Successivement bûcheron, ouvrier agricole, journaliste et poète, il est l'auteur d'une quarantaine de romans dont *Le meunier hurlant*, *Le lièvre de Vatanen*, *La douce empoisonneuse*, *Petits suicides entre amis*, *Le bestial serviteur du pasteur Huuskonen*, *Les mille et une gaffes de l'ange gardien Ariel Auvinen*, *Moi, Surunen, libérateur des peuples opprimés*, *Le dentier du maréchal*, *madame Volotinen et autres curiosités*, et *Un éléphant, ça danse énormément*, romans cultes traduits en plusieurs langues. Arto Paasilinna est mort le 15 octobre 2018 à Espoo, en Finlande.

1

Un kolkhoze finlandais

Belle bâtisse! L'inspecteur principal de la Sécurité nationale finlandaise Jalmari Jyllänketo laissa courir son regard sur le fier kolkhoze de l'Étang aux Rennes, construit dans les années cinquante dans le canton lapon de Turtola. Le bâtiment principal, haut de deux étages, long de trente mètres et large de près de quinze, était peint en rouge comme toute Maison du Prolétariat. Les cornières et les encadrements de fenêtre étaient blancs, les portes noires.

La construction se dressait sur une petite éminence sablonneuse plantée de grands pins. La cour, à l'arrière, était entourée de plusieurs autres bâtiments, dont de vastes hangars et une rangée de logements de plain-pied, en partie dissimulée par un bosquet. Un peu à l'écart, un chien de chasse à l'ours au pelage noir aboyait furieusement, perché sur le toit de sa niche rouge. Il sauta de son observatoire et fit mine d'attaquer le visiteur, ne s'arrêtant, l'air féroce, que juste avant d'être étranglé par sa laisse.

Jalmari Jyllänketo était un homme de terrain, âgé d'une quarantaine d'années. Avec son mètre soixante-dix-huit, ses quatre-vingt-dix kilos et ses cheveux blonds, il avait tout du Finlandais moyen — avantage utile quand il s'agissait de mener de discrètes investigations dans le pays. Pour un policier, il était d'un caractère plutôt accommodant et observait volontiers les gens, les choses et la vie. Il procédait sans états d'âme aux arrestations et prenait même un certain plaisir, proche de l'ivresse de la chasse, à dire «suivez-moi» aux individus suspectés de haute trahison.

Jyllänketo était venu de Helsinki pour enquêter sur le domaine de l'Étang aux Rennes, où l'on pratiquait la culture biologique d'herbes aromatiques. Au fil des ans, toutes sortes de rumeurs étaient parvenues aux oreilles de la Sécurité nationale. Les dénonciateurs prétendaient que des gens avaient disparu sur les terres de l'exploitation.

Jylländeto regarda le paysage qui s'étendait devant lui. De sombres sapinières arctiques encadraient une immense plaine cultivée. Dans le ciel serein voguaient de légers nuages d'altitude. L'air était saturé du chant ininterrompu de milliers d'oiseaux migrateurs. Juin commençait à peine, mais les champs verdoyaient déjà et le vent était chargé d'effluves parfumés. L'inspecteur principal estima la superficie de l'exploitation à plusieurs centaines d'hectares. À l'orée des noirs sapins, deux tracteurs labouraient la terre, laissant sur leur passage des sillons brun foncé d'où montait de la vapeur. Derrière les machines agricoles, une nuée de travailleurs s'affairaient, sûrement à repiquer des plants.

Jyllänketo s'assit sur le perron du bâtiment principal, sortit son ordinateur portable de sa valise, l'alluma et, quand l'écran s'éclaira, se mit à écrire :

«Turtola, mardi 3 juin.

«Je suis arrivé en Laponie ce matin vers onze heures, après avoir passé la nuit à Oulu. Le temps est sec, la température d'environ dix degrés. L'endroit semble paisible. Les gens sont aux champs pour les travaux de printemps. Je n'ai encore parlé à personne d'ici.»

Deux hommes âgés vêtus de bleus de travail traversèrent la cour d'un pas traînant avec au bras des paniers remplis de gyromitres. Ils décrottèrent leurs bottes sur le gratte-pieds du bas du perron et entrèrent par une porte latérale. L'inspecteur principal leur trouva un air curieusement familier, mais il eut beau fouiller dans ses souvenirs, leur identité ne lui revint pas. C'était pourtant à coup sûr de gros pontes, son flair le lui disait. Le métier d'agent de renseignements développe la mémoire, il faut se rappeler des milliers de visages, d'attitudes et de signes particuliers, mais personne ne peut tout retenir. C'est pour cela que la police secrète a de tout temps rédigé des listes et des rapports, rassemblé des documents et dressé des procès-verbaux. Les renseignements collectés sont ensuite soigneusement réunis dans des classeurs numérotés rangés sur des étagères. Les fiches individuelles doivent être tenues à jour et complétées au besoin. L'ordre doit régner, aussi bien dans la société que dans les archives. En cas de troubles, les dossiers poussiéreux sont rouverts et, au cœur de la nuit, des voitures noires filent appréhender les éléments qui menacent la paix sociale.

Jyllänketo s'était préparé avec soin à cette mission. Il s'était choisi une couverture plausible, endossant, pour inspecter le domaine maraîcher de Turtola, le rôle d'un contrôleur en agriculture biologique. Il avait potassé les bases du métier en lisant des ouvrages spécialisés et en consultant des horticulteurs. Il s'était procuré les accessoires nécessaires, ainsi qu'une liasse de formulaires officiels, afin de pouvoir passer sans éveiller les soupçons pour un véritable contrôleur bio. Ses études maraîchères lui avaient pris tout le printemps, mais, après tout, c'était en cette saison que la plupart des jardiniers se consacraient à l'élaboration de leurs plans de culture.

Jalmari Jyllänketo était né à la campagne, à Kontiolahti, en Carélie du Nord, dans une famille de petits paysans, comme la plupart des gens du coin, et les merveilles de la nature produites par un humus bien aéré lui étaient donc familières depuis l'enfance. Peut-être aurait-il été aujourd'hui un péquenot hargneux luttant contre l'Union européenne s'il n'avait pas, juste après son service militaire, été embauché en tant qu'intérimaire à la rédaction d'un quotidien régional, comme beaucoup de jeunes crétins des cambrousses reculées, puis, après de brèves études, en tant que stagiaire aux archives de la Sécurité nationale, d'où il s'était peu à peu élevé jusqu'à son poste actuel.

Dès le début, il avait aimé enquêter en secret pour le compte de la police. Les investigations menées dans l'ombre l'attiraient, avec toutes leurs énigmes à élucider. Les efforts obstinés pour démasquer les criminels étaient gratifiants quand ils étaient couronnés de succès et que l'on pouvait arrêter un individu dangereux pour la sûreté de l'État ou, mieux encore, un groupuscule minant de l'intérieur l'ordre établi. Mais l'intéressant et aventureux métier d'agent de renseignements était souvent pénible et monotone, et Jyllänketo était heureux d'avoir pu quitter l'atmosphère confinée de son bureau pour aller dans le Grand Nord percer les secrets du domaine maraîcher de l'Étang aux Rennes. Il aurait voulu être un véritable contrôleur bio dénué d'arrière-pensées. Mais il se consola en songeant que s'il découvrait réellement des activités criminelles, il n'aurait pas, dans ce cas, le droit d'arrêter les coupables. Les agronomes certificateurs ne sont pas autorisés à mettre la main au collet des malfaiteurs et à les traîner en cellule.

Jalmari Jyllänketo passa mentalement en revue les principales attributions des contrôleurs bio, puis éteignit son ordinateur et entra d'un pas décidé dans le bâtiment principal du kolkhoze.

Le vestibule donnait accès à une vaste salle de ferme dont les grandes fenêtres s'ouvraient dans plusieurs directions sur les immenses champs environnants. À gauche de la porte s'élevait un solide ouvrage de maçonnerie crépi de blanc comprenant une cheminée, un four à pain et deux fourneaux à bois. Une souche résineuse brûlait dans l'âtre, dégageant une agréable chaleur. Le coin cuisine se prolongeait sur le côté et sur le mur voisin s'alignaient des étagères de style paysan chargées de vaisselle de porcelaine. Une vieille horloge de parquet tictaquait dans un angle. Au fond de la pièce, une longue table entourée de deux bancs occupait l'espace sous les fenêtres à petits carreaux. Elle était recouverte d'une nappe de lin sur laquelle étaient posés des chandeliers et des corbeilles à pain. Jalmari Jyllänketo estima qu'au moins vingt personnes pouvaient y prendre place. Il n'y avait pour l'instant dans la salle que deux femmes qui, assises à une autre table, nettoyaient et éminçaient des gyromitres.

L'inspecteur principal déclara être le contrôleur en agriculture biologique Jalmari Jyllänketo et demanda à voir le propriétaire de l'exploitation.

«J'ai prévenu par fax de ma visite», ajouta-t-il.

L'une des femmes qui découpaient des champignons répondit qu'elle allait téléphoner à l'agronome. Elle sortit un portable de la poche de son tablier et composa un numéro.

«Le contrôleur est là, Juuso, tu peux-t-y venir au bureau?»

Quelques instants plus tard, le portable sonna sur un air de polka. La femme décrocha :

« Sanna ? Parfait. Attends que je prenne de quoi écrire. »

Elle répéta ce qu'on lui dictait au téléphone : « Pour quatre personnes, donc... pour la sauce, trois cents grammes de gyromitres ébouillantées, trois cuillers à soupe de beurre, un oignon, un peu de poivre blanc... attends, pas si vite... deux cuillers à soupe de farine, un demi-litre de bouillon de légumes, deux décilitres de crème et une pincée de sel. C'est-y tout ? Merci, j'y aurais oublié le poivre et mis trop de beurre. Donnemoi donc aussi la recette de la soupe. »

La soupe de gyromitres se cuisinait comme la sauce, si ce n'est qu'on y mettait bien sûr plus de bouillon, de préférence de viande, ainsi qu'une pointe de piment de Cayenne et deux ou trois cuillers à soupe de xérès.

« Et y faut blanchir les champignons deux fois pour être sûr d'éliminer tout le poison ? Très bien ! »

On raccompagna le contrôleur bio dans le vestibule et de là dans un grand bureau où attendaient des tasses à café et des brioches pour deux. Par la fenêtre, il vit un quatre-quatre s'arrêter dans la cour et un homme d'une soixantaine d'années, plutôt sec et sportif, sauter à terre et grimper à grandes enjambées les marches du perron. Bientôt des pas résonnèrent dans le vestibule, la porte du bureau s'ouvrit et l'arrivant se présenta.

«Juuso Hihna-aapa. Je suis le régisseur du domaine. La patronne est en voyage, malheureusement, mais je suis à votre entière disposition.»

On leur apporta du café. Jalmari Jyllänketo exposa son programme. Il souhaitait pour commencer examiner les livres de compte, les champs, les méthodes de séchage, de traitement et de stockage ainsi que les plans de culture et de fertilisation. Il prélèverait des échantillons de sol, vérifierait les engrais organiques utilisés, étudierait les méthodes de compostage et de traitement des déchets, etc.

L'agronome Juuso Hihna-aapa constata qu'un contrôle aussi approfondi prendrait plusieurs jours, vu l'étendue du domaine bio de l'Étang aux Rennes et la diversité de ses activités. Il étala sur le bureau les plans des parcelles. Impressionnant! La propriété s'étendait au total sur 870 hectares, dont 220 de terres cultivées. Sur les 170 hectares exploités selon des méthodes biologiques, 83 étaient alloués aux herbes aromatiques, le reste se répartissant entre pommes de terre et céréales. Les forêts représentaient 450 hectares, les tourbières 130 et les terres vaines et vagues 70, sans oublier un terrain d'aviation gazonné de 3,2 hectares.

Le chiffre d'affaires annuel de l'exploitation devait être astronomique, songea avec envie Jalmari Jyllänketo.

«Votre domaine est le plus grand de Finlande, non? demanda-t-il au régisseur.

— Quand même pas... y doivent bien avoir

dans le Sud de grandes propriétés avec des cultures dont la superficie dépasse celle de la totalité de nos terres. Et nos champs gagnés sur la forêt, ici dans le Nord, ne sont pas très productifs, surtout pour les herbes aromatiques bio, cultivées sans engrais chimiques. »

L'agronome produisit les comptes du domaine, mais uniquement pour ce qui concernait les achats. Il garda pour lui le grand-livre et le bilan, arguant qu'ils étaient couverts par le secret commercial.

La sonnerie du téléphone portable de Juuso Hihna-aapa retentit. Pendant un moment, il distribua des ordres à ses subordonnés. Puis la porte s'ouvrit et l'une des femmes de tout à l'heure vint demander si le contrôleur resterait déjeuner, et qui sait dormir sur place. Jyllänketo la remercia pour l'invitation.

Profitant de la porte entrebâillée, un chat de gouttière rayé de gris se faufila dans le bureau, alla se frotter contre la tige des bottes de Juuso Hihna-aapa et sauta sur ses genoux. L'agronome caressa le matou, qui se mit à ronronner affectueusement.

2

Les cultures maraîchères
de l'Étang aux Rennes

Le régisseur Juuso Hihna-aapa suggéra que l'on aille en quatre-quatre, avant le déjeuner, effectuer une première visite rapide des terres. Il roula les cartes des parcelles et alla déposer le chat dans la salle. Puis il sortit pour monter en voiture avec le contrôleur bio.

Hihna-aapa avait la conduite sportive. Au volant de sa Land Rover à quatre roues motrices, il s'engagea à près de cent à l'heure sur un chemin aménagé le long d'un canal, en direction de la ligne bleue d'une sapinière barrant l'horizon, loin vers le sud. Là, il se gara et montra au contrôleur bio les herbes aromatiques tout juste plantées.

« Romarin, aneth, estragon, sauge… nous fournissons une grande part des fines herbes consommées en Finlande et en Europe de l'Ouest. »

Hihna-aapa expliqua que, malgré des conditions agricoles généralement plus défavorables dans le Nord que dans le Sud, l'absence de nuit de l'été arctique compensait la brièveté de la saison des récoltes. À condition de sélectionner des variétés adaptées au climat.

«Le fret revient cher, bien sûr, avec la distance. Nous aurions besoin d'un avion-cargo pour acheminer plus vite nos produits frais sur les marchés ouest-européens.

— Mais vous avez votre propre aéroport? s'étonna Jyllänketo.

— Nous avons une petite piste de gazon, et même un avion. Y servait à épandre des engrais chimiques dans les champs avant qu'on passe à l'agriculture bio. Mais y est insuffisant pour le fret, ce n'est qu'un petit appareil agricole à deux places. Un Cessna.

— Vous avez un pilote?

— Oui, mais Kasurinen a bien sûr aussi d'autres fonctions. Y est chargé de l'entretien des machines agricoles et y conduit le camion.»

Jylländket o demanda depuis quand on pratiquait l'agriculture biologique à l'Étang aux Rennes. L'agronome Hihna-aapa lui raconta qu'à l'origine, peu après la dernière guerre, l'exploitation avait vu le jour sous la forme d'un kolkhoze, ou plus exactement d'un sovkhoze, autrement dit d'une ferme d'État finlandaise. Politiquement, Turtola était à l'époque, comme d'ailleurs encore maintenant, un village résolument communiste. Les anciens bolcheviks et les ex-déserteurs détenaient alors la majorité au conseil municipal et avaient décidé de s'unir pour fonder leur propre kolkhoze, sur le modèle soviétique. L'idée paraissait insensée, dans un pays capitaliste ! Mais les promoteurs du projet étaient sérieux et ils l'avaient mené à bien, à force d'obstination.

Les services du ministère de l'Agriculture chargés de l'attribution des terres avaient accepté d'allouer aux rouges de Turtola, pour leur ferme pilote, un millier d'hectares de tourbières incultes appartenant à l'État, dans les plus misérables marécages de la région. À l'aide d'engins de travaux publics, on y avait creusé des fossés de drainage. Puis on avait construit un immense bâtiment administratif, qui servait encore aujourd'hui, défriché la forêt, aménagé des canaux d'assèchement et percé des routes. L'État avait financé l'installation sur les fonds destinés au relogement des réfugiés. La ferme étant située dans une zone de marais, elle avait aussi eu droit à une quote-part indivise de la forêt de Kolari, dans le canton voisin.

Le régisseur ajouta que le président de la République Juho Kusti Paasikivi en personne avait considéré le projet de l'Étang aux Rennes comme une folie et une expérience politiquement dangereuse. Mais, tout bien réfléchi, il avait décidé de noyer ces rêves socialisants au plus profond des marécages lapons, dans l'espoir qu'aucune bouffée de délire collectiviste n'en remonte jamais à la surface. Les tourbières ferrugineuses de Turtola n'étaient peuplées que de grues et de grenouilles, et aucun agriculteur sain d'esprit n'aurait jamais planté sa bêche dans ces terres spongieuses sujettes aux gelées blanches. On ne trouvait de cinglés pareils qu'en Laponie.

Les kolkhoziens s'étaient chacun vu attribuer une parcelle du domaine, en vertu des lois sur le logement des anciens combattants et sur le partage des terres, et y avaient construit leurs propres maisons. Animés du feu sacré de leur cause, les communistes de Turtola s'étaient attelés avec enthousiasme à cultiver le bien commun.

«Je me souviens de cette époque, soupira Juuso Hihna-aapa, l'air triste et pensif. Mon paternel en était. Y est mort la houe à la main.»

Jyllänketo remarqua que l'accent du Nord de l'agronome s'épaississait à l'évocation de son père.

Quelque part derrière la sapinière, au loin, un coup de fusil claqua. Hihna-aapa fronça les sourcils. Il sortit son portable, composa un numéro et lança d'un ton sec:

«Que se passe-t-y?»

On lui donna apparemment des éclaircissements, car il se détendit, regarda sa montre et constata:

«Midi, effectivement.»

Puis il plongea la main dans la poche de sa veste, en sortit un lourd revolver et tira deux fois en l'air. Des détonations venues d'une autre direction lui répondirent.

Jyllänketo se montra curieux de connaître le but de cette fusillade. Le régisseur lui expliqua que c'était un peu le même système qu'en ville, où on testait les sirènes tous les lundis à midi. Ici, on signalait par des coups de feu que tout était en ordre du côté des clôtures.

Jyllänketo se rappela qu'en arrivant à l'Étang aux Rennes il avait franchi un portail d'acier. Le domaine était entouré d'un haut grillage métallique.

« C'est une région d'élevage de rennes, y a un enclos de triage à cinq kilomètres, mais ce sont surtout les élans qui ravagent les cultures. Y en suffit d'un dans les champs d'herbes aromatiques pour qu'on perde en une nuit le produit de plusieurs hectares. C'est pour ça que les terres sont clôturées et surveillées. »

L'inspecteur principal nota que Hihna-aapa utilisait un Taurus brésilien tirant des cartouches de .357 Magnum. Il s'y connaissait en armes. C'était un flingue solide aux finitions soignées, muni d'un barillet basculant à gauche. Le régisseur remit le revolver fumant dans son étui, puis il déroula une carte du domaine et pointa les champs mis en cultures depuis le début de la saison d'été.

« Y a donc 83 hectares de maraîchages bio rien que pour les herbes aromatiques, dont les deux tiers sous vos yeux. Le reste est là, de l'autre côté du lac de la Harlière. Nous avons aussi 22 hectares de jachères qui s'ajouteront au printemps prochain aux autres cultures bio. Y a 60 hectares de pommes de terre de Laponie AOP, de l'oignon, du rutabaga, de la carotte et du navet. La betterave, pour une raison ou une autre, donne peu sous nos latitudes, et le prix producteur est trop bas. Nous y avons renoncé.»

L'agronome posa l'index sur la partie nord du domaine de l'Étang aux Rennes, figurée sur la carte comme une sapinière.

«Y a deux ans, nous avons planté 70 hectares d'épicéas de Sibérie. Nous avons sélectionné nous-mêmes un cultivar à feuillage dense, de forme arrondie, trapu et capable de supporter de fortes surcharges de neige.»

Jyllänketo demanda si l'idée était de produire, le moment venu, des grumes d'épicéa.

«Non, y sont destinés à servir de sapins de Noël. Nous avons signé des contrats industriels avec des distributeurs en Autriche, en Allemagne et aux Pays-Bas, en vue de la fourniture de deux millions d'arbres par an. Les plantations ont été échelonnées de façon à assurer une production et une vente régulières d'une année sur l'autre.»

Un essai de commercialisation aurait lieu en décembre, avec l'exportation d'un premier lot de trente mille sapins de Noël.

Jyllänketo aurait aimé savoir si les épicéas de l'Étang aux Rennes étaient aussi cultivés selon des méthodes biologiques, mais il n'osait poser aucune question sur le sujet, de peur de dévoiler son ignorance. Il devait de toute façon faire preuve de prudence, l'agronome Juuso Hihna-aapa était un professionnel qui flairerait facilement l'arnaque. L'inspecteur principal regrettait de ne pas avoir adopté une personnalité d'emprunt plus commode. Sur le terrain, jouer les contrôleurs bio s'avérait délicat.

Les deux hommes remontèrent en voiture et parcoururent quelques kilomètres vers l'ouest. Derrière un petit îlot de forêt se dressaient trois énormes hangars. Le régisseur expliqua que le premier servait de séchoir à fourrage et d'atelier de tri des herbes aromatiques et le deuxième d'entrepôt, tandis que le troisième abritait des machines.

«Nous avons des pressoirs, des sécheries, deux ateliers de conserverie et un moulin électrique.»

Jyllänketo fit remarquer que le père du régisseur aurait certainement été fier de voir son fils diriger un domaine aussi florissant.

«Sans doute... mon paternel est mort dans les années soixante... y a pas eu la vie facile.»

Sur le chemin du terrain d'aviation, Juuso Hihna-aapa confia au contrôleur bio que son père était né la même année que Kekkonen, en 1900.

«Mais ce chiffre rond n'y a pas porté chance dans la vie. Y a participé à six guerres, et y a été blessé dans chacune, la dernière fois contre les Allemands, à Ivalo. Y a reçu des éclats à la cuisse dans l'explosion d'une mine. Deux sapeurs sont morts dans l'affaire.»

Jalmari Jyllänketo tenta de faire le compte des guerres du père du régisseur: la guerre civile, la guerre d'Hiver, la guerre de Continuation, la guerre de Laponie... il en manquait deux.

Hihna-aapa expliqua que son paternel avait participé en plus à un raid sur Petchenga et à la guerre d'indépendance estonienne, ce qui portait le total à six. Même s'il n'était bien sûr encore qu'un gamin quand on avait tenté d'annexer Petchenga et libéré l'Estonie.

«Ce devait être un fou de guerre», se risqua à supposer Jyllänketo.

Le régisseur réfuta l'idée, expliquant que son père n'était qu'un pauvre orphelin. L'armée offrait à ses recrues le vivre et le couvert, et de meilleures conditions de vie qu'à trimer comme un esclave dans une ferme. Troupes régulières et rebelles prenaient soin des leurs, même et surtout en cas de coup dur.

Ils arrivèrent à l'aéroport aménagé en lisière d'une sapinière, près du lac de la Harlière. D'un côté s'élevait une petite tour de contrôle sur le toit de laquelle flottait une manche à air décolorée. À l'autre bout de la piste, côté forêt, se dressait un hangar de tôle. Un vieux biplan bleu était garé devant.

L'agronome Juuso Hihna-aapa revint sur les aventures militaires de son père :

«Le paternel avait reçu un peu partout des balles et des éclats d'obus, le métal a tendance à s'accumuler dans le corps, quand on se bat. S'y était encore là, y n'oserait pas passer sous les portiques de détection. Mais même de son vivant, y était pas du genre à passer par la douane quand y allait à l'étranger.»

La piste du terrain d'aviation de l'Étang aux Rennes était une bande herbeuse d'une centaine de mètres de long au milieu de champs plats gagnés sur les tourbières, où un petit biplan pouvait se poser sans difficulté, mais qui était sûrement trop meuble, irrégulier et court pour des appareils plus lourds.

«Comme je crois l'avoir déjà dit, l'exportation d'herbes aromatiques vers l'Europe de l'Ouest exige des livraisons à flux tendus. Un avion-cargo serait un investissement rentable, mais nous manquons de capitaux.»

Jalmari Jyllänketo admit que combiner l'agriculture et l'aéronautique pouvait coûter cher.

Il sortit de sa mallette des sacs en papier épais et des boîtes en plastique destinés à recueillir des échantillons de sol. Il traversa la piste jusqu'aux champs voisins, écarta l'herbe d'un coup de pied et ramassa ostensiblement quelques poignées d'humus. Il savait que personne n'analyserait jamais ces prélèvements. Mais face à tout le travail accompli en pure perte dans ce monde, dans le seul but de jeter de la poudre aux yeux, quelle importance cela avait-il qu'un inspecteur principal de la Sécurité nationale remue un peu la terre de sa patrie?

3

La ruine de la ferme d'État

Après la visite du terrain d'aviation, les deux hommes retournèrent pour le déjeuner à la maison des kolkhoziens. La table n'était dressée que pour deux, et le service fut assuré par les femmes qui, dans la matinée, nettoyaient des gyromitres. Un vrai festin! Les convives dégustèrent en hors-d'œuvre des lavarets nains du lac Inari agrémentés d'oignons dorés à la poêle, de pommes de terre de Laponie et de beurre fondu, puis comme potage de la soupe de gyromitres, celle-là même dont Jalmari Jyllänketo avait entendu dicter la recette. Le plat de résistance, présenté dans une marmite de fonte fumante, se composait de renne assaisonné de délicieuses herbes variées, avec en accompagnement une compotée de betteraves aux airelles et du chou vert simplement bouilli. Du kissel aux canneberges rafraîchi à la cave vint clore le repas.

On proposa au visiteur de prendre ses quartiers dans la chambre qui lui avait été réservée — peut-être souhaitait-il faire la sieste, il venait de loin et le copieux déjeuner l'incitait sans doute aussi au repos.

On conduisit le contrôleur bio muni de ses bagages dans une confortable pièce située du côté nord du premier étage de la maison des kolkhoziens, réservé au logement des invités. Le décor comprenait un grand lit, des rideaux à carreaux rouges, une table de chevet avec un bouquet d'anémones des bois et un verre d'eau, quelques livres sur une étagère. Un tapis en lirette à rayures rouges égayait le parquet. La fenêtre était entrouverte. La chambre était belle, tranquille et emplie d'un parfum d'herbes séchées. Jalmari Jyllänketo ouvrit sa valise, rangea dans l'armoire ses menus objets personnels, son ordinateur portable et ses boîtes d'échantillons et accrocha ses vêtements sur des cintres. L'ambiance rappelait celle d'une vieille auberge ou d'un logement de célibataire dans une pension de famille.

L'inspecteur principal se déchaussa d'un coup de pied et, sans défaire le lit, s'y reposa une demi-heure, s'endormant même un peu avant de se réveiller ragaillardi et de descendre au rez-de-chaussée. Le café était servi sur la table de la salle, avec du fromage lapon, des petits pains à la cannelle et des sablés.

L'après-midi était déjà bien avancé et la pluie s'était mise à tomber pendant que Jyllänketo se reposait. Ce n'était plus la peine de retourner prélever des échantillons de sol dans les champs. Hihna-aapa suggéra d'aller inspecter les champignonnières. L'Étang aux Rennes produisait des dizaines de tonnes d'agarics, de shiitakes et de pleurotes, en plus de quelques autres espèces dont on expérimentait la culture.

Jalmari Jyllänketo demanda des précisions sur la résistance des champignons au climat arctique. Les cultivait-on sous serre ou en plein champ ?

Le régisseur expliqua que les champignonnières de l'Étang aux Rennes occupaient les galeries d'une mine de fer abandonnée, à plusieurs centaines de mètres de profondeur. Le gisement du lac Sauvage, qui avait été exploité à partir des années cinquante, avait été déclaré épuisé en 1984. La mine avait fermé et les galeries avaient commencé à se remplir d'eau. Quand le domaine de l'Étang aux Rennes avait obtenu l'autorisation de transformer les lieux en champignonnière, quelques niveaux situés à plus de cent mètres sous terre étaient déjà noyés et il avait fallu pomper pendant trois mois pour les assécher. Pendant ce temps, on avait vérifié et réparé les ascenseurs, les voies d'aérage et le câblage électrique. On avait construit en surface, à côté du chevalement, une station génératrice produisant de l'électricité et de la vapeur. Comme support de culture, on avait acheminé dans les galeries de la tourbe fermentée. Ce n'était pas ce qui manquait dans la région, il y avait de quoi convertir en champignonnières plus de cent mines. On utilisait aussi, pour certaines espèces, des rondins de tremble d'un mètre de long percés de trous dans lesquels on introduisait le mycélium, qui se développait en pourrissant le bois. Les tremblaies des rives des ruisseaux de Turtola avaient été entièrement rasées, pour le coup, et on cultivait maintenant les arbres nécessaires au bord des canaux d'assèchement des champs du domaine. Au lieu de fer, on remontait maintenant des agarics de la mine du lac Sauvage. La production métallifère était devenue alimentaire.

Les deux hommes partirent en voiture vers la mine, qui se trouvait sur le territoire de Kolari. Ils traversèrent à vive allure les terres de l'Étang aux Rennes, sur une petite dizaine de kilomètres, jusqu'au village de Pohjasenvaara où ils prirent la route nationale en direction du sud, avant de tourner cinq minutes plus tard sur l'ancien chemin minier menant à Muotkavaara et à quelques autres hameaux, et enfin au lac Sauvage, qui se trouvait à une trentaine de kilomètres de la maison des kolkhoziens. Les essuie-glaces balayaient la pluie du pare-brise, révélant des forêts noyées dans la grisaille. Puis la grêle se mit à tomber, si fort que le capot tinta. Jalmari Jyllänketo songea que dans ces régions désolées les paysans devaient avoir la foi dans la terre chevillée au corps.

Pendant le trajet, le régisseur Juuso Hihna-aapa résuma l'histoire du kolkhoze de l'Étang aux Rennes. Le malheur voulait qu'il pousse dans les tourbières de Turtola des prêles sauvages légèrement toxiques qui se mêlaient à la fléole cultivée comme fourrage. Les vaches, même affamées, refusaient de s'en nourrir. On avait essayé d'éradiquer les prêles en pratiquant la jachère, mais la méthode était lente et coûteuse. Les bêtes étaient tombées malades. L'invasion ne pouvait pas non plus être contenue par un arrachage manuel, et l'élevage de bovins avait périclité. Les kolkhoziens s'étaient retrouvés avec de la viande à ne plus savoir qu'en faire, mais on avait dû fermer la laiterie de l'Étang aux Rennes et aller jusqu'à Oulu pour se fournir en beurre et en fromage.

Les prêles ne dérangeant pas les moutons, on s'était lancé dans leur élevage. Aux jours les plus fastes, des milliers de bêtes à laine pâturaient dans les tourbières du kolkhoze. En plus de la tonte, on en tirait de la viande et un peu de lait, en complément de celui provenant du troupeau de chèvres que l'on avait aussi constitué. Mais les moutons avaient été victimes, les uns après les autres, de maladies internes : des parasites s'étaient attaqués à leur foie, les affaiblissant et les rongeant de l'intérieur, si bien que les pauvres bêtes épuisées tenaient à peine sur leurs pattes. Elles perdaient leur laine par poignées. Finalement, on avait été obligé d'abattre les animaux atteints.

Le vétérinaire avait conclu que les prairies marécageuses favorisaient le développement de la douve du foie et qu'il fallait renoncer à y faire pâturer les moutons. Ceux-ci avaient dû être nourris même en été d'aliments artificiels. La méthode s'était révélée si coûteuse que l'on avait dû abandonner l'élevage des ovins.

Les farouches communistes de Turtola

n'avaient pas pour autant baissé les bras! À la fin des années soixante, ils s'étaient essayés à cultiver du seigle et de l'avoine, sans grand succès, car les céréales obtenues si loin dans le Nord n'étaient pas panifiables et ne pouvaient servir que de fourrage frais. En désespoir de cause, ils s'étaient lancés dans la culture à grande échelle de pommes de terre et autres tubercules. La récolte avait été excellente, mais le marché n'était pas assez développé, à l'époque, pour permettre d'écouler la production. La Laponie avait tout d'un coup semblé crouler sous les légumes! Les patates avaient moisi dans les caves et on avait dû faire manger les carottes aux chèvres, dont le lait avait pris une teinte rouge et une odeur de carotène.

L'ambitieuse expérience kolkhozienne de l'Étang aux Rennes avait périclité. Les idéalistes paysans avaient dû admettre l'amère défaite de leur cause. Dégoûtés, ils avaient transformé en eau-de-vie leurs stocks de pommes de terre. L'alcoolisme, la violence et la folie s'étaient répandus sur les terres de la ferme d'État. Les cuisants échecs avaient éteint le feu sacré des tenaces vétérans du communisme lapon et beaucoup avaient abandonné, brisés, chacun à sa manière: certains s'étaient tiré une balle dans la tête, d'autres s'étaient noyés dans l'alcool, d'autres encore s'étaient pendus au bout d'une corde. Le père de Juuso Hihna-aapa était mort d'un coup de couteau, par une nuit d'octobre, au cours d'une rixe qui avait éclaté entre désespérés pris de boisson. Il s'était précipité, la houe à la main, pour tenter de séparer les combattants, mais avait été terrassé par la violence de ses camarades rendus fous par l'alcool.

« J'ai juré ce jour-là de venger le sang de mon père. »

L'inspecteur principal Jalmari Jyllänketo aurait aimé demander au régisseur s'il avait mis sa vengeance à exécution, mais il se tut, conscient qu'une telle curiosité serait déplacée de la part d'un contrôleur en agriculture biologique.

Les derniers survivants avaient reçu en propre quelques parcelles du kolkhoze de l'Étang aux Rennes, qui avait été fermé. Les immenses champs envahis de prêles vénéneuses avaient été plantés de sapins et la maison des kolkhoziens vendue dans les années soixante-dix à l'Institut national de la recherche forestière. Ce dernier avait construit quelques bâtiments supplémentaires, un laboratoire et une rangée de logements pour le personnel, exploité une pépinière, semé et planté des arbres, observé la croissance des forêts arctiques. Plus tard, dans les années quatre-vingt, l'institut avait transféré ses activités de l'Étang aux Rennes vers l'établissement pilote d'Apuka, près de Rovaniemi, et le domaine avait de nouveau été laissé à l'abandon. C'était à cette époque que son actuelle propriétaire, Ilona Kärmeskallio, s'y était intéressée.

Jalmari Jyllänketo avoua avoir entendu dire qu'il circulait sur cette femme toutes sortes de rumeurs extravagantes.

«Les gens sont mauvaises langues», soupira le régisseur.

Selon lui, Ilona Kärmeskallio était une patronne énergique et efficace. L'exploitation agricole arctique de l'Étang aux Rennes ne pouvait rêver mieux.

4

Tournée d'inspection
à la mine du lac Sauvage

La mine de fer du lac Sauvage était un lieu sinistre. Le chevalement avait été construit entre 1968 et 1970 dans une sombre forêt, au flanc du mont Rouillé. Le kolkhoze de l'étang aux Rennes traversait alors sa période la plus noire et beaucoup d'idéalistes de la ferme d'État avaient trouvé du travail comme charpentiers sur le chantier. Aux premiers temps de l'exploitation, on avait embauché dans la mine à ciel ouvert puis dans les galeries des professionnels venus d'ailleurs, parfois même d'aussi loin qu'Outokumpu ou encore Kiruna, en Suède.

Les pentes du mont étaient couvertes de vastes champs de pierres, vestiges glaciaires en bordure desquels ne poussaient que des genévriers et des bouleaux nains. Au nord-est se dressait la masse imposante de l'Iso-Kelhu, avec à ses pieds, dans la vallée, un plan d'eau artificiel de quelques hectares au fond duquel reposait l'ancienne excavation à ciel ouvert. Le lac Sauvage lui-même se trouvait au nord-nord-ouest du chevalement. Le régisseur Juuso Hihna-aapa expliqua à Jalmari Jyllänketo que la société minière avait à l'époque fait construire sur ses rives quelques saunas en rondins où les ingénieurs prenaient des bains de vapeur, à l'âge d'or de l'extraction du minerai. Les constructions étaient maintenant à l'abandon, car l'eau du lac était polluée par la rouille et l'huile.

Le chevalement avait été réalisé en béton à coffrage glissant. C'était une tour à l'allure spectrale, d'une trentaine de mètres de haut. De ce côté, le sommet du mont Rouillé avait été aplani et recouvert de laitier. On avait aussi construit des routes et une voie ferrée. Un wagon-trémie oublié campait sur les rails rouillés. Deux bandes transporteuses hors d'usage pendaient le long du chevalement, mais pour le reste les installations semblaient plutôt en bon état. Le régisseur fit remarquer au contrôleur bio que des choucas et des corneilles noires nichaient dans les convoyeurs et dans les bouches d'aération du chevalement. C'était la population la plus septentrionale de ces espèces, une rareté, venue d'Oulu au début des années soixante-dix.

Le gardien à l'air renfrogné qui faisait le pied de grue dans sa guérite ouvrit la grille en reconnaissant Hihna-aapa. Jalmari Jyllänketo remarqua que l'entrée du puits principal était munie de plusieurs gros cadenas. De lourdes portes électriques donnaient dans une vaste salle servant d'atelier de prétraitement et d'emballage. Le régisseur expliqua que les champignons cultivés dans les galeries arrivaient par ascenseur dans ce local où ils étaient nettoyés, triés, mis en caisse et envoyés à l'Étang aux Rennes. Là-bas, une partie d'entre eux étaient séchés ou appertisés.

Juuso Hihna-aapa sortit du vestiaire du personnel deux casques de mineur et vérifia le fonctionnement des lampes frontales. Les portes d'acier de l'ascenseur de la mine s'ouvrirent en grinçant. La cabine pouvait contenir au moins cinquante hommes, mais cette fois, ils n'étaient que deux à descendre dans les entrailles de la terre.

Jyllänketo ne put s'empêcher de demander pourquoi la mine était si soigneusement gardée et cadenassée. Le régisseur répondit qu'il s'agissait de précautions tout à fait normales : dans ces contrées inhabitées, il fallait se prémunir contre le vandalisme par des méthodes un peu plus énergiques qu'ailleurs. Mieux valait aussi éviter que des ramasseurs de baies inconscients, des éleveurs de rennes curieux ou des chasseurs d'élan ivres ne tombent dans ces puits de plusieurs centaines de mètres de profondeur ou se perdent dans les dizaines de kilomètres de galeries creusées dans la roche.

« Voilà pourquoi les mesures de sécurité doivent être draconiennes. »

Le gigantesque ascenseur plongeait à une vitesse vertigineuse, grondant, vibrant, grinçant et tanguant. Les oreilles bouchées par la pression, Jyllänketo, qui n'était pourtant pas peureux de nature, avait l'impression de foncer droit en enfer. Plus la profondeur augmentait, plus l'air était humide. Les puits et les galeries mal aérés de la vieille mine de fer dégageaient une puanteur écœurante à laquelle se mêlaient des relents d'humus frais et mouillé à l'arôme curieusement douceâtre.

Le régisseur hurla à l'oreille du contrôleur bio que jusqu'à cinq cents mètres il régnait dans la mine une température d'environ vingt degrés, à peu près la même qu'à la surface, mais qu'au-dessous, à mille mètres, la chaleur propre de la roche atteignait déjà quatre à cinq degrés de plus. C'était pour cela que l'on cultivait les champignons dans les galeries les plus basses.

«C'est la mine la plus profonde de Finlande!»

Hihna-aapa ajouta que la deuxième du classement, dans laquelle le dernier niveau d'extraction du minerai se situait à six cents mètres, se trouvait à Ylöjärvi, mais elle était fermée depuis les années soixante.

L'ascenseur fit halte à un palier. Deux hommes casqués entrèrent dans la cabine, saluant les occupants d'un signe de tête muet. C'étaient de gros balèzes au visage noir et fermé. Quand ils descendirent de l'ascenseur, Jyllänketo les vit saisir à deux mains un lourd wagonnet et le pousser sur des rails s'enfonçant dans l'obscurité. Leurs lampes frontales brillèrent un moment avant de disparaître, masquées par le coude d'une galerie.

À l'arrêt suivant, Hihna-aapa fit signe à Jyllänketo qu'ils étaient arrivés. Les hommes qui s'affairaient dans la champignonnière ressemblaient plus à des mineurs qu'à des ouvriers horticoles. Ils portaient des casques et leurs lampes frontales étaient allumées, mais ils étaient munis, en guise de pioches et de foreuses, de gants en caoutchouc et de petits couteaux pointus avec lesquels ils coupaient les agarics et les shiitakes poussant en rangs serrés pour les jeter dans des paniers en aluminium. Certains étaient occupés à retourner le compost des bacs de culture disposés de part et d'autre des galeries, sans doute dans l'attente de nouvelles plantations.

L'agronome Juuso Hihna-aapa se lança dans un exposé sur les méthodes utilisées.

«Les champignons sont principalement cultivés à une profondeur de huit cents à mille mètres. Nous utilisons en tout près de cinq kilomètres de galeries. Comme vous le voyez, y a assez d'espace pour disposer des deux côtés des bacs d'un mètre cinquante de large, sur deux étages. À l'heure actuelle, nos cultures s'étendent sur dix hectares au total, ce qui est beaucoup, comme vous savez sûrement, vous qui vous y connaissez. Je pense que quand nous aurons atteint notre plein potentiel, nous serons le plus grand producteur nordique d'agarics, de pleurotes et de shiitakes.»

Il ajouta que la chaleur nécessaire à la croissance des champignons était obtenue en injectant dans la mine la vapeur que produisait la centrale construite en surface. Les conduits amenaient en même temps de l'air frais du dehors. Il régnait dans les galeries une légère surpression, ce qui facilitait l'aérage : l'air vicié chargé en dioxyde de carbone s'évacuait sans qu'il soit nécessaire de l'y aider mécaniquement. À ces profondeurs, la température était particulièrement favorable au développement des cultures. Quelques kilomètres plus bas, il faisait trop chaud, et plus haut inutilement frais.

L'inspecteur principal Jalmari Jyllänketo avait appris par cœur la terminologie de la culture biologique des herbes aromatiques, mais ne connaissait rien aux champignonnières installées dans des mines. Il devait faire attention à ce qu'il disait, afin de ne pas dévoiler son ignorance. Heureusement, l'agronome poursuivit avec enthousiasme ses explications. Il raconta que l'on utilisait dans la mine du lac Sauvage différents supports de culture : bûches ensemencées avec des spores de mycélium, tourbe, paille hachée. On les stérilisait par divers procédés. La tourbe était compostée afin de fermenter, ce qui élevait sa température et tuait les bactéries, ainsi que tout mycélium indésirable. La paille était étuvée, tandis que les rondins de tremble de dix centimètres de diamètre et d'un mètre de long utilisés pour les shiitakes étaient percés de tous les côtés, en rangées espacées de deux centimètres, de trous de douze millimètres de profondeur disposés à trente centimètres d'intervalle dans le sens de la longueur, dans lesquels on introduisait le blanc de champignon. Les trous étaient ensuite scellés avec de la paraffine bouillante. Puis les billes de bois étaient mises à incuber pendant un an, hors de la mine, avant d'être trempées dans l'eau froide pendant quelques jours et placées pour finir dans les galeries, à une température de vingt-deux degrés. L'éclairage était assuré par des lampes fluorescentes à basse consommation.

L'inspecteur principal Jalmari Jyllänketo déclara que la champignonnière semblait être organisée de manière tout à fait rationnelle. Dans son métier de contrôleur bio, il avait rarement eu l'occasion de visiter des installations gérées avec autant de professionnalisme. Puis il fit dévier la conversation vers un sujet moins risqué que ces étranges méthodes de culture en demandant si l'on trouvait facilement de la main-d'œuvre prête à descendre dans la mine.

«Les conditions de travail de nos ouvriers horticoles sont sans conteste assez pénibles, mais malgré tout supportables comparées à celles des mineurs foreurs, purgeurs ou boutefeux. Et comme vous pouvez le constater, y n'ont pas particulièrement l'air de se plaindre.»

Exact: les ouvriers avaient l'air étonnamment concentrés, comme s'ils étaient payés à la tâche. Ils se montraient avares de paroles, évitaient les visiteurs et semblaient extrêmement motivés.

«Pour ma part, je ne suis pas trop à l'aise ici, confia Hihna-aapa. Mais en tant que régisseur, je suis bien obligé de descendre de temps à autre dans notre champignonnière. Je suis claustrophobe, ces galeries m'angoissent.»

Jyllänketo entreprit de recueillir des échantillons dans des boîtes en plastique. Le compost

41

envahi par le mycélium arborait une teinte gris clair. De vigoureux champignons y poussaient par volées. Il préleva ici et là des chapeaux et des parcelles de substrat. Au pied de la paroi rocheuse traînait un vieux carton au couvercle entrouvert. En y jetant un coup d'œil, il aperçut un tas de menottes. Elles n'étaient pas du modèle utilisé par la police, mais forgées artisanalement, noires et rouillées par endroits. Il y en avait au moins vingt paires. Sans rien laisser paraître, le contrôleur bio poursuivit sa collecte d'échantillons. Quand il eut rempli ses boîtes, il les ferma hermétiquement et se déclara prêt à regagner la surface.

L'ascenseur s'élança vers le haut dans un fracas épouvantable, grinçant et geignant d'une voix peut-être encore plus horrible qu'à l'aller. Hihna-aapa cria à l'oreille de Jyllänketo qu'il y avait dans cette grimpée quelque chose de sauvage et de magnifique.

«Je me dis parfois que ce serait grandiose de mourir comme ça!»

Le régisseur beugla qu'il voulait à l'instant de sa mort remonter des Enfers dans un boucan assourdissant et plonger à travers les nuages droit jusqu'au firmament telle une fusée hurlante, pour que son âme se détache à coup sûr de son corps.

Un poète-né, songea l'inspecteur principal.

Au moment où la cabine franchissait un palier, l'inspecteur principal crut entendre dans les sombres et malodorantes galeries du lac Sau-

vage un mugissement désespéré. Était-ce le cri
de souffrance d'un être humain? Le hurlement
à glacer le sang se perdit dans le bruit de ferraille de l'ascenseur et Jalmari Jyllänketo pré-
féra s'abstenir d'interroger le régisseur sur la
question.

5

Prière dans une église
à ciel ouvert

Le soir de l'arrivée de l'inspecteur principal Jalmari Jyllänketo, l'agronome Juuso Hihnaaapa l'invita au sauna. Il y en avait plusieurs à l'Étang aux Rennes, deux dans les locaux d'habitation du personnel, un en rondins au bord du lac de la Harlière, où l'on pouvait organiser des réceptions, et un plus ancien, de grande taille, au sous-sol de la maison des kolkhoziens, où les communistes de Turtola prenaient des bains de vapeur brûlants et discutaient sans doute de leurs idéaux en prenant le frais sur la terrasse côté cour. C'était là que le régisseur et le contrôleur bio profitaient maintenant d'un moment de détente.

Après le sauna, ils furent rejoints dans le vestiaire par une vieille masseuse dont les soins délassèrent comme jamais le corps de l'agent de renseignements. Puis on servit aux deux hommes, dans la salle, une collation de lavarets salés et de moelleuses galettes d'orge, arrosée de quelques verres d'eau-de-vie aux herbes.

L'agronome Juuso Hihna-aapa déclara fièrement que le domaine subvenait seul à sa consommation d'alcool. Il produisait entre autres du vin de groseille et distillait sa propre eau-de-vie. Celle-ci était bien sûr aromatisée avec les herbes cultivées sur place. Sur l'étiquette, on pouvait lire «Cordial aux Herbettes de l'Étang aux Rennes». On faisait du vin à partir de groseilles rouges, de myrtilles, de baies d'aronia, de camarines, de groseilles à maquereau et de rhubarbe. On avait essayé le cidre et le calva, mais le climat arctique ne convenait pas aux pommiers et on avait dû y renoncer. On fabriquait aussi une liqueur de mûre jaune, ou chicouté, qui avait remporté des concours organisés par des revues d'œnologie. Le régisseur expliqua que le domaine produisait près de deux mille litres d'eau-de-vie aromatisée et cinq mille bouteilles de vins divers. La majeure partie de la production était exportée en Norvège, surtout dans le Finnmark, et la liqueur de chicouté en Suisse.

Le lendemain, l'inspecteur général Jalmari Jylländeto s'attela à sa tâche principale, autrement dit à l'examen de la production et des méthodes de culture biologiques de l'Étang aux Rennes. On lui avait envoyé pour l'aider une jeune femme d'une trentaine d'années, Sanna Saarinen, qui s'était présentée comme la responsable des plantations d'herbes aromatiques. Elle était diplômée de l'Institut d'horticulture du manoir de Lepaa. C'était une fille de la campagne, saine et fraîche, célibataire, débordante de vitalité. Elle avait pris le volant du quatre-quatre du régisseur et servait de guide et d'assistante au contrôleur bio.

Ce dernier craignait de révéler son incompétence et tentait d'éviter toute discussion approfondie sur l'agriculture. Mais ils avaient bien d'autres sujets de conversation. Jalmari interrogea Sanna sur les affaires du domaine, dont elle lui parla volontiers. L'inspecteur principal était avant tout intrigué par la personnalité de la propriétaire, sur laquelle tant de rumeurs étaient parvenues à la Sécurité nationale. Il demanda quel genre de femme était Ilona Kärmeskallio.

Sanna Saarinen répondit sans façon que la patronne de l'Étang aux Rennes, qui était veuve, était une personne à poigne, gaie et énergique, unanimement aimée et respectée de ses employés. Elle se comportait en matriarche, décidant seule de tout, et chacun se pliait sans protester à sa volonté de fer. À en croire Sanna, le pouvoir de la patronne était non seulement absolu, mais reconnu par ses subordonnés. C'était un despote éclairé, équitable et apprécié. C'était possible en ce monde, après tout, surtout s'il s'agissait d'une femme.

Jyllänketo songea que l'horticultrice avait sans doute un petit penchant féministe, mais il l'admettait volontiers, chez une aussi jolie femme, surtout si son militantisme n'était pas plus agressif que ça.

Il demanda tout de go pourquoi, dans ce cas, le bruit courait qu'Ilona Kärmeskallio avait tué son mari. N'était-il pas malgré tout un peu exagéré de qualifier une meurtrière de despote éclairé?

«Mon Dieu! si tu savais quel genre de monstre c'était, tu ne t'étonnerais pas de ce qui lui est arrivé. Mais je préférerais ne pas en parler, c'est vraiment une histoire horrible.»

Sanna Saarinen espérait que Jalmari Jyllänketo resterait à l'Étang aux Rennes jusqu'au retour d'Ilona, pour pouvoir faire sa connaissance.

L'inspecteur principal songea que ce serait un réel plaisir de prolonger son séjour, pourquoi pas tout l'été, tellement les personnes qu'il avait rencontrées ici étaient sympathiques. Il commençait à avoir l'impression que les dénonciations anonymes et les quelques demandes d'enquête adressées à la Sécurité nationale à propos de l'Étang aux Rennes n'étaient que des ragots malveillants. Il en va souvent ainsi dans le monde, et surtout en Finlande, les gens ont tendance à faire courir de méchantes rumeurs, par pure jalousie. L'immense domaine maraîcher passait sûrement aux yeux de certains pour une véritable mine d'or, et s'il était en plus dirigé par une femme active et autoritaire, ayant sur la conscience un malheureux homicide, il y avait là de quoi alimenter les médisances. Jylländketo se demanda si de telles histoires regardaient véritablement la Sécurité nationale. Les potagers de l'Étang aux Rennes ne menaçaient guère la sûreté intérieure du pays.

Il déclara tout haut qu'à son avis les cultures

bio du domaine étaient gérées avec compétence et professionnalisme et qu'il n'avait trouvé jusque-là, au deuxième jour de son inspection, aucune observation à formuler.

« Ça fait quelques années que je contrôle des exploitations bio et l'Étang aux Rennes se classe sans conteste parmi les plus performantes à l'échelon national. »

Ces compliments allèrent droit au cœur de Sanna Saarinen, qui avait toutes les raisons d'en être satisfaite puisque c'était elle l'horticultrice responsable du maraîchage.

Dans l'après-midi, Jalmari Jyllänketo s'occupa d'élaborer son programme du lendemain. Il avait l'intention de recueillir ici et là, pour la galerie, des échantillons d'engrais ainsi que de produits et de semences. Il imprima le projet qu'il venait de taper sur son ordinateur portable et laissa le papier bien en vue sur la table, afin que toute personne entrant dans sa chambre puisse le lire. Il lui semblait important de soigner les détails de son rôle d'emprunt.

Alors qu'il revenait du sauna, on frappa à sa porte. L'une des employées de maison qu'il avait vues dans la cuisine entra, portant des draps propres. Elle demanda si le contrôleur bio voulait aussi qu'on lave sa chemise et ses sous-vêtements et repartit avec, promettant de les rapporter le lendemain repassés de frais.

Le dîner fut exceptionnellement servi dès seize heures, car l'évêque du diocèse, monseigneur Henrik Röpelinen, avait l'intention de diriger dans le jardin une cérémonie de prière en plein air à laquelle le contrôleur bio Jalmari Jyllänketo était également le bienvenu.

L'évêque! L'inspecteur principal prit soudain conscience que le vieillard qui lui avait paru familier à son arrivée sur le perron de la maison des kolkhoziens était en fait le célèbre homme d'Église. L'éminent ecclésiastique cueillait donc des gyromitres à l'Étang aux Rennes... Que faisait-il si loin dans le Grand Nord? Voilà qui était étrange. Jyllänketo tenta de se rappeler si Röpelinen était mêlé à des affaires louches. Il lui semblait bien avoir entendu son nom dans le contexte de la Sécurité nationale, aurait-il exporté en contrebande des bibles vers la Russie? Sans archives sous la main, impossible de se renseigner sur ses antécédents. L'inspecteur principal décida de vérifier à l'occasion quel genre d'homme était réellement l'évêque, et pourquoi il se trouvait à l'Étang aux Rennes.

La prière était prévue à dix-huit heures. Avec un peu d'avance, l'évêque revêtit sa chape de lin et sortit dans le jardin. La cérémonie devait se tenir à une centaine de mètres de la maison des kolkhoziens, dans un petit bois à l'herbe aussi soigneusement tondue qu'un golf. Au milieu d'une clairière entourée de hauts bouleaux à l'écorce blanche se dressait une grande croix en pin rouge de Laponie, avec devant elle une table recouverte d'une nappe blanche sur laquelle étaient posés deux bouteilles de vin de camarine épicé d'herbes aromatiques, un calice et d'autres objets liturgiques ainsi que quelques recueils de cantiques et une bible.

À six heures, on vit arriver des ouvriers agricoles. Au total, une vingtaine de personnes se rassemblèrent pour écouter la parole de Dieu, parmi lesquelles Jalmari Jyllänketo ne connaissait, en plus des employées de maison, que Juuso Hihna-aapa, monseigneur Henrik Röpelinen et Sanna Saarinen. Le régisseur souhaita la bienvenue à l'assistance et céda la place à l'ecclésiastique.

L'assemblée commença par chanter à tue-tête le cinquième verset du cantique *Bien que la terre encore soupire sous le péché*, implorant une année féconde :

> *Permets à nos récoltes*
> *Dans les champs de mûrir,*
> *De la grêle et du gel*
> *Préserve-nous, Seigneur.*

Tandis que les échos du chœur résonnaient encore dans la sombre sapinière bordant le bois de bouleaux, monseigneur Röpelinen prit la parole :

« Comme nous le rappelle ce beau cantique, tant les êtres humains que les herbes aromatiques verdissant dans les champs ont besoin de la protection du Très-Haut. Les hommes qui cheminent en ce bas monde aspirent à un soutien sur leur route, et je peux vous promettre qu'il sera accordé à tous ceux d'entre vous qui, d'un cœur pur, combattent en actes le mal. Qu'il est doux, le sort de celui qui lutte pour la justice sans ménager sa peine et, sans craindre les plus grands sacrifices, aide Dieu dans sa guerre contre l'iniquité.»

L'évêque évoqua l'état du monde, soulignant que le crime et les turpitudes de toutes sortes régnaient en maître à la surface de la terre. Beaucoup de malfaiteurs et de scélérats marchaient sur la voie de la perdition sans jamais recevoir le châtiment qu'ils méritaient pour leurs actes immondes.

«Mais on peut barrer la route aux âmes égarées et les remettre dans le droit chemin! Le vice doit être froidement pourchassé et enfermé sans pitié dans les cavernes de l'enfer! C'est notre devoir à tous, ne serait-ce que pour des raisons morales, mais surtout car telle est la volonté du Seigneur. N'oubliez pas que le Tout-Puissant est non seulement un Dieu de grâce et de miséricorde mais aussi un Dieu de vengeance et de châtiment. Amen!»

Après le prêche, on pria pour la protection des récoltes, puis l'évêque distribua la communion. Il versa du «Vin de Camarine noire du lac Sauvage» dans le calice et disposa les hosties du ciboire sur la nappe. Jalmari Jyllänketo se demanda s'il convenait, en tant qu'hôte de passage, qu'il participe à l'Eucharistie, mais quand Sanna Saarinen lui prit la main pour le conduire vers l'autel, ses doutes s'évanouirent et il ouvrit la bouche pour recevoir une hostie sur la langue et boire une grande goulée de vin consacré. Il était un peu acide, et on y percevait l'arôme suret des baies de camarine : plutôt jeune, mais relativement rond en bouche, vif, perlant.

6

Promenade romantique
à la Harlière

Après la prière dans le bois de bouleaux, Sanna Saarinen et Jalmari Jyllänketo allèrent se promener en tête à tête sur les terres du domaine, afin de mettre au point le programme d'inspection des jours suivants. Ils savaient qu'ils n'avaient pas en réalité besoin de régler des questions de travail, mais avaient tous deux envie de compagnie. Sanna, de nature spontanée, suggéra de faire une grande balade jusqu'à la Harlière, qui se trouvait à deux kilomètres à l'ouest de la maison des kolkhoziens. Le petit lac était peuplé de nombreux oiseaux aquatiques, il y nichait même en ce moment un couple de cygnes chanteurs. L'horticultrice glissa son bras sous celui de l'inspecteur principal. Ce dernier trouva le geste un peu étrange, mais après tout il avait souvent marché main dans la main avec ses clients, menotté à eux par le poignet.

« Est-ce qu'il y a souvent des cérémonies religieuses à l'Étang aux Rennes ? demanda Jalmari Jyllänketo. Je ne me serais pas attendu à voir un ecclésiastique d'aussi haut rang sarcler la terre par ici.»

Sanna laissa échapper un petit rire nerveux. L'inspecteur la sentit tressaillir, une expression de frayeur passa sur son visage. Elle retira sa main du creux de son bras.

Jalmari Jyllänketo se dit qu'il avait mis le doigt sur un point sensible. Mais Sanna retrouva vite son calme et expliqua que monseigneur Henrik Röpelinen séjournait à l'Étang aux Rennes deux ou trois fois par an, en général pendant une semaine ou deux, et qu'il avait alors l'habitude d'organiser des prières. Il lui arrivait de célébrer l'office à Noël, de rendre grâces pour les récoltes à l'automne, ou, comme maintenant, d'appeler la protection divine sur les semailles, au début de l'été.

Jylländketo eut envie de demander comment l'évêque avait trouvé le chemin de l'Étang aux Rennes, mais il remit ses interrogations à plus tard. Sanna poursuivit:

«Le domaine n'a rien d'un repaire de bigots, nos ouvriers sont plutôt mécréants... mais nous le laissons prêcher. Après tout, c'est un homme charmant, surtout depuis quelque temps.»

Sanna demanda à Jalmari ce qu'il pensait de l'exploitation, à titre personnel, pas en tant que contrôleur bio.

L'inspecteur principal concéda volontiers que, s'il le pouvait, il se ferait bien embaucher à l'Étang aux Rennes, tellement il s'y sentait bien.

«On m'a accueilli comme un vieil ami. C'est assez rare, dans mon métier.»

Se rendant compte qu'il en avait trop dit, il tenta de rectifier le tir :

«Je veux dire que dans beaucoup de fermes on regarde les contrôleurs bio de travers.»

Sanna lui lança un coup d'œil entendu et lui prit de nouveau le bras. Ils contemplèrent les eaux calmes de la Harlière, prêtant l'oreille au cri d'un huard.

«Tu n'as pas eu trop de difficultés à potasser les principes de l'agriculture bio?» demanda Sanna d'un ton innocent.

Jalmari se vanta d'avoir brillamment réussi ses études. Tout ce qui touchait à l'horticulture l'intéressait.

«Quels cours as-tu suivis, à Lepaa?»

L'inspecteur principal ne s'était pas préparé à une question aussi embarrassante. En expert, il improvisa aussitôt un mensonge, car il ne savait rien de l'Institut de Lepaa.

«Je descends d'une longue lignée de jardiniers... ma mère pratiquait déjà l'horticulture bio dans ses serres, qui se trouvaient... dans la commune rurale de Mikkeli.»

Le cerveau en ébullition, le policier eut l'idée de raconter qu'il avait fait sa formation de contrôleur en agriculture biologique à Århus, au Danemark.

«Ils ont plusieurs années d'avance dans le domaine du bio. La législation de l'Union européenne y est en vigueur depuis déjà longtemps.

Beaucoup de directives sont bien sûr assez alambiquées, mais il suffit de faire l'effort de les comprendre. Je peux en tout cas t'assurer que je ne suis pas inutilement tatillon.»

D'un air angélique, Sanna regarda Jalmari dans les yeux et déclara qu'elle s'en serait doutée.

«On voit au premier coup d'œil si quelqu'un ment ou pas, si on peut lui accorder crédit, et quel est son caractère.

— Oui… sûrement.

— J'ai tout de suite su qu'on pouvait te faire confiance.»

Soucieux de dévier la conversation dangereusement enlisée dans les questions potagères, l'inspecteur principal interrogea la jeune femme sur sa vie personnelle. Elle se confia :

«Il y a deux ans, je travaillais encore à Helsinki dans une graineterie, et j'étais locataire d'un deux-pièces, rue de la Voie-Ferrée. Sur le même palier, il y avait un ophtalmologue, un célèbre professeur chez qui les patients défilaient toute la journée. Il y avait aussi des aveugles, avec de gentils chiens guides qui n'aboyaient jamais. Et le soir, le silence était total. C'était pourtant en plein centre.

— Rue de la Voie-Ferrée ? En effet, c'est assez central, mais est-ce qu'il n'y a pas beaucoup de circulation ?

— C'est vrai que c'était parfois assez animé, mais c'est un quartier très tranquille.»

Sanna eut un petit rire.

«Tu te rends compte, j'y ai vécu deux ans, à

regarder tous les jours les beaux immeubles en pierre de taille de l'autre côté de la rue, et je n'ai appris que juste avant de partir ce qu'il y avait à l'intérieur. Je croyais que c'étaient les services du cadastre ou l'institut des études statistiques ou je ne sais quoi d'autre de ce genre. Tu ne devineras jamais ce que c'était!»

Jyllänketo se garda bien d'émettre une hypothèse.

«Le QG de la police secrète!

— La police secrète?» s'exclama stupéfait l'inspecteur principal.

Sanna expliqua que la Sécurité nationale avait son siège rue de la Voie-Ferrée, Jalmari l'ignorait-il? C'était un service de renseignements, une sorte de police politique dans les locaux de laquelle les gens étaient interrogés et tabassés à mort s'ils n'avouaient pas les crimes dont on les accusait. C'était bien sûr aussi un nid d'espions où se tramaient toutes sortes d'horreurs.

«Quand même pas...

— Si, si, je me suis renseignée, j'ai demandé à beaucoup de personnes qui en savaient long.»

Dans son excitation, Sanna serra plus fort le bras de Jalmari. Elle lui chuchota à l'oreille que quand on tombait entre les griffes de la police secrète, on pouvait dire adieu à une vie normale, et parfois à la vie tout court.

L'inspecteur principal s'efforça de tranquilliser la jeune femme en lui expliquant que, d'après ce qu'il savait, la Sécurité nationale était au service de la société, comme toutes les autres administrations. Dans un État tel que la Finlande, un pouvoir policier occulte était impensable. Ces histoires d'horreur dataient du siècle dernier, ou à la rigueur de la guerre. Mais Sanna refusa de le croire, le traitant d'écologiste naïf, inconscient de la cruauté du monde. Les agents de renseignements pouvaient se livrer aux pires brutalités dans leurs salles d'interrogatoire secrètes et même le président de la République n'avait ni le pouvoir ni le courage de s'élever contre la terreur qu'ils faisaient régner.

«Personne n'ose en parler publiquement, et ça ne m'étonne pas», murmura-t-elle.

La jeune femme raconta qu'elle avait été informée des méthodes de la police secrète par son grand-père Aatami Saarinen, qui avait été interrogé pendant plusieurs mois, après la guerre, au seul motif qu'il avait caché quelques armes par crainte de voir les Russes envahir le pays. Et à la graineterie, elle avait rencontré l'ancien représentant d'une société importatrice d'oignons de tulipe hollandais dont le grand-oncle avait été plusieurs fois roué de coups rue de la Voie-Ferrée, dans les années trente, uniquement parce qu'il avait demandé un visa pour l'Ukraine afin d'aller y chercher des rhododendrons de la mer Noire et d'autres plantes exotiques.

«Mais heureusement personne ne t'a kidnappée et séquestrée de l'autre côté de la rue», fit remarquer Jalmari Jyllänketo.

Sanna avoua avoir parfois, derrière ses rideaux, vu de la lumière allumée jusque tard le soir dans l'effrayant immeuble, et parfois même toute la nuit, dans certains bureaux du dernier étage.

«J'éteignais la lampe, dans ma chambre, et je me demandais quelles terribles choses il s'y passait au même moment», souffla la jeune femme.

Jalmari Jyllänketo admit qu'il avait parfois entendu ce genre d'histoires, mais qu'il ne les avait jamais vraiment prises au sérieux. Mais vu les informations que détenait Sanna, il lui fallait bien croire lui aussi aux horreurs secrètes de la rue de la Voie-Ferrée. La mine grave, il tenta de rassurer la jeune femme :

«Mais pourquoi parler de ça? Nous sommes des gens tout à fait ordinaires, nous n'avons rien à craindre. La Sécurité nationale n'a aucune raison de traquer des maraîchers.

— Non... heureusement, l'agriculture bio n'est pas considérée comme une activité aussi subversive que la défense des renards d'élevage», soupira Sanna Saarinen soulagée.

Sur le chemin du retour, ils foulèrent en silence l'herbe humide de rosée nocturne, écoutant les bruits de la nature. Le soleil d'été s'attardait dans le ciel, les oiseaux chantaient à gorge déployée, le délicat parfum des herbes aromatiques planait sur les champs.

7

Coups de fusil
aux portes du sommeil

Plus tard dans la soirée, de retour dans sa chambre, l'inspecteur principal sortit son ordinateur portable et rédigea un bref rapport sur les événements de la journée. En post-scriptum, il réclama des renseignements sur monseigneur Henrik Röpelinen. Il fallait jeter un coup d'œil au dossier de l'évêque afin de voir s'il était mêlé à quoi que ce soit d'illicite, s'il avait été tenu à l'œil de plus près que la moyenne des princes de l'Église et s'il avait sur la conscience des agissements ou des méfaits secrets.

Jyllänketo hésita un instant à demander par la même occasion s'il y avait un dossier au nom de l'horticultrice Sanna Saarinen, mais il se reprit, ce n'était bien sûr pas le cas. L'émotive jeune femme s'était juste imaginé toutes sortes d'idioties à propos du pouvoir arbitraire de la Sécurité nationale et leur petite conversation de tout à l'heure, sur les bords de la Harlière, ne justifiait pas d'enquête plus approfondie.

L'inspecteur principal nota que l'on avait

fait le ménage dans sa chambre, elle sentait le propre, il y avait sur la table de chevet un verre de jus de légumes et dans un vase d'odorantes fleurs des prés fraîchement cueillies. On aurait dit que de bonnes fées étaient passées par là pendant qu'il assistait à la prière et se promenait à la Harlière. Jalmari Jyllänketo se demanda s'il avait une chance de vivre un jour dans un monde comme celui-ci, en compagnie de gens comme ceux-ci, heureux, en un mot comme en cent. Au service de la Sécurité nationale, il effectuait le plus souvent des tâches pénibles et ingrates, exerçait une surveillance de routine, espionnait des gens louches et malfaisants, supportait des collègues miteux. En fin de compte, le métier de sous-officier de la police secrète était un métier de chien.

Vivre la vie d'un contrôleur bio serait plus agréable — ce qui lui rappela qu'il serait sans doute plus sage de se mettre à réviser les principes de l'agriculture durable. Il était clair que l'agronome Juuso Hihna-aapa et l'horticultrice Sanna Saarinen étaient des professionnels qu'il ne parviendrait pas à duper sans connaissances théoriques crédibles. Heureusement, il avait glissé dans sa valise une pile de livres sur le sujet. Il était déjà tard, mais en Laponie le soleil ne se couche pas, en été, et il faisait donc assez jour dans sa chambre pour qu'il puisse se rafraîchir la mémoire.

Jalmari Jyllänketo sortit le *Manuel d'agriculture biologique* de Jukka Rajala. C'était un ouvrage de plus de trois cents pages publié par le Centre de recherche et de formation pour le monde rural de l'université de Helsinki qui traitait de sujets fondamentaux tels que la productivité des sols, la rotation des cultures, la fertilisation, la protection phytosanitaire, le maraîchage et l'horticulture, l'élevage du bétail ainsi que la transformation et la commercialisation des produits.

Jalmari Jyllänketo avait aussi acheté aux frais de la Sécurité nationale diverses brochures, dont *La Culture biologique des herbes médicinales*, *Principes biologiques de l'élevage d'animaux domestiques et de l'apiculture* et *Normes de la production bio* — dont les deux derniers avaient été publiés à Mikkeli par la Fédération de l'agriculture biologique.

L'inspecteur principal se plongea dans la fertilisation organique. Il gardait un souvenir brumeux de ses études du printemps passé : la moitié environ de l'azote et du calcium des excrétions des animaux domestiques proviennent de l'urine... la dissolution de ces éléments minéraux est rapide et l'urine de vache est donc un bon engrais d'appoint pour l'herbe et les céréales. Le problème est que l'urine fraîche brûle les plantes et donne mauvais goût au fourrage. Les vaches n'apprécient pas que le foin sente l'urine. Mais diluée dans l'eau (à 1/1 ou 1/3) celle-ci réduit notablement la dénitrification des sols. Les lombrics et le reste de la pédofaune sont ainsi préservés d'un choc ammoniacal trop violent.

L'espace d'un instant, l'inspecteur principal

Jalmari Jyllänketo s'imagina en ver de terre se tortillant tranquillement dans un riche humus, plutôt satisfait de sa vie dans le sein protégé de la terre. Tout va bien, jusqu'à ce que sa chaîne nerveuse ventrale l'avertisse d'un séisme dû à l'approche d'un tracteur et qu'en un rien de temps toutes ses galeries creusées à grand-peine soient balayées par d'énormes vagues de pisse. Choc ammoniacal! Sauve qui peut! À la grâce de Dieu!

Tard dans la nuit sans nuit, l'inspecteur principal se renseigna encore sur la culture des légumineuses, s'efforçant tout particulièrement de retenir les indications relatives à la production de fourrage où dominait le trèfle rouge et au rôle de ce dernier dans l'alimentation bio du bétail. Il se demanda combien d'agents de la Sécurité nationale, à part lui, savaient que le rendement en matière sèche des mélanges de trèfle et de fléole était en moyenne de 7 980 kilos à l'hectare. Le sommeil commençait à le gagner. Il posa son livre et fixa un moment le plafond lambrissé de sa chambre, comptant le nombre de nœuds du bois et songeant au bonheur qu'il aurait à passer toute la belle saison à l'Étang aux Rennes. Il pourrait prendre un congé sans solde, en plus de ses vacances… il ne retournerait rue de la Voie-Ferrée qu'à l'automne, quand les gelées mettraient fin à l'été arctique.

Jalmari Jyllänketo savait qu'il devait se tenir sur ses gardes — l'accueil et l'hospitalité des occupants du domaine étaient si généreux qu'ils cachaient peut-être une défense organisée de leurs propres intérêts. En même temps, il était naturel qu'un contrôleur officiel soit aimablement traité sur le lieu de son inspection. Ça n'avait rien d'extraordinaire. Sur le point de sombrer dans le sommeil, l'inspecteur principal se dit que les années passées au service de la Sécurité nationale l'avaient rendu cynique. Un agent de renseignements ne croit plus à rien, et surtout pas à la bonté, s'il y a derrière un être humain.

À moitié endormi, Jalmari Jyllänketo crut entendre deux lointains coups de fusil. Un instant, il fut tenté d'émerger de sa torpeur, de se secouer, d'aller à la fenêtre et de tendre l'oreille pour savoir d'où venait le bruit, mais il se laissa finalement glisser dans les bras de Morphée, faisant taire son instinct de limier.

8

Petit déjeuner au lit servi
par une belle jeune femme

«L'agriculteur exerce l'une des activités humaines les plus importantes et de lourdes responsabilités pèsent sur ses épaules... la production alimentaire doit être organisée de manière à préserver les conditions nécessaires à une vie saine.»

Jalmari Jyllänketo se remémorait les principes généraux, les règles et les exigences minimales de l'agriculture biologique sur lesquels il avait récemment travaillé. L'heure du réveil avait sonné, et il devait le jour même se mettre enfin à prélever systématiquement des échantillons de sol en divers endroits, contrôler tout l'immense domaine de l'Étang aux Rennes et, en temps voulu, rédiger un rapport sur ses pratiques et ses méthodes.

Le message des manuels bio était dans l'ensemble d'une ennuyeuse emphase. Tout semblait si terriblement sain et rationnel que c'en était inquiétant. Les ressources naturelles renouvelables (eh oui, tout se renouvelle à un moment ou à un autre sur cette planète), le pilotage et

65

l'amélioration de l'efficacité… les objectifs… le recyclage… Qu'en était-il de la diversité, de la modération et d'autres vertus précieuses?

L'inspecteur principal songea qu'il n'y avait rien de plus facile, dans ce monde, que d'élaborer des règles et des programmes théoriques. C'était une autre paire de manches que de mettre en pratique ces nobles idéaux. N'importe qui pouvait rédiger des lois et pondre des directives au ton grandiloquent, c'était bien pour ça qu'on ne manquait jamais de candidats avides de siéger au parlement. Mais qui appliquait et exécutait la législation? La nation tout entière, les masses résignées que l'on surveillait et tenait sous le joug. Et pour cela, on avait besoin d'autorités publiques. Jalmari Jyllänketo se savait l'obéissant serviteur du pouvoir exécutif, aussi bien dans son métier d'agent de la Sécurité nationale que sous son déguisement de contrôleur bio prêt à plonger ses griffes dans les riches sillons des champs de l'Étang aux Rennes.

C'était un vrai plaisir de paresser par un matin d'été entre des draps propres, dans une chambre pimpante, à regarder les fleurs sur la table de chevet, compter les carreaux des rideaux et attendre l'heure du petit déjeuner. L'inspecteur principal resongea aux directives sur l'agriculture biologique, aux dizaines de règlements sur la question, aux labels de qualité et au reste… et d'un autre côté à la loi finlandaise et à la sûreté de l'État. Quelle inefficacité, dans l'ensemble! Des millions de crimes restaient impunis dans ce monde, même les pires truands échappaient parfois à toute sanction. La loi était rigoureuse et inflexible, mais les mailles de son lourd filet étaient malgré tout trop lâches, pleines de trous et d'échappatoires. Les plus forts et les plus audacieux pouvaient sans dommage sauter par-dessus sa barrière et les plus retors ramper dessous. Il ne restait dans la nasse que du menu fretin, de tristes poissons de fond. Et pour finir, le législateur lui-même se retrouvait esclave de son œuvre, car il n'osait pas publiquement la bafouer ou la contourner. Son pouvoir s'effilochait au fil des ans, seuls restaient la loi et ses gardiens...

La sonnerie de son téléphone portable tira Jyllänketo de ses pensées. Il sauta de son lit, brancha l'appareil sur le modem de son ordinateur et alluma ce dernier. Le code familier de la Sécurité nationale s'afficha sur l'écran. Un message apparut: la vie publique de monseigneur Henrik Röpelinen était sans tache, mais sa vie privée présentait de nombreuses parts d'ombre. L'évêque était sexuellement hyperactif et manifestait un intérêt immodéré tant pour les jeunes femmes que, surtout, pour les plus âgées. Malgré sa formation théologique et ses fonctions, c'était un ivrogne invétéré, bien qu'il se fût un peu calmé avec l'âge. Son caractère emporté, surtout lorsqu'il avait bu, l'avait plusieurs fois conduit à proférer des menaces ou à user de violence — situations dont il ne s'était tiré qu'en mettant en jeu tous ses talents oratoires et souvent même en sacrifiant jusqu'à ses dernières ressources financières. Il avait aussi été mêlé à des entre-prises louches telles que la contrebande de bibles à l'intention de la population d'un pays voisin, pourtant ami de la Finlande.

L'évêque entretenait depuis des années déjà d'obscures relations d'affaires avec un ancien député. Ce dernier avait été soupçonné de haute trahison et en particulier de transmission de documents confidentiels à des représentants d'un État étranger, mais malgré de nombreuses filatures on n'en avait pas trouvé de preuves concluantes. Le député en question, aujourd'hui âgé de soixante ans, se nommait Kauno Riipinen. Il avait dans sa jeunesse été employé à divers tra-vaux dans le port de Kotka, avant de travailler comme docker et responsable syndical. Dans les années soixante-dix, il avait été élu au parlement, avec un nombre confortable de voix, sur les listes de la circonscription de la vallée du Kymi de la Ligue démocratique du peuple finlandais. Par la suite, il avait perdu son siège de député et tou-chait actuellement une pension d'invalidité. « Il voyage beaucoup mais reste toujours en étroit contact avec monseigneur Röpelinen », pour-suivait le rapport, qui constatait pour conclure que les deux canailles en question n'avaient plus fait parler d'elles depuis maintenant plusieurs années et, comme elles semblaient être rentrées dans le droit chemin, ne faisaient plus l'objet d'aucune surveillance particulière.

La photo de l'ex-député Kauno Riipinen s'affi-cha sur l'écran. L'inspecteur principal Jalmari

Jyllänketo sursauta : c'était l'homme qui était entré avec un panier de gyromitres dans la cuisine de la maison des kolkhoziens, le jour de son arrivée, en compagnie de monseigneur Röpelinen.

Le message se terminait par l'ordre d'envoyer sur les activités du domaine de l'Étang aux Rennes un rapport plus détaillé que le précédent.

On frappa à la porte. L'inspecteur principal fit disparaître en un éclair le texte de l'écran. Il avait l'impression d'avoir été pris la main dans le sac, comme si un tiers était entré dans une salle d'interrogatoire, mais ce n'était que Sanna Saarinen. Elle était chargée d'un plateau sur lequel étaient disposés du thé, des galettes d'orge tièdes, de la confiture, des œufs et du jambon.

« Je t'ai apporté le petit déjeuner, je voulais te faire une surprise. »

Elle s'assit sans façon sur le bord du lit de Jalmari Jyllänketo, posa le plateau sur la table de chevet et versa du thé dans la tasse. On aurait pu se croire entre vieilles connaissances, ou entre vrais amis, songea le policier. C'était un peu embarrassant, il ne savait pas trop en quel honneur on le gâtait ainsi, mais c'était agréable. Il espéra ne pas sentir la sueur, mais sans doute pas, il avait été au sauna la veille. Sanna le regarda dans les yeux et lui effleura légèrement le nez du bout du doigt, comme à un bébé.

« Quel sérieux, monsieur le contrôleur ! »

Puis elle se leva avec un petit rire. À la porte, elle déclara d'un ton plus grave :

« Il y aura des obsèques, demain, un de nos

vieux ouvriers est mort. Le malheureux n'avait pas de famille, il sera enterré à l'Étang aux Rennes, nous avons notre propre cimetière. J'espère que tu seras des nôtres.»

Quand la jeune femme fut partie, l'inspecteur principal, perplexe, savoura son repas. Il n'avait pas une seule fois de sa vie été aussi somptueusement traité. À la réflexion, personne n'avait même jamais pris la peine de lui apporter le petit déjeuner au lit. Enfin si, la dernière fois qu'il s'était claqué les muscles du dos lors d'une arrestation mouvementée et qu'il avait dû passer quelques jours à l'hôpital pour des examens, on lui avait servi le petit déjeuner au lit, mais il s'agissait visiblement ici de tout autre chose. Sanna était-elle amoureuse de lui? Jalmari Jyllänketo se leva pour se regarder dans le miroir, prit la pose, gonfla les biceps. Il était plutôt beau gosse, de son propre avis, pas étonnant que les femmes le remarquent. Il avait certes pris du bide au fil des ans et, à regarder son visage de plus près, il n'y avait pas de quoi se réjouir: des poches sous les yeux à cause des nuits passées à travailler, les tempes déjà un peu dégarnies... mais quand même! L'allure était virile, la silhouette nickel.

Son petit déjeuner terminé, le policier se lava et s'habilla. Puis il ressortit son ordinateur, entra les codes nécessaires et entreprit de noter ses premières impressions sur l'objet de son enquête:

«Le domaine de l'Étang aux Rennes est situé dans la commune de Turtola, dans l'ouest de la Laponie. Sa superficie est de 870 hectares.

Les champs s'étendent sur 200 hectares, dont 170 réservés au bio. L'exploitation emploie 20 à 30 ouvriers environ, sous la direction d'un régisseur (Juuso Hihna-aapa, agronome, 60 ans) et d'une maraîchère spécialisée dans la culture des herbes aromatiques (Sanna Saarinen, horti-cultrice, 30 ans). Les terres ont précédemment appartenu à un kolkhoze, puis à l'Institut natio-nal de la recherche forestière. On y cultive éga-lement des champignons, à grande profondeur, dans une ancienne mine de fer située à 30 kilo-mètres à l'est de l'exploitation principale, dans la zone métallifère du lac Sauvage. J'ai visité le domaine, y compris les champignonnières, en me faisant passer pour un contrôleur en agricul-ture biologique.

«La gestion de l'Étang aux Rennes est à mon avis exemplaire. Les forêts et les champs sont soigneusement clôturés par un grillage en acier d'une hauteur de 2,20 mètres. Les portails sont gardés. Ces mesures de protection ont été prises car il y a dans la région de nombreux rennes et élans dont il faut empêcher l'intrusion dans les champs d'herbes aromatiques. D'après les émi-nents experts que j'ai consultés, plusieurs des espèces cultivées à l'Étang aux Rennes sont par-ticulièrement appréciées des cervidés et les bar-rières protectrices ainsi que le gardiennage sont de ce fait justifiés. En plus de la main-d'œuvre salariée, l'exploitation emploie un certain nombre de bénévoles intéressés par l'agriculture biologique.

«Sur la base de mes investigations, je suis parvenu à la conclusion que les activités de l'Étang aux Rennes ne sont en aucun cas contraires à l'ordre public et ne menacent d'aucune autre façon la sûreté de l'État. Je n'ai repéré aucun groupuscule illégal ni rien qui indique la moindre agitation religieuse ou politique. Je poursuis malgré tout mon enquête et j'en rendrai compte dès que j'aurai du nouveau.»

L'inspecteur principal envoya son rapport à la Sécurité nationale à Helsinki. Quand l'accusé de réception lui fut parvenu, il effaça le tout de la mémoire de son ordinateur et passa à l'élaboration de son programme d'inspection des cultures bio.

9

Enterrement d'un mort
à la mine patibulaire

Jalmari Jyllänketo se vit encore une fois accorder l'usage du quatre-quatre du régisseur Juuso Hihna-aapa et l'assistance de l'horticultrice Sanna Saarinen. Il prit sur l'étagère de son armoire ses boîtes et sachets à échantillons, les fourra dans un sac et partit parcourir à nouveau les champs d'herbes aromatiques. La jeune femme l'aida à effectuer ses prélèvements, mais cette activité ne semblait pas l'intéresser outre mesure. Dans l'après-midi, elle lui demanda d'ailleurs s'il pouvait se débrouiller seul, maintenant qu'il connaissait les terres de l'Étang aux Rennes, et même les champignonnières du lac Sauvage. On avait besoin d'elle pour des tâches plus urgentes relevant directement de ses responsabilités.

Après le déjeuner, l'inspecteur principal se promena donc à sa guise avec son matériel, au volant de la Land Rover. Il renonça à faire semblant de creuser le sol suivant un plan préétabli et remplit en vitesse ses boîtes de terre derrière une grange. Le reste de la journée, il sillonna à loisir tout le vaste domaine. De petits groupes d'ouvriers agricoles travaillaient ici et là dans les champs, un tracteur grondait au loin, dans un atelier d'emballage résonnait le bruit d'une cloueuse. Jalmari Jyllänketo regardait le ciel sans nuages, savourant sa liberté. Il se dirigea au hasard vers la rive est de la Harlière et se gara au pied d'une petite colline sablonneuse. Il sortit de la bière de ménage et de gros sandwiches du panier de victuailles dont on l'avait muni.

Un promontoire planté de pins dominait les eaux bleues. Les cygnes étaient invisibles, sans doute se trouvaient-ils à cette heure du jour dans leur nid, caché dans la roselière. De la pinède parvenaient des ahanements et des jurons étouffés. Jyllänketo, intrigué par le bruit, se dirigea par là avec son pique-nique. Il arriva à une vieille clôture en bois dont la barrière donnait accès à une charmante allée moussue. Des croix de bois se dressaient çà et là. Des entrailles de la terre, du sable jaillissait dans les airs : un homme creusait un trou. L'inspecteur principal comprit qu'il se trouvait au cimetière de l'Étang aux Rennes. Au fond de la fosse se démenait un type en sueur, assez jeune, jurant comme un charretier. Il n'aimait visiblement pas cette pénible besogne et pelletait le sable à grands gestes furieux.

« Vous devez être le bedeau, le salua aimablement Jalmari Jyllänketo.

— Putain ! je ne suis pas fossoyeur mais aviateur, grogna l'homme dans son trou.

«— Aviateur? Ce n'est pas un peu profond pour décoller?»

Le policier aida le pelleteur essoufflé à sortir de la tombe et lui proposa de la bière et un sandwich. Ils se présentèrent. L'homme, Pekka Kasurinen, assura être véritablement pilote d'avion. On l'avait chargé de creuser la dernière demeure d'un ouvrier agricole tout juste décédé. Il se plaignit d'être à tout moment obligé de se colleter différents boulots, car les activités aéronautiques se faisaient rares. Jyllänketo acheva de creuser la fosse et ramena l'aviateur et sa pelle en voiture à la maison des kolkhoziens.

Plus tard dans l'après-midi, il tomba sur l'évêque Henrik Röpelinen et l'ex-député Kauno Riipinen qui sarclaient des rangs de sauge dans un champ à l'est du terrain d'aviation. Ils discutèrent un moment des bienfaits de la culture bio des herbes aromatiques. Jalmari Jyllänketo ne put s'empêcher de demander ce qui poussait un ecclésiastique et un parlementaire à manier la serfouette au fin fond de la Laponie au lieu de passer leur temps libre au bord d'un lac sur la terrasse de leur villa. Les deux hommes fréquentaient paraît-il avec assiduité l'Étang aux Rennes.

«Un évêque, surtout, n'a-t-il pas assez d'âmes à cultiver sans sarcler en plus des champs terrestres?»

Monseigneur Röpelinen expliqua qu'il avait certes beaucoup de travail, et même trop, en tant que directeur spirituel du diocèse, mais qu'une

activité physique telle que l'entretien d'un potager délassait le corps et l'esprit. Il séjournait
donc volontiers à l'Étang aux Rennes deux ou
trois fois par an, en général au printemps et à
l'automne, ou parfois même plus souvent.

«Il s'agit en quelque sorte de labourer le
champ du Seigneur, au sens propre. Travailler de
ses mains est aussi un exercice spirituel», philo-
sopha l'évêque en souriant aux anges.

Les motifs de l'ex-député Kauno Riipinen
étaient du même ordre. Siéger à la chambre avait
été épuisant. Surtout le dur labeur préparatoire
et les incessantes réunions à l'écoute des mili-
tants de base avaient eu raison, au fil des ans, de
son enthousiasme pour la cause. Et le jour où il
avait eu l'occasion, en sa qualité de membre de
la commission de l'agriculture du parlement, de
découvrir le domaine de l'Étang aux Rennes, il
avait eu le coup de foudre, si on peut dire, pour
cet endroit si accueillant et si proche de la nature
et avait décidé d'y revenir, au plus tard lorsqu'il
aurait pris sa retraite.

«Et voilà comment je suis devenu un visiteur
régulier.»

Monseigneur Röpelinen posa la main sur
l'épaule de l'ex-député Riipinen et déclara que
leurs convictions sociales totalement opposées
ne les empêchaient pas de vivre en bonne intelli-
gence.

«Kauno et moi sommes devenus de véritables
amis, à force, d'authentiques frères de sang,
pourrait-on même dire.»

L'ancien parlementaire passait lui aussi deux fois par an quelques semaines de vacances actives à l'Étang aux Rennes. Il confirma que se nourrir de produits sains et trimer dans les champs odorants revigorait tant le corps que l'esprit. L'air était vivifiant, dans l'Arctique, et les gens simples et aimables.

Jalmari Jylländerto dut admettre que ces messieurs avaient sûrement raison. Les occupants de l'Étang aux Rennes étaient charmants et leur hospitalité exemplaire. Il en était lui-même venu à se demander s'il ne pourrait pas prolonger son séjour au-delà de ce qu'exigeait une inspection ordinaire.

« J'aimerais beaucoup passer mes vacances d'été à gratter la terre ici, mais est-ce qu'on voudra d'un gars du Sud comme moi ? »

Röpelinen et Riipinen trouvèrent l'idée excellente. D'après eux, le contrôleur bio Jalmari Jylländerto serait plus que le bienvenu dans l'équipe des bénévoles de l'Étang aux Rennes, s'il voulait participer à une œuvre utile et méritoire. Sa compétence professionnelle serait d'une grande aide pour résoudre les problèmes de l'exploitation bio.

« Ce n'est pas comme nous, soupira l'évêque. Je suis certes un spécialiste de la culture des âmes, et notre ami Riipinen a puissamment œuvré à creuser le sillon de la cause du peuple, mais nos connaissances théoriques en agronomie sont nulles. Nous ne faisons qu'obéir aux ordres. »

Ils parlèrent ensuite du cimetière de l'Étang

aux Rennes que Jyllänketo venait de visiter. Riipinen raconta qu'il avait été créé par les premiers défricheurs des terres du kolkhoze, les communistes de Turtola, qui voulaient être inhumés chez eux sans prières hypocrites, et non parmi les luthériens rigoristes du bourg.

Monseigneur Röpelinen ajouta qu'au fil des années le lieu s'était dégradé mais qu'il avait été réhabilité quand le domaine de l'Étang aux Rennes avait été repris par ses propriétaires actuels. Les morts enterrés là n'étaient pas très nombreux. Les divergences idéologiques entre communistes et croyants étaient depuis longtemps aplanies et oubliées. C'était malgré tout encore officiellement un cimetière, situé qui plus est dans une belle pinède au bord de la Harlière, au milieu des champs d'herbes aromatiques. L'évêque l'avait même consacré, et on allait maintenant y enterrer un vieil ouvrier du domaine, mort au travail.

En s'habillant pour les funérailles, Jalmari Jyllänketo remarqua que son pantalon froissé pendant le voyage avait été repassé et sa chemise lavée. On s'occupait de tout sans rien vous demander, comme dans les hôtels les plus chics, songea-t-il en nouant autour de son cou une cravate dont le gris discret, dans le style de la Sécurité nationale, était bien adapté aux circonstances.

Il sortit se promener pour réfléchir à la situation. Il avait peur, d'une certaine manière, de s'être senti bien trop vite chez lui dans cet étrange endroit. C'était perturbant. Il était rare, pour les enquêteurs de la Sécurité nationale, de prendre goût à l'objet de leurs investigations, et encore plus d'apprécier les personnes en cause. Perdu dans ses pensées, Jalmari Jyllänketo se dirigea vers l'atelier d'emballage des betteraves, dans la fraîcheur duquel était paraît-il conservé le corps du défunt. Poussé par la curiosité profession-nelle, il décida d'aller jeter un coup d'œil au cer-cueil. Les portes du hangar étaient verrouillées. Pourquoi? Les soupçons de l'inspecteur princi-pal s'éveillèrent. Mécaniquement, il fit le tour du bâtiment et trouva du côté de la forêt une rampe d'accès menant droit au premier étage, qui ser-vait sans doute dans le temps pour les chevaux. Il l'emprunta et s'introduisit à l'intérieur par une fenêtre d'aération. Le cercueil reposait en bas sur des palettes vides. L'inspecteur princi-pal se glissa entre deux madriers du plancher à claire-voie et se laissa tomber d'un bond souple sur le sol en béton du rez-de-chaussée. Rapide-ment, il vérifia qu'il était bien seul et s'appro-cha du cercueil. C'était une simple caisse en pin raboté, décorée à sa tête d'une croix en métal et des deux côtés d'un volant de tissu blanc. Jyllän-keto dévissa rapidement le couvercle et le posa de côté.

En tant qu'agent de la Sécurité nationale, il avait vu pas mal de choses dans sa vie, mais rare-ment des cadavres à la mine aussi patibulaire. Le mort était un homme d'une soixantaine d'années aux traits durs et cruels, avec un nez de boxeur professionnel. Il avait la bouche figée dans un rictus, la peau rêche et presque blanche, comme farineuse. Jyllänketo songea qu'il l'avait certainement déjà rencontré, on n'oubliait pas ce genre de visage, dans son métier. Les yeux du défunt s'étaient rouverts dans l'obscurité du cercueil et, pendant un instant, il se demanda s'il devait les lui refermer, mais leur regard lui donnait de tels frissons, malgré ses années d'expérience, qu'il le laissa fixer l'au-delà et revissa le couvercle avec un haut-le-cœur. Puis il quitta le hangar par une porte latérale s'ouvrant de l'intérieur.

Les funérailles furent austères, à l'image du corps. Une vingtaine de personnes — principalement des employés du domaine — se rassemblèrent à la grille du cimetière de la Harlière. Jyllänketo n'en connaissait de vue que la moitié. La propriétaire de l'Étang aux Rennes semblait être enfin revenue de voyage, car il y avait parmi les présents une femme d'une cinquantaine d'années qu'il n'avait jamais vue et qui, à en juger par son allure, n'était à coup sûr ni une employée de maison ni une cueilleuse d'herbes aromatiques. Sa haute silhouette était drapée dans une cape noire. Son visage volontaire avait sûrement été beau, dans sa jeunesse, et restait harmonieux. Ses cheveux étaient recouverts d'un foulard assorti à sa tenue et ses pieds chaussés de bottes vernies. Elle rayonnait d'une telle autorité naturelle que Jyllänketo n'osa pas la regarder dans les yeux et encore moins l'aborder.

L'évêque célébra le service funèbre. Le défunt

se nommait Hannes Kulppala et était originaire d'Eura. Mais dans son oraison, monseigneur Röpelinen ne dit pas un mot de sa vie, et son nom ne disait rien à l'inspecteur principal.

Après un cantique chanté du bout des lèvres, on descendit le cercueil dans la fosse. Des poumons de plusieurs personnes s'échappa un soupir de soulagement. Puis la petite assemblée quitta le cimetière en silence pour aller prendre le café dans la salle de la maison des kolkhoziens, où l'on entonna encore deux ou trois cantiques avant de bavarder d'un air gêné de choses et d'autres. Personne n'évoqua le défunt, ni en bien ni en mal. Jalmari Jyllänketo tentait de se rappeler où il avait pu rencontrer cet homme si antipathique, mais rien qui puisse éclairer son passé ne lui revint.

Avec le café, on servit du pain surprise fourré de beurre et de crème aigre aromatisés aux herbes. La patronne de l'Étang aux Rennes s'approcha de Jalmari Jyllänketo pour lui en proposer et se présenta.

«Je suis Ilona Kärmeskallio, la propriétaire de ce domaine.»

Sa poignée de main était chaleureuse et exigeante. Jalmari Jyllänketo se sentit rougir, comme s'il avait été sommé de s'expliquer sur un acte inavouable.

«J'étais hélas en voyage, mais j'espère qu'on vous a apporté pour votre inspection toute l'aide dont vous aviez besoin», déclara Ilona Kärmeskallio.

L'inspecteur principal se répandit en éloges sur l'assistance et l'hospitalité qu'on lui avait offertes.

«Tout va bien, alors. Vous pourriez même rester plus longtemps parmi nous.»

Jalmari Jyllänketo faillit répliquer qu'il avait effectivement pensé passer tout l'été à l'Étang aux Rennes, ou au moins ses vacances, mais il tint sa langue. Son flair de policier lui soufflait de ne pas manifester trop d'enthousiasme à l'égard de ses hôtes.

En conclusion de cette brève réunion en mémoire du défunt, on chanta un dernier cantique, puis chacun retourna à ses activités. Une fois de plus, un pauvre pêcheur avait quitté cette terre — ce qui, en l'espèce, était une bonne nouvelle.

10

Le départ pour la Norvège
de l'aviateur et du policier

Le lendemain de l'enterrement, Jalmari Jyllän-keto annonça dans la matinée à la patronne de l'Étang aux Rennes qu'il avait terminé l'inspection détaillée du domaine. Il avait prélevé des échantillons en d'innombrables endroits, les avait emballés dans leurs boîtes et avait rédigé son rapport. Il étala ses paperasses sur la table de la salle et demanda à Ilona Kärmeskallio de les signer au nom de l'exploitation. Il ajouta que le contrôle s'était parfaitement déroulé, mais qu'il ne pouvait pas encore rendre de décision définitive sur le respect des exigences de qualité de l'agriculture biologique, car les échantillons de sol et d'engrais devaient bien sûr être analysés en laboratoire. Cela prendrait une semaine, s'il parvenait à poster les prélèvements le jour même.

«Parfait! Je dois dire que vous avez travaillé vite, et avec beaucoup d'efficacité. J'espère que les résultats du laboratoire seront positifs. L'obtention du label bio est vitale pour nous.»

Jyllänketo se déclara convaincu que les analyses montreraient qu'aucun engrais interdit n'avait été utilisé et que les cultures étaient parfaitement naturelles.

«J'ai des années d'expérience en la matière, se vanta-t-il. Tout indique que des efforts rigoureux et systématiques ont été consentis pour mettre en place une agriculture pleinement biologique. Vous n'avez aucun souci à vous faire», ajouta-t-il courtoisement.

Ces questions professionnelles réglées, l'inspecteur principal remercia Ilona Kärmeskallio pour l'accueil qu'on lui avait réservé et demanda combien il lui devait pour la pension complète. Elle balaya la question d'un geste, déclarant que l'on n'avait jamais fait payer les visiteurs de l'Étang aux Rennes pour une hospitalité somme toute ordinaire et qu'elle était heureuse que le contrôleur bio ait apprécié son séjour et pu se concentrer en paix sur son important travail.

«Si vous n'êtes pas trop pressé, vous pourriez rester ici encore une semaine ou deux. La saison des semailles est presque terminée, vous devez avoir moins de travail.»

Jalmari Jyllänketo admit qu'il n'avait de fait aucune exploitation à inspecter avant le mois de juillet, et qu'il serait en outre en congé dès la fin de la semaine. C'était malgré tout gênant de rester à se tourner les pouces aux frais d'un domaine qu'il venait de contrôler, alors que sa mission était achevée.

«Certains pourraient penser que la prolongation de mon séjour risquerait de compromettre mon indépendance, s'excusa-t-il.

— Qu'ils aillent au diable, décréta Ilona Kärmeskallio. Et si vous voulez donner un coup de main, vous pouvez accompagner Kasurinen en Norvège, pour chercher un chargement de fertilisant. J'ai commandé douze tonnes de farine de poisson à Tromsø.»

Jyllänketo avait noté la présence d'un mélangeur d'engrais derrière l'atelier d'emballage. Il fit observer qu'à son avis la farine de poisson revenait assez cher, mais constituait un fertilisant efficace et contenait plus de calcium, de brome et d'autres oligoéléments que bien des engrais artificiels.

«Les oligoéléments sont essentiels pour l'agriculture biologique. À titre professionnel, je suis bien sûr favorable au remplacement des produits chimiques toxiques par des mélanges de farine de poisson.»

Fort de son expérience de policier, l'inspecteur principal songea que tout semblait se passer selon un scénario écrit à l'avance. Ce n'était pas normal. Dans la vraie vie, rien n'était aussi simple. Il décida de rester à l'Étang aux Rennes pour poursuivre son enquête, car il continuait de nourrir des soupçons à l'égard du domaine et de ses occupants.

De retour dans sa chambre, il rédigea un rapport sur ses dernières investigations. Il ne souffla cependant pas un mot de son regain de méfiance et nota au contraire que tout semblait en ordre

— il n'avait encore rien constaté qui sorte de l'ordinaire. Pour finir, il indiqua qu'au cours de la semaine suivante il étendrait son enquête jusqu'en Norvège septentrionale, où il avait l'intention de se rendre en compagnie d'un des employés du domaine.

Le lendemain matin, l'aviateur Pekka Kasurinen vint frapper à sa porte dès huit heures. Il expliqua qu'il valait mieux partir tôt, car les routes des fjords étaient étroites et sinueuses et les Norvégiens conduisaient comme des cochons. Le soir, la circulation était encore plus dangereuse, car leur imprudence augmentait à mesure que la journée avançait.

Leur petit déjeuner avalé, ils se rendirent au hangar à machines d'où Kasurinen sortit en marche arrière un semi-remorque de douze tonnes. Ils repassèrent par la maison des kolkhoziens, où Jyllänketo embarqua un grand carton dans lequel il avait rangé au fil des jours les échantillons de sol et d'engrais qu'il avait prélevés. Son intention première avait été de tout flanquer à la poubelle, mais, sous le regard de Kasurinen, il fut obligé d'aller à la poste de Turtola et d'expédier le colis. Il se demanda un instant à qui l'envoyer. Finalement, il inscrivit sur l'étiquette les coordonnées de l'une de ses anciennes conquêtes, faute de meilleure idée. Dans la case réservée à l'expéditeur, il griffonna son propre nom et son adresse à Helsinki, plutôt que celle de l'Étang aux Rennes. Puis il paya le port, se demandant ce que penserait Sinikka en recevant de la part de son ex-fiancé un gros paquet contenant de la terre et de malodorants échantillons de fumier. Avec un pincement au cœur, il songea qu'il n'avait jamais eu la présence d'esprit de lui offrir des fleurs. Mais à défaut de roses, il lui envoyait quand même maintenant du terreau, et de la meilleure qualité.

Kasurinen tournait autour de lui dans le bureau de poste, prêt à l'aider mais lui compliquant la tâche, car il devait éviter qu'il voie ce qu'il écrivait.

De Turtola, ils prirent vers le nord par la vallée de la Torne, sur la route goudronnée longeant la frontière suédoise, jusqu'à Kolari, puis Muonio, d'où ils continuèrent en direction du nord-ouest vers Kilpisjärvi. En chemin, Kasurinen raconta à Jyllänketo de nombreuses anecdotes sur sa vie aventureuse. Il avait une licence de pilote professionnel, était autorisé à prendre les commandes d'avions-cargos lourds et se vanta de savoir voler sur un chasseur-bombardier. Dommage que le Cessna de l'Étang aux Rennes soit trop petit pour transporter des herbes aromatiques. D'un autre côté, il n'avait pas non plus à se plaindre du camion, c'était un Sisu finlandais qui n'avait que cinq ans d'âge, donc presque neuf. Il l'entretenait avec soin et ne s'amusait pas à trop le pousser. Mais le métier de chauffeur routier ne valait évidemment pas celui d'aviateur. Un semi-remorque a de la puissance, mais pas d'ailes.

Kasurinen se flattait aussi d'être un séducteur habile et apprécié des femmes. Il signala à Jyllänketo que l'horticultrice de l'Étang aux Rennes était sa chasse gardée. Le contrôleur bio n'avait pas intérêt à lui courir sérieusement après. Il avait bien remarqué qu'elle et lui s'étaient promenés bras dessus, bras dessous du côté de la Harlière.

L'inspecteur principal répliqua sans ciller que Sanna ne l'intéressait pas particulièrement, d'ailleurs il avait dix ans de plus qu'elle. Mais d'un autre côté il n'avait besoin des conseils de personne pour savoir avec qui sortir, et n'acceptait pas les réservations.

«Je manque peut-être d'imagination, mais ce n'est pas un bonhomme qui va me faire peur. Ça peut paraître bête, mais je suis d'un naturel sauvage, au fond.

— On va arrêter de se raconter des craques, alors», conclut Kasurinen.

Pour franchir le poste-frontière de Kilpisjärvi, l'aviateur se contenta d'agiter la main à la fenêtre. Il était connu des douaniers.

«Nous voilà passés du territoire de l'Union européenne à celui de l'OTAN. De la riche Finlande à la misérable Norvège!» lança-t-il.

La route se fit plus sinueuse, avec par endroits des descentes en pente raide. Jyllänketo repéra dans le paysage, à flanc de montagne, des casemates camouflées. L'œil d'un agent de la Sécurité nationale est plus exercé que celui d'un individu ordinaire. Il supposa qu'elles étaient équipées de canons lourds, de 120 millimètres pour les plus gros, peut-être.

Tandis qu'ils roulaient au frein moteur vers Skibotn, le contrôleur bio demanda à l'aviateur pourquoi on n'élevait pas de porcs à l'Étang aux Rennes, alors qu'il aurait été facile de les nourrir pour pas cher de farine de poisson de l'océan Arctique. Kasurinen répliqua qu'Ilona Kärmeskallio ne supportait pas le jambon au goût de poisson. Cela lui rappela une aventure qui lui était arrivée quelques années plus tôt avec un cochon noir — un rival lui aussi, en quelque sorte. L'aviateur s'abstint pourtant cette fois de mentionner Sanna.

«J'avais dragué une gonzesse à Kokkola, une sacrée pétroleuse. Irmeli. Elle était institutrice en maternelle et avait un appartement dans le centre, dans une rue piétonne près de la gare. Elle avait comme animal de compagnie un de ces minicochons noirs. Il était rigolo, mais têtu comme une bourrique.»

Kasurinen s'arrêtait de temps à autre chez Irmeli, quand il transportait des cargaisons de produits de l'Étang aux Rennes vers le sud, au volant de ce même Sisu. Il pouvait avoir dans son semi-remorque douze tonnes de pommes de terre de Laponie, ou quinze mètres cubes de sauge, estragon, thym et autres herbes séchées, ou un plein chargement de shiitakes, d'agarics et de pleurotes. Kokkola était idéalement situé à mi-chemin de ce long trajet. Un camion n'a pas besoin de piste d'atterrissage ni de hangar d'aviation, un ruban d'asphalte et une place de parking suffisent.

«Ce foutu cochon faisait la loi dans la baraque. Il avait même son panier dans la chambre à coucher, mais il ne s'en contentait pas, en tout cas quand j'étais là. En général, on buvait quelques verres de vin et on dînait aux chandelles de cuisses de poulet que j'achetais au snack d'une station-service. Le cochon était là à grogner, il fallait le flatter et le caresser et lui donner sa part de nourriture. Tout juste s'il n'avait pas sa chaise au bout de la table. Et par jalousie, il renversait de temps en temps une bougie, ou tirait la nappe par terre, le salaud.»

Une nuit, alors que l'aviateur, après une longue absence, se dépensait dans la chambre à coucher avec Irmeli, le porcelet jaloux les avait rejoints, avait grimpé sur le lit et tenté d'en déloger l'homme qui lui avait pris sa place. Kasurinen avait essayé de le chasser d'une main, mais rien à faire, avec cette tête de lard. Il avait ensuite tenté de le faire descendre de là à coups de pied, mais l'animal avait esquivé et crié comme si on l'égorgeait. Finalement, le goret avait planté les dents dans son postérieur en mouvement.

«Il m'a mordu, ce con!»

Mais le galant aviateur n'était pas du genre à se laisser interrompre dans son envol vers le nirvana. Tandis qu'Irmeli gémissait sous lui, il avait poursuivi sa besogne, tout en tentant de faire lâcher prise au cochon agrippé à ses fesses nues.

Une fois satisfait, Kasurinen avait repris son souffle puis saisi les oreilles et la queue en tire-bouchon du goret pour lui flanquer la pire raclée de sa vie. Le procédé avait déclenché une telle pluie d'accusations, de pleurs et de cris hystériques que l'aviateur avait été obligé de se rhabiller et de filer sans demander son reste. Dehors dans la rue piétonne, il s'était un peu calmé, avait jeté dans une poubelle la queue de cochon noire restée dans sa main et clopiné jusqu'à son camion pour échanger son caleçon ensanglanté contre un vêtement sec.

Jyllänketo fit remarquer qu'aucun contrôleur bio digne de ce nom ne pouvait croire sans réserves à une telle histoire. Furieux, Kasurinen pila, pneus hurlants et garnitures de frein fumantes, sauta de la cabine du semi-remorque arrêté sur le bas-côté de la route de montagne escarpée, défit sa ceinture, laissa tomber son pantalon sur ses chevilles et montra ses fesses à l'inspecteur principal. On y voyait effectivement une belle cicatrice.

Jyllänketo bondit sur la chaussée et flanqua à l'aviateur un violent coup de pied au derrière, tel un footballeur tirant un penalty.

Kasurinen remonta son pantalon. Les deux hommes s'empoignèrent avec rage au milieu de la route étroite surplombant un précipice, au moment même où arrivait de Finlande un autocar plein de touristes bavarois, et de Skibotn un taxi dans lequel quelques éleveurs de rennes de Ketomella rentraient chez eux. Tous grands buveurs d'eau, car habitant au bord d'un lac.

Plus tard, ils se remémorèrent la bagarre de la route des fjords :

«C'était grandiose! Très joli spectacle! Les Allemands étaient épatés, y n'ont pas l'habitude. Ça a bien duré un quart d'heure avant qu'y arrêtent et remontent dans leur camion.»

L'oreille basse, les hommes de l'Étang aux Rennes cessèrent de se cogner dessus et retournèrent sans mot dire dans leur semi-remorque. Kasurinen démarra, le véhicule s'éloigna de la barrière de sécurité et reprit sa descente vers la mer.

Les combattants, le visage écorché et des bosses sur le crâne, boudaient chacun dans leur coin. À Skibotn, dans une atmosphère maussade, ils se réconcilièrent avant d'aller prendre un café dans une station-service, puis continuèrent d'un commun accord leur voyage vers l'usine de farine de poisson de Tromsø.

11

Recrutement d'un brûleur
d'église pour travailler à la mine

De Skibotn, ils prirent la route du sud avant
de bifurquer vers le nord-ouest, cinquante kilomètres plus loin, en direction de Tromsø. La
région était magnifique! Par endroits, la route
avait été percée au flanc de vertigineux à-pics :
au-dessus se dressaient de hautes montagnes
anguleuses, en bas scintillaient les eaux calmes
d'un fjord. Jalmari Jyllänketo regrettait d'avoir
laissé son appareil photo à l'Étang aux Rennes,
mais son minuscule capteur d'image ne lui
aurait de toute façon guère permis de réaliser
des cadrages très impressionnants, et, solitaire
comme il était, à qui donc aurait-il montré ses
photos de paysage?

À Tromsø, l'aviateur et l'inspecteur principal de la Sécurité nationale s'attablèrent dans
une taverne où ils commandèrent du lieu noir.
L'addition les laissa médusés! Ils constatèrent
en pestant qu'un simple poisson grillé coûtait
plus cher qu'un dîner complet dans le plus chic
des restaurants finlandais. Ils jurèrent d'éviter

dorénavant les bistrots norvégiens, s'il fallait pour le moindre repas sacrifier une semaine de paie.

L'usine de farine de poisson se dressait à une dizaine de kilomètres au nord de la ville, sur la route de Futrikelv. Elle ne payait pas de mine, pour un établissement industriel : un énorme hangar de tôle planté en bordure d'un dock, sur un vaste terrain asphalté. Des chariots élévateurs tournoyaient autour de quelques camions venus charger de la marchandise. Deux ou trois bateaux de pêche étaient à quai. L'un débarquait du cape-lan sur un tapis roulant qui le convoyait jusque dans le hangar. De ce dernier s'échappaient le vrombissement d'un compresseur et le cliquetis monotone d'autres machines. Une odeur de poisson pourri imprégnait tout l'endroit, mais après quelques haut-le-cœur on s'y habituait vite. L'air était saturé d'oiseaux de mer inconnus qui criaient d'une voix désagréable.

Il était déjà près de six heures du soir, mais rien ne s'opposait à ce qu'on charge le semi-remorque car l'usine, l'été, faisait les deux huit. Kasurinen trouvait dommage que l'établissement n'ait pas aussi une filière de filetage et d'emballage de poissons de plus grande taille. Selon lui, les conserveries norvégiennes employaient les plus belles femmes du monde, y compris, quelques années plus tôt, une ancienne miss Finlande. Jyllänketo fit remarquer que s'ils pensaient à la même, la reine de beauté en question devait avoir atteint ou dépassé l'âge respectable de cinquante ans.

La farine de poisson était conditionnée en sacs de six cents kilos que manipulait aux manettes d'un chariot élévateur un jeune Norvégien au visage renfrogné, constellé de taches de rousseur, qui lambinait et ne cessait de rouscailler sans raison. Kasurinen s'énerva et déclara que s'il n'avait pas envie de travailler, il allait s'occuper lui-même de transporter la farine de poisson dans le camion. Le contremaître, bientôt suivi du directeur de l'usine, vint aux nouvelles et tenta de calmer le jeu. Une fois le chargement terminé, tous se retrouvèrent dans le bureau pour remplir les papiers. Il y en avait une grosse liasse, l'exportation de produits halieutiques de Norvège vers l'Union européenne était plus compliquée que l'on n'aurait pu le croire. Le directeur se plaignit au passage de toutes les difficultés que lui causait ce cariste. Il était buté et rétif, un vrai désastre! Jyllänketo lui demanda pourquoi il ne le mettait pas à la porte.

«Sven est un sataniste, personne ne peut rien contre lui», soupira l'industriel.

À voix basse, il raconta que le jeune homme avait incendié l'automne précédent l'église médiévale en bois de Gibostad — un trésor architectural du XVIIᵉ siècle. Avant qu'elle ne brûle, on y avait pratiqué des rites sataniques secrets et fait griller vivants des moutons. Le tableau d'autel vieux de deux cents ans, qui avait aussi été décroché et emporté, avait plus tard été retrouvé cloué à un panneau d'information sur la route de Hammerfest. L'œuvre d'art représentait la rencontre de Jésus et de saint Olaf dans un paysage de fjords. Elle avait été taguée, entre autres dommages, et était maintenant en cours de restauration à Oslo. Dieu sait quand elle reviendrait dans le Nord, et dans quel état.

Le cariste avait d'autres méfaits sur la conscience. Il avait ouvert en douce, de nuit, les bouchons de nable de quelques bateaux de pêche, dont deux au moins avaient coulé dans le port. Par pure perversité, rien que pour s'amuser. Et il avait salement amoché, dans la rue principale du village, de vieux pêcheurs de l'Arctique qui lui reprochaient ses mauvaises blagues.

Jyllänketo s'étonna de l'incapacité des autorités norvégiennes à traîner en justice et de là en prison un homme suspecté de pareils délits. C'était ce qu'on faisait en Finlande.

Le directeur gémit que personne n'osait venir au tribunal témoigner contre un monstre pareil. Les satanistes menaçaient ouvertement les gens et comptaient sur la peur qu'ils inspiraient.

L'inspecteur principal demanda s'il était vraiment certain que Sven se soit entre autres rendu coupable d'incendie volontaire et d'actes de cruauté envers des animaux.

«Ça ne fait pas l'ombre d'un doute, il s'en est lui-même vanté.»

Kasurinen déclara que si l'industriel voulait se débarrasser de ce type pour un bon bout de temps, ça pouvait s'arranger. Il y avait du travail, en Finlande, pour ce genre d'individus. Sven pourrait venir avec eux de ce pas, il y avait largement de la place pour trois dans la cabine du semi-remorque.

Le directeur fut ravi de l'offre. Si Kasurinen parvenait à emmener cette crapule en Finlande et à l'y garder ne serait-ce que pour la durée de l'été, il lui laissait la cargaison de farine de capelan à moitié prix.

«Disons six tonnes gratis», promit-il, débordant de gratitude.

Une fois les papiers en règle et le chargement terminé, Kasurinen alla bavarder avec Sven. Il lui raconta qu'il y avait de l'autre côté de la frontière un poste de contremaître à pourvoir dans une mine de fer. On avait besoin d'un gars à poigne. La paie était bonne, mais les caristes et les opérateurs de convoyeur à raclettes n'étaient pas prêts à obéir à n'importe qui. Le jeune homme, sceptique, lui demanda pourquoi des étrangers auraient voulu l'embaucher.

«Dans les mines de fer, les mauviettes ne font pas le poids. Tu as de l'étoffe, je viens d'en parler avec le directeur, et ta réputation est parvenue jusqu'en Finlande.

— Et qu'est-ce qu'on raconte sur moi?»

Kasurinen cligna de l'œil d'un air complice et répliqua:

«Comme si tu ne le savais pas. Mais comme je l'ai dit, il y a une place à prendre pour un dur à cuire.»

L'aviateur ajouta que les jeunes Finlandais n'étaient qu'une bande de mollassons, ils n'avaient pas les tripes nécessaires.

«Après tout pourquoi pas», trancha Sven en allant aussi sec réclamer son dû à la comptabilité.

En revenant, son argent à la main et un sac de marin sur l'épaule, il lança :

«J'aurais bien mis le feu à la baraque en partant, mais comment voulez-vous que tout ce poisson pourri brûle!»

Sven laissa choir sa combinaison de travail et enfila ses propres vêtements. Le contremaître vint ramasser sur le sol le bien de l'usine de poisson.

Kasurinen félicita le jeune homme pour sa sage décision, un travail à l'étranger était toujours un avantage, surtout quand on avait la chance d'être accepté dans un pays de l'Union européenne.

L'affaire était réglée. L'aviateur demanda à Sven s'il voulait passer chez lui, ne serait-ce que pour récupérer son passeport et ses bagages. Le jeune homme répliqua qu'il n'avait pas de papiers, ni d'ailleurs de domicile fixe.

Ils montèrent dans la cabine du camion. Kasurinen au volant, l'adorateur de Satan au milieu, Jyllänketo en dernier à droite. L'inspecteur principal sentait qu'il valait mieux ne pas laisser une vermine pareille trop près de la portière. L'expérience des arrestations vous donne des habitudes, un instinct de chasseur.

Le semi-remorque partit en grondant à l'assaut des routes sinueuses des fjords avec son lourd chargement de farine de poisson. Le soleil brillait toujours dans la nuit d'été arctique. Kasurinen annonça que l'on irait d'une traite jusqu'à Tur-tola, sans prendre le temps de dormir.

«Autant ne pas dire tout de suite à ce cinglé où se trouve exactement la mine, ni comment s'appelle le domaine», glissa-t-il en finnois à Jyllänketo.

Ce dernier lui assura qu'il avait appris, au cours de sa vie, à tenir parfois sa langue.

À la douane de Kilpisjärvi, on vérifia avant de laisser passer le semi-remorque que la lettre de transport routier correspondait bien aux mar-chandises acheminées. Personne ne réclama son passeport à Sven.

Vers minuit, du côté de Karesuvanto, Kasu-rinen demanda à Jyllänketo de le remplacer au volant.

«Le problème, c'est que je n'ai pas le permis poids lourd.

— On s'en fiche, il n'y a pas un policier à des kilomètres à la ronde.»

Tandis que Jyllänketo conduisait, Kasurinen fuma une cigarette et se remit à raconter des histoires. Alors qu'ils traversaient une profonde forêt, entre Palojoensuu et Muonio, il se rappela que son grand-père avait planté chez eux, dans le Savo, quelques-uns des plus grands arbres du monde.

Le vieux avait travaillé dans sa jeunesse comme bûcheron sur la côte ouest des États-Unis, où il avait coupé des séquoias.

«Le jour où le Finno-Américain Hiski Salomaa a chanté "j'habite à l'intérieur d'un gigantesque séquoia…", mon grand-père s'est dit qu'on pouvait peut-être en cultiver en Finlande.»

Les bois derrière sa ferme natale étaient d'après l'aviateur les seuls d'Europe du Nord où poussaient des séquoias de Californie.

«Ils atteignent cent mètres de haut et leur diamètre à hauteur d'homme est de cinq mètres, ce sont les plus gros arbres du monde», proclama-t-il.

Jyllänketo, qui s'était beaucoup documenté sur l'agriculture et la sylviculture, ces derniers mois, lui fit remarquer qu'il se trompait sur ce point.

«Le séquoia géant est beaucoup plus gros, rectifia-t-il. Lui aussi atteint cent mètres de haut, mais son pied peut être large de dix mètres.»

Ils débattirent jusqu'à Muonio des dimensions des deux espèces. À une station-service, ils firent le plein de gazole et se nourrirent de sandwiches à la cafétéria ouverte toute la nuit. Ils payèrent aussi à manger à Sven, qui s'acheta en plus une demi-douzaine de boîtes de bière.

Quand ils reprirent la route, Kasurinen sortit des menottes de la boîte à gants et demanda à Jyllänketo de s'arrêter sur le bas-côté. Saisi de frayeur, Sven faillit avaler sa bière de travers. Il tenta de sortir du véhicule, mais l'inspecteur principal et l'aviateur l'en empêchèrent et lui confisquèrent sa boisson. D'un geste expert, le premier lui ramena les bras derrière le dos tandis que le second, tout aussi à l'aise, lui passait les menottes aux poignets. Puis il lui noua un bandeau sur les yeux et le bâillonna avec un bout de large ruban adhésif pour canalisations, coupant net ses vociférations en norvégien.

Les deux hommes portèrent le paquet gigotant hors de la cabine et le jetèrent à l'arrière sur une moelleuse couche de sacs de farine de poisson. Il pourrait s'y agiter tout le restant du trajet sans déranger personne. Vu les circonstances, le lit était confortable. La farine de poisson dégageait certes une puanteur atroce, mais chacun connaît l'enfer à un instant ou à un autre de sa vie.

Jyllänketo était heureux de participer, pour la première fois depuis longtemps, à l'arrestation d'un délinquant. Il ne put cependant s'empêcher de se déclarer étonné, en tant que contrôleur bio, par les méthodes de recrutement des ouvriers agricoles de l'Étang aux Rennes.

Sans se donner la peine de répondre, l'aviateur sortit son téléphone portable et composa un numéro. Un instant plus tard, il annonça à son interlocuteur :

« Ici le commandant de bord Pekka Kasurinen et son équipage, bonjour ! J'ai un petit paquet en provenance de Norvège. Et douze tonnes de farine de poisson. Notre arrivée au lac Sauvage est prévue dans deux heures. Préparez tout. Terminé. »

Le cas de Sven réglé, les deux hommes revinrent à leur différend sur l'arbre le plus grand du monde. Pour trancher le débat, Kasurinen décida de téléphoner à des experts aux quatre coins du pays : il appela les renseignements afin de tenter de joindre l'Institut d'horticulture de Lepaa, mais là-bas personne ne répondit. Il demanda ensuite des numéros d'architectes paysagistes. Il en gribouilla une longue liste dans les marges des documents de transport et se mit à pianoter sur son portable. Son entêtement exaspérait Jyllänketo, mais il n'y avait rien à faire. Kasurinen réussit à réveiller quelques paysagistes, mais ceux-ci, furieux et ensommeillés, refusèrent de se prononcer sur les dimensions respectives du séquoia géant et du séquoia de Californie. Enfin, sa ténacité fut récompensée. Il trouva à Tammela un chercheur de l'université de Helsinki, un certain Hannes Reinikainen, qui se trouvait aussi être membre du bureau de la Société de dendrologie de Finlande. Il était à la pêche, seul dans la nuit, sur le lac de son chalet de vacances, et fut ravi d'apprendre que, loin dans le Nord, un aviateur et son chauffeur routier étaient plongés dans un passionnant débat sur les arbres géants des États-Unis. Le professeur Reinikainen déclara aussitôt que l'écorce du séquoia de Californie mesurait de quinze à vingt centimètres d'épaisseur. Ses rameaux principaux portaient des aiguilles de six millimètres de long et ses rameaux secondaires des aiguilles plus longues, vert foncé, avec sur la face inférieure deux bandes blanches formées par les trachées. Les cônes brun foncé, situés à l'extrémité des rameaux, étaient incroyablement petits, pas plus de deux centimètres de long! L'universitaire ajouta que cette espèce ne poussait à l'état naturel que dans les montagnes de la chaîne côtière de la Californie et du sud de l'Oregon.

On entendit dans le téléphone portable le cri mélancolique d'un huard. Reinikainen demanda quel temps il faisait à Muonio, puis reprit sa conférence sur les arbres géants.

«Les séquoias de Californie peuvent vivre au moins mille cinq cents ans. Les plus vieux que l'on connaisse aujourd'hui ont dû germer à l'époque de la naissance du Christ.

— Ce sont donc les plus gros du monde, se réjouit l'aviateur.

— Ils sont gigantesques, la plupart atteignent cent dix mètres pour un diamètre de cinq mètres à hauteur d'homme. On compte jusqu'à dix mille mètres cubes de bois de tronc à l'hectare. Mais les séquoias géants sont encore plus gros!»

Kasurinen perdit tout intérêt pour la dendrologie en apprenant que dans des conditions favorables le séquoia géant, *Sequoiadendron giganteum,* atteignait cent mètres de haut, pour un diamètre à la base de dix mètres.

«Les plus vieux séquoias géants ont trois mille deux cents ans. Leur écorce peut mesurer jusqu'à cinquante centimètres d'épaisseur!»

L'aviateur remercia le professeur pour ces renseignements et lui souhaita bonne pêche. Le trajet se poursuivit en silence jusqu'à la mine du lac Sauvage. Plus personne ne pipait mot, ni le pilote Pekka Kasurinen, ni l'inspecteur principal de la Sécurité nationale Jalmari Jyllänketo, ni le sataniste Sven sur ses sacs de farine de poisson.

12

Vive querelle
au fond de la mine de fer

À la gare de Kolari, le semi-remorque prit la route nationale en direction de Turtola. Kasurinen déclara que l'on passerait d'abord par la mine de fer du lac Sauvage, et que Jyllänketo pourrait ensuite aller décharger la cargaison à l'Étang aux Rennes. Il lui donna les clefs de l'atelier d'emballage et lui demanda s'il savait conduire un chariot élévateur. Du quai de chargement, il était facile de transporter les sacs de farine de poisson dans la réserve de la fabrique d'aliments du bétail. L'inspecteur principal hocha la tête.

Il ne put s'empêcher de demander pourquoi on avait passé les menottes au jeune Norvégien.

«Bonne question. Disons qu'il est difficile de trouver de la main-d'œuvre prête à travailler à plusieurs kilomètres sous terre. L'expérience lui fera du bien, il nous remerciera quand il touchera son salaire, crois-moi.

— Plutôt rude, comme recrutement.

— Le boulot l'est aussi.»

Jyllänketo conduisit le camion à la mine du lac Sauvage, où Kasurinen lui demanda de se garer au pied du chevalement, devant le hall principal. Le gardien, dans sa guérite, leur fit un bref signe de tête et ouvrit la grille automatique. Jylländketo manœuvra le lourd semi-remorque jusqu'aux vantaux d'acier, qui s'écartèrent dans un grand bruit de ferraille, livrant passage à trois hommes. Quand Kasurinen déverrouilla les portes arrière du camion, l'un d'eux sauta au milieu des sacs de farine de poisson et jeta dehors le sataniste norvégien. Les deux autres le rattrapèrent au vol. Hop! Ils portèrent à l'intérieur le remuant ballot. Dans son rétroviseur, Jylländketo vit la gueule hideuse du grand ascenseur de la mine s'ouvrir lentement. Les hommes y déposèrent Sven, puis firent un signe de tête à Kasurinen. Ils respiraient la brutalité.

L'aviateur resta dans le hall. La lourde porte de la cabine se referma, une lumière rouge s'alluma au plafond et un grondement sourd emplit l'air. C'était un bruit que Jylländketo connaissait : l'ascenseur s'enfonçait en hurlant dans les profondeurs de la terre. Le malheureux Sven disparut dans les entrailles de la mine, tel un misérable colis expédié en enfer. Un sataniste au royaume de Satan, songea l'inspecteur principal.

Kasurinen lui fit signe qu'il pouvait y aller. Avant de démarrer, il le vit empoigner la manivelle du téléphone de la mine.

À l'Étang aux Rennes, Sanna Saarinen l'attendait dans l'atelier d'emballage, fraîche et dispose, pour l'aider à décharger la farine de poisson. La tâche fut facile et agréable, et bientôt la cargaison fut rangée dans la réserve. Puis Sanna donna à Jalmari un baiser, accompagné des clefs du quatre-quatre de Hihna-aapa.

«Va donc chercher Kasurinen au lac Sauvage. Si tu savais comme je me suis ennuyée de toi! Heureusement votre voyage s'est bien passé.

— Très bien, oui! On a eu la farine de poisson à moitié prix et on a embauché un ouvrier norvégien pour la mine.

— Ces routes des fjords sont si raides et sinueuses, quand on est fatigué et que le camion est lourdement chargé, il faut faire attention.

— J'ai l'habitude, dans mon métier.

— Je ne t'apporterai le petit déjeuner que vers onze heures, comme ça tu pourras dormir tard.»

Jyllänketo déposa Sanna devant la maison des kolkhoziens et retourna au lac Sauvage. Il descendit de voiture et fit les cent pas devant le chevalement, fumant une cigarette et respirant l'air pur de la nuit. Une cheminée d'aération haute de deux mètres se dressait sur le carreau de la mine, derrière la station de compression et la centrale à vapeur. Il s'en échappait un faible ronronnement et, d'après l'odeur, elle servait à évacuer l'air vicié des galeries dans lesquelles le compresseur envoyait de l'oxygène par un autre conduit.

Une voix humaine se fit soudain entendre, haut et clair, sortant de la cheminée. Une femme reprochait violemment à l'aviateur Pekka Kasurinen de n'avoir rapporté de Norvège qu'un misérable traîne-savates.

« Que veux-tu que je fasse de ce genre de mauviettes ! Ces adorateurs de Satan ne sont bons à rien. »

Il s'ensuivit une description colorée de la tendance des lucifériens à faire dans leur culotte au moindre coup dur.

Kasurinen tenta de se défendre : on ne trouvait pas si facilement que ça en Norvège des chargements entiers de scélérats à envoyer aux travaux forcés. Sans compter qu'à la douane de Kilpisjärvi au plus tard ils feraient un raffut d'enfer et prendraient la poudre d'escampette.

Sourde à ces protestations, la femme poursuivit :

« Et même si ces types pouvaient servir à quelque chose, un par mois ne suffit pas. Un domaine aussi grand que l'Étang aux Rennes ne peut tout simplement pas s'en sortir avec aussi peu de main-d'œuvre. »

Survolté par ce qu'il venait d'entendre, Jalmari Jyllänketo alluma une cigarette.

« Écoute, Ilona, en pratique, et surtout en temps de paix, faire des prisonniers est assez délicat... tu n'as presque jamais été sur le terrain... en plus tu as l'air d'oublier que le kidnapping est puni par la loi.

— Ça te va bien, de parler de la loi ! Rappelle-toi plutôt tes vols funéraires. Combien d'urnes as-tu vidées dans la cuvette des W.-C. au lieu de disperser les cendres au-dessus des montagnes ou de la mer?»

Ilona Kärmeskallio décrivit par le menu l'épisode judiciaire qui avait fait partir en vrille la carrière d'aviateur de Kasurinen, au Canada, et s'était terminé par une suspension de deux ans de sa licence de pilote professionnel.

L'inspecteur principal Jalmari Jyllänketo écoutait bouche bée la conversation qui montait de la cheminée d'aération, imprimant soigneusement chaque détail dans sa mémoire.

«Ne ressors pas ces vieilles histoires, s'il te plaît, Ilona. Tu ne peux pas nier ma compétence en tant que pilote. Tu as changé, cette histoire de mine n'est plus la même aventure amusante qu'au début. Cette affaire est devenue trop énorme. Même Juuso a peur de toi, maintenant.»

Une réplique cinglante résonna dans le conduit: dès qu'on mettait le turbo, les hommes se carapataient.

«Juuso se fait vieux! J'ai besoin de sang neuf, pas de pétochards séniles.»

L'air craché par la cheminée sentait si mauvais que Jyllänketo, malgré tous ses efforts pour se retenir, se mit à tousser et à éternuer. Un tonitruant atchoum lui déchira les oreilles, faisant s'envoler une troupe de choucas qui nichaient dans le conduit. Frappé en plein visage par leurs ailes et leurs fientes, l'inspecteur principal recula de quelques pas. Quand il reprit ses esprits, la querelle ne parvenait plus que faiblement à la surface. Il dut tendre l'oreille à l'extrême pour saisir quelques mots. Kasurinen parlait de vieux crimes enfouis. L'inspecteur principal saisit, brouillées par le ronronnement du conduit, des allusions à l'évêque, à Juuso, à un camp de concentration, à Sanna. Par moments, la voix d'Ilona Kärmeskallio couvrait le peu qu'il comprenait des propos de l'aviateur.

La patronne de l'Étang aux Rennes se calma peu à peu. D'une voix claire et posée, elle expliqua que le domaine ne pouvait pas vivre sans travailleurs auxiliaires. Les herbes aromatiques étaient un produit à fort coefficient de main-d'œuvre et les salaires des ouvriers horticoles étaient élevés. Pekka Kasurinen devait assurer sa mission avec plus d'efficacité.

Il ne suffisait pas qu'il fournisse à l'exploitation quelques voyous par an. S'il fallait absolument se contenter de misérables petites crapules, pourquoi ne pas en amener plusieurs dizaines à la fois?

«Fournis-nous une centaine de motards, ou de ces types au crâne rasé, comment est-ce qu'ils s'appellent, déjà?

— Des skins.»

L'inspecteur principal de la Sécurité nationale Jalmari Jyllänketo écoutait abasourdi cette effrayante discussion. Sa cigarette s'était consumée sans qu'il s'en aperçoive et lui brûlait les doigts. Le hululement d'un harfang, quelque part dans les sapinières à flanc de colline, vint se mêler au bruissement du conduit d'aération. Méfiants, les choucas revenaient peu à peu s'y percher, seuls ou par petits groupes. La conversation s'entendait de nouveau mieux.

«Ton imagination volait haut, dans le temps, quand tu nous amenais des évêques et des députés. Mais regarde où on en est. Ils sont maintenant trop vieux pour trier des champignons dans la mine.

— J'ai bien songé à mettre la main sur quelques-uns des pires bureaucrates de l'Union européenne, mais on n'a pas d'avion assez grand. Je pense depuis toujours que des enlèvements à grande échelle exigent du matériel de transport aérien adéquat. Un Hercules datant de la Seconde Guerre mondiale, par exemple...

— On ne va pas revenir là-dessus. Les caisses sont vides, et nous manquons de cueilleurs pour assurer la prochaine récolte. Le mieux serait que tu repartes en camion avec ce Jyllänketo. Quel genre d'homme est-ce, au fait?

— Correct... il a une bonne technique d'arrestation, en tout cas. Quand il tient un type, il ne le lâche pas.»

On n'entendait de nouveau plus que des bribes de conversation. L'inspecteur principal parvint à comprendre qu'il était maintenant question de Sanna Saarinen. Ilona Kärmeskallio l'avait chargée de s'occuper du contrôleur bio... comment, et dans quel but, impossible de le savoir au milieu des cris des choucas. Deux lambeaux de phrase à peine audibles semblaient particulièrement intrigants: Sanna «savait y faire» et «se montrait obéissante».

La centrale à vapeur se mit en route, de l'air chaud s'engouffra en grondant dans la tuyauterie. Impossible de plus rien entendre de ce qui se disait dans la mine.

Jalmari Jyllänketo avait écouté avec un certain plaisir la dispute qui avait éveillé les échos des profondes galeries souterraines. Ses soupçons dictés par l'expérience s'étaient avérés. Sans même vraiment enquêter, il avait découvert le secret de l'Étang aux Rennes. Le domaine et, avec lui, l'ancienne mine de fer du lac Sauvage fonctionnaient selon des principes peu ordinaires : la main-d'œuvre était recrutée manu militari. L'affaire était d'autant plus intéressante, d'un point de vue policier, que les travailleurs forcés étaient de toute évidence de diaboliques malfaiteurs.

L'inspecteur principal était ravi. Il avait maintenant une bonne raison de passer tout l'été à l'Étang aux Rennes. Il décida d'annoncer pour commencer au siège de la Sécurité nationale qu'il passerait ses vacances à Turtola et, s'il y avait lieu d'enquêter officiellement sur l'exploitation, il demanderait des jours de congé supplémentaires en échange du temps consacré aux investigations.

Jyllänketo écrasa sa cigarette sur l'asphalte et se dirigea vers le hall où se trouvait l'ascenseur. Là, il utilisa le téléphone pour appeler le fond de la mine, d'où Kasurinen répondit au bout d'un moment.

«Tu as fait vite, dis donc, pour décharger le camion. J'arrive.»

Ilona Kärmeskallio ne se manifesta pas et l'inspecteur principal se garda bien de parler d'elle à l'aviateur. Ils rentrèrent au domaine. Jyllänketo alla se coucher. Dans son sommeil, il entendit le quatre-quatre démarrer et son bruit s'éloigner. Qui donc était parti chercher la patronne de l'Étang aux Rennes à la mine du lac Sauvage? L'aviateur Pekka Kasurinen? L'agronome Juuso Hihna-aapa? L'évêque Henrik Röpelinen? L'ex-député Kauno Riipinen? L'horticultrice Sanna Saarinen?

13

L'aviateur qui dispersait
des cendres humaines

Dans la matinée, Sanna Saarinen porta son petit déjeuner au lit à Jalmari Jyllänketo. Ce dernier songea que la jeune femme, effectivement, «savait y faire» et «se montrait obéissante». Elle lui annonça que Pekka Kasurinen l'attendait. Il s'agissait d'un déplacement de quelques jours dans le sud de la Finlande. On avait chargé dès l'aube dans le semi-remorque plusieurs tonnes de shiitakes et de pleurotes.

Sanna s'assit sur le bord du lit de l'inspecteur principal et caressa son bras velu. Il se félicita de sa décision de passer l'été à l'Étang aux Rennes. Ce n'était pas tous les jours qu'un agent de renseignements était chargé d'une enquête aussi intéressante : un mystérieux domaine, une mine de fer inhumaine servant de toute évidence de camp de concentration, une belle jeune femme aux chairs fermes, un hébergement gratuit, des voyages en toute liberté à travers la Finlande estivale, une cuisine familiale saine et abondante, assaisonnée d'herbes aromatiques. D'habitude, dans son travail au service de la Sécurité nationale, il avait plutôt affaire à des salauds sans scrupule, des traîtres, des espions, des agitateurs et des tueurs en série. Il ne côtoyait au quotidien que les éléments les plus pervers et les plus brutaux de la société.

En goûtant le fromage aux herbes — à l'estragon, peut-être, ou au thym — Jyllänketo songea que s'il pouvait y contribuer, les champignonnières du lac Sauvage et les champs de l'Étang aux Rennes se rempliraient vite de main-d'œuvre.

Il tenta d'imaginer comment l'aviateur lui présenterait la finalité de leur expédition. Le kidnapping d'un voyou norvégien pouvait se justifier sans trop de mal, mais s'il fallait passer à la vitesse supérieure, comme Ilona Kärmeskallio l'avait fermement exigé, quelques paroles en l'air ne suffiraient pas.

Une fois douché et habillé, Jalmari Jyllänketo descendit dans la salle, où il trouva Pekka Kasurinen et Ilona Kärmeskallio. Celle-ci était toujours aussi élégante et énergique, rien ne laissait soupçonner qu'elle n'avait pas dormi de la nuit. Elle proposa au contrôleur bio d'accompagner l'aviateur pour un voyage de deux ou trois jours dans le sud de la Finlande.

«D'accord. Je pensais rester quelques semaines ici, à l'Étang aux Rennes, comme il en a été question avant notre balade en Norvège. C'est possible?

— Les hommes de votre compétence sont toujours les bienvenus, se réjouit Ilona Kärmeskallio.

Mais nous ne sommes pas en mesure de verser des salaires conformes aux conventions collectives, comme vous vous en doutez peut-être.»

Jyllänketo assura qu'il comprenait très bien et considérait ce séjour comme des vacances actives dans un environnement bio.

Vers midi, l'aviateur et l'inspecteur principal prirent à nouveau la route, cette fois en longeant la Torne vers le sud. Le semi-remorque était chargé jusqu'au toit, mais roulait presque comme à vide car les cartons de champignons séchés ne pesaient pas bien lourd.

Aux environs d'Ylitornio, Kasurinen aborda sur un ton confidentiel la question de la gestion du domaine bio de l'Étang aux Rennes et de ses problèmes actuels. Il décrivit avec une éloquence poignante les vicissitudes de l'exploitation : la culture des herbes et des champignons nécessitait une nombreuse main-d'œuvre, mais le manque de capitaux empêchait d'embaucher suffisamment d'ouvriers horticoles, sans parler de trieurs et d'emballeurs pour la mine. Ilona Kärmeskallio était une idéaliste, une femme qui consacrait tout son temps et toute son énergie à son but, mais même elle ne pouvait rien à la maigreur des bénéfices attendus de cette saison d'été.

«Je peux bien te le dire, Ilona a lutté toute sa vie contre l'injustice, de ses propres mains. Le domaine est en quelque sorte un centre d'éducation morale expérimental.»

Au prix d'immenses sacrifices personnels, Ilona Kärmeskallio avait embauché toutes sortes de délinquants et de malheureux égarés du droit chemin. D'innombrables crapules avaient trouvé à l'Étang aux Rennes un nouveau sens à leur vie, plus pur et plus honnête.

L'aviateur s'étendit longuement sur la bonté d'Ilona Kärmeskallio. Puis il en vint au fait. Le cœur sensible de la propriétaire du domaine saignait tout particulièrement quand elle songeait au sort de jeunes gens tels que les skinheads et autres types du même acabit — au point qu'elle l'avait supplié, dans sa détresse, de ramener au retour quelques-unes de ces âmes perdues à l'Étang aux Rennes, où l'on pourrait leur inculquer de nouvelles valeurs éthiquement durables. On parlait beaucoup, aujourd'hui, de la perte des repères, mais que faisait-on pour y remédier? Alors que toutes sortes de malfrats terrorisaient les honnêtes citoyens par leur violence, combien d'entre eux subissaient le châtiment qu'ils méritaient? Même si quelques-unes des pires crapules étaient emprisonnées, les sentences étaient en général assorties d'un sursis et, dans de nombreux cas, les méfaits, si révoltants soient-ils, ne valaient à leurs auteurs que quelques courtes heures d'un supposé travail d'intérêt général.

«Tu ne trouves pas, toi aussi, qu'on devrait rassembler une centaine de skins, par exemple, et les jeter dans la mine à cultiver des champignons pendant quelques semaines ou quelques mois? Ça leur apprendrait à vivre!» s'exclama l'aviateur.

Jyllänketo songea que Kasurinen n'avait pas

oublié un mot des aigres reproches d'Ilona Kärmeskallio, la nuit précédente au lac Sauvage. Tout haut, il se déclara prêt à lui apporter son aide, bien sûr — il lui suffirait de téléphoner à quelques discrets amis à lui à Helsinki. Dans leur milieu, on savait tout des agissements des groupes de skins et autres vermines.

À la plus proche aire de parking, Jyllänketo descendit du camion et téléphona au siège de la Sécurité nationale, où il fit un bref rapport sur l'Étang aux Rennes. Il raconta son déplacement en Norvège, ainsi que ce nouveau voyage vers le sud. Puis il demanda s'il y avait des bandes de skins en balade, et où. Il nourrissait un projet pour lequel il avait besoin d'informations sur les activités de jeunes délinquants. On lui répondit que l'on n'avait rien de particulier sur les skins, mais que les Hells préparaient un rassemblement plus ou moins violent le week-end suivant à Ajos, près de Kemi. Ils commenceraient à arriver dès le vendredi. On attendait une centaine de bikers, ou au moins une cinquantaine.

«Puisque tu es dans le coin, tu pourrais discrètement les surveiller. On a tellement de gars en vacances qu'on ne peut envoyer personne. Si tu n'y vas pas, la police locale restera seule sur le coup.»

L'inspecteur principal promit de s'en occuper. Il nota tous les renseignements nécessaires sur les chefs des Hells, le parcours, l'heure, le lieu et les autres détails de la concentration prévue.

L'appel avait été long, mais, en remontant

dans le camion, il put annoncer à Kasurinen que tout était en ordre. Il avait dans le collimateur au moins cinquante Hells.

« On va livrer les shiitakes au grossiste et s'arrêter au retour pour charger le camion à Ajos. Ça nous laisse le temps de peaufiner les détails de notre foire à l'embauche », déclara-t-il.

Kasurinen, visiblement ravi, ne put s'empêcher de demander quel genre de milieux fréquentaient donc les contrôleurs bio, pourtant supposés respecter la loi. Jyllänketo ne releva pas, mais après Tornio, sur la route de Kemi, il demanda d'un ton innocent à l'aviateur où il avait acquis sa formation de pilote.

« Un peu ici et là. Principalement dans les airs. »

L'inspecteur principal raconta avoir entendu parler quelques années plus tôt d'un Finlandais qui avait appris à voler au Canada. Le jeune homme avait visé haut et loin. Une fois sa licence de pilote en poche, il avait travaillé dans les régions les moins peuplées du pays, conduit des avions de tourisme au-dessus des Grands Lacs, transporté des chasseurs et des pêcheurs dans des coins dépourvus de routes. Il avait été employé par différentes compagnies pour toutes sortes de missions, avant d'avoir l'idée de se lancer dans la dispersion de cendres funéraires par voie aérienne.

Kasurinen écoutait d'un air calme, malgré la légère rougeur qui commençait à se répandre sur son cou et son visage.

Jyllänketo lui demanda s'il avait entendu parler de ce genre de vols, style Far West. Conformément aux dernières volontés du défunt, le pilote disperse les cendres dans les airs, plus près de Dieu, en quelque sorte.

Kasurinen admit avoir déjà entendu dire qu'aux États-Unis, en tout cas, certains cinglés voulaient qu'on répande leurs cendres en mer ou en montagne.

L'inspecteur principal poursuivit son histoire. Le Finlandais en question avait confortablement gagné sa vie comme pilote funéraire, mais au bout d'un moment cette proximité avec la mort avait commencé à lui peser. Il avait sombré dans l'alcool et oublié de plus en plus souvent les urnes cinéraires sur l'étagère de l'armoire de sa chambre de motel, au milieu du linge sale. Ce devait avoir été sinistre de dormir en compagnie des restes de plusieurs défunts, et le whisky avait coulé de plus belle. Finalement, au fond du gouffre, le jeune aviateur avait jeté dans les toilettes les cendres qui lui avaient été confiées. Il n'en avait plus saupoudré les airs qu'en de rares occasions, dans ses moments de sobriété, tandis que pour le reste les défunts avaient trouvé leur dernière demeure dans la gueule accueillante de la cuvette des W.-C. Finalement, le pot aux roses avait été découvert et on lui avait retiré sa licence de pilote professionnel. Quand elle lui avait été rendue, deux ans plus tard, il avait travaillé comme épandeur d'engrais dans les plaines céréalières du Canada et était sans doute ensuite rentré au pays.

«Je me demande si ce malheureux vole encore», soupira hypocritement Jylländketo.

L'Église anglicane canadienne avait paraît-il érigé une croix sur le toit de la plus proche station d'épuration, qui avait même été par la suite consacrée tout à fait officiellement comme jardin du souvenir.

L'aviateur Pekka Kasurinen, derrière son volant, avait le visage pivoine. En continuant vers Oulu, après la rocade de contournement de Kemi, il admit sobrement qu'une cuvette de W.-C. inconnue n'était sans doute pas une dernière demeure très attirante.

«En même temps, ce n'est guère plus merdique qu'autre chose.»

14

Plans et préparatifs d'enlèvement

Jalmari Jyllänketo expliqua à Pekka Kasurinen qu'au moins cinquante Hells avaient décidé d'organiser une concentration de bikers de tous les pays nordiques dans l'île d'Ajos, à Kemi, où il y avait, en plus du port, un camping et des plages réputées. Il y aurait des représentants de toute la Scandinavie, mais surtout du Danemark et de la Suède.

Il fallait d'abord livrer le chargement de champignons au grossiste, puis retourner sans lambiner à Ajos, où il faudrait d'une manière ou d'une autre entasser les motards dans le semi-remorque et filer droit au lac Sauvage. Sur ces grandes lignes, ils devaient échafauder un plan, et ils n'avaient que deux jours devant eux.

L'aviateur accueillit le projet avec enthousiasme. S'il réussissait à livrer cinquante gros costauds à la mine, ce serait son plus beau cadeau à Ilona Kärmeskallio depuis longtemps.

«Je pourrais prendre contact avec quelques-uns de ces Hells, proposa Jyllänketo. J'ai leurs coordonnées... je leur conseillerai, incognito, de changer de lieu de rendez-vous, sous prétexte que certaines personnes sont bien décidées à perturber le rassemblement d'Ajos.»

Les deux hommes se penchèrent fiévreusement sur les détails de l'opération. Recourir à la force était délicat, cinquante motards musclés n'accepteraient pas sans réagir de descendre de leur gros cube pour monter dans un semi-remorque et y rester sagement assis jusqu'à ce que les portes s'ouvrent sur la gueule béante de l'ascenseur de la mine de fer du lac Sauvage.

Arrivés à Seinäjoki, ils déchargèrent leur cargaison à l'entrepôt régional d'Ostrobotnie des supermarchés Kesko. Quelques divergences d'opinion se firent jour à propos de la qualité de la livraison, mais face à l'avis d'expert — rendu par écrit — du contrôleur bio Jalmari Jyllänketo, l'acheteur local de Kesko fut obligé d'admettre que les produits du lac Sauvage satisfaisaient en tout point aux exigences de l'Union européenne relatives à la culture, au séchage, à l'emballage et au transport des champignons.

Les deux hommes poursuivirent leur route jusqu'à Alajärvi, où Kasurinen gara le camion vide dans la cour d'une menuiserie industrielle et se mit d'accord pour qu'on installe dans la remorque, pendant que son assistant et lui-même se reposeraient dans un chalet du camping voisin, une douzaine de bancs en planches rabotées, pouvant chacun accueillir quatre ou cinq gros costauds, placés côte à côte dans le sens de la marche, soit au total une cinquantaine de places. L'aménagement n'était pas très coûteux, même en ajoutant au fond de la remorque, juste derrière la cabine, une solide étagère destinée à recevoir une télévision et un magnétoscope.

Le vendredi matin, Jyllänketo et Kasurinen achetèrent à Oulu un téléviseur de quinze pouces, un magnétoscope et quelques cassettes de films américains de bikers, ultraviolents, ainsi qu'une heure d'images pornos avec fouets et tronçonneuses. L'aviateur installa le matériel sur l'étagère, puis ils regardèrent les vidéos — de la vraie merde! Le camion à champignons de l'Étang aux Rennes était devenu une authentique salle de spectacle ambulante.

Ils achetèrent aussi à Oulu, pour nourrir les Hells pendant le voyage, une bonne longueur de saucisse au mètre, de la moutarde et six caisses de bière. Puis ils allèrent à Ajos examiner un peu les lieux. Il n'y avait encore aucun motard, ce qui n'avait rien d'étonnant puisque d'après les informations de Jyllänketo la concentration n'était prévue que le lendemain à partir de midi.

Dans la soirée, pendant que Kasurinen profitait des douches du camping d'Ajos, Jyllänketo téléphona au siège de la Sécurité nationale. Il fit un bref rapport et demanda des informations supplémentaires sur les gangs de motards criminalisés. Une longue liste de documents rassemblés par la police secrète s'afficha bientôt sur l'écran de son ordinateur portable. Ils montraient que ces organisations n'avaient vraiment rien à voir avec d'innocentes associations d'amateurs de gros cubes dans les veines desquels coulaient de l'essence et dont le cœur battait au rythme des kilomètres.

D'après un rapport, en 1994 déjà, un biker suédois avait été tué d'un coup de feu dans une boîte de nuit de Helsingborg et le même été, dans la même ville, le chef finlandais d'un autre gang s'était fait assassiner. La sanglante guerre civile entre Hells et Bandidos avait continué sur sa lancée : un Suédois avait trouvé la mort à Markaryd en 1995, on avait tiré au bazooka sur le siège d'un des clubs de motards, à Helsinki, et une bataille rangée avait eu lieu devant le palais de justice de la ville, le vice-président du club avait été mortellement blessé l'année suivante et un autre membre était resté infirme, il y avait aussi eu une bagarre générale à Järvenpää et un homme avait été tué par balle à Drammen, en Norvège, tandis qu'à Helsinki deux tueurs maladroits s'étaient retrouvés à l'hôpital après qu'une grenade leur avait explosé dans les mains et, en octobre au Danemark, deux personnes, dont un passant innocent, avaient péri dans un attentat à la bombe. En 1997, plusieurs autres membres des gangs en guerre avaient encore perdu la vie, à Aalborg et à Liseleje, au Danemark, ainsi qu'une nouvelle fois à Drammen.

Pour mettre fin à ces violences fratricides, les différents clubs avaient finalement fondé une organisation criminelle commune et tourné leur agressivité vers les représentants de l'ordre établi. Ils se réunissaient sans doute à Ajos pour se partager le marché nordique de la drogue et de la pornographie.

À la fin du rapport figuraient de nombreuses informations ultrasecrètes sur les gangs de motards, avec des noms et des coordonnées que Jyllänketo retint aussitôt. La mémoire d'un agent de renseignements est plus développée que celle de bien des mathématiciens.

La Sécurité nationale finlandaise exerçait traditionnellement la mémoire de ses enquêteurs en leur faisant apprendre par cœur dix cantiques choisis au hasard. Quand les hommes de l'ombre pensaient savoir leur leçon, leur supérieur les interrogeait dès le lendemain et seuls les plus idiots, en général, avaient oublié leurs versets. Afin de garantir l'efficacité de la police secrète, ces éléments peu reluisants se voyaient affectés aux tâches les moins exigeantes, comme gardien de cellule ou agent de la police ferroviaire — où l'on n'avait pas besoin d'une mémoire très performante.

Jalmari Jyllänketo effaça toutes ces informations de son ordinateur. Il songea que quelques mois ou semaines de travail forcé dans les champignonnières de la mine de fer du lac Sauvage feraient du bien aux Hells. Il tenait à participer à ce projet, tout en sachant très bien, en tant que policier, qu'il était contraire à la loi. Arrêter des gens à titre privé, sans autorisation, et les emprisonner sans procès était un crime que n'atténuait pas le fait que les séquestrés étaient de sinistres crapules.

Plus tard dans la soirée, l'inspecteur principal Jalmari Jyllänketo prit contact avec un certain «Jari», chargé auprès du chapitre finlandais des Hells de l'organisation des concentrations, auquel il déclara qu'il était un fonctionnaire incompris, lui-même ancien motard. Mieux valait, expliqua-t-il, ne pas foncer tête baissée vers l'île d'Ajos, car il y aurait sur place un important comité d'accueil constitué de sbires de la Sécurité nationale et de la police judiciaire, sans compter qu'il risquait d'y avoir là-bas toute une caravane d'écoanarchistes de tout poil, venus manifester et foutre le bordel, armés de barres de fer et de peinture automobile. En gage de crédibilité, il dévoila quelques-unes des informations secrètes qu'il venait d'obtenir, puis donna son numéro de téléphone et invita son interlocuteur à le rappeler, ce qu'il fit aussitôt.

Jyllänketo lui suggéra de choisir comme nouveau lieu de rassemblement le petit village de Rattosjärvi, situé en pleine forêt à l'ouest de Rovaniemi, où il viendrait avec des nouvelles fraîches sur l'évolution de la situation, en compagnie d'un camarade en qui on pouvait avoir confiance. Il expliqua que ces cinglés d'écolos avaient décidé en secret de se réunir à Övertorneå, du côté suédois de la frontière, et qu'on pourrait facilement lancer contre eux, de Rattosjärvi, une vigoureuse attaque surprise.

«C'est juste un tuyau, si ça vous intéresse.»

Jyllänketo promit d'apporter suffisamment de provisions pour nourrir tout le groupe, ainsi que du carburant gratuit pour les motos. Le mieux, à partir de Rovaniemi, était de prendre la direction de Meltaus, d'où l'on pouvait tourner vers Rattosjärvi, à une trentaine de kilomètres à peine. Il les attendrait là-bas, sans faute, avec de nouvelles instructions.

« Qui est derrière tout ça ? demanda "Jari" d'un ton méfiant.

— Je n'ai pas le droit de le dire, mais il s'agit d'un vieil amateur de Harley, un type des années cinquante, qui aime bien faire la nique au fisc et à la police, quoi qu'il en coûte. Mais il ne peut plus mettre lui-même les mains dans le cambouis, il est trop haut placé. »

Après le petit déjeuner, Kasurinen et Jyllänketo refirent un saut à Ajos, où se pressaient déjà bon nombre de Hells. Ils avaient vraiment de superbes bécanes ! À en pâlir d'envie ! Une certaine indécision régnait dans leurs rangs, mais bientôt la nouvelle du changement de lieu de rendez-vous se répandit et, par petits groupes, les bikers partirent vers le nord. Malgré le beau temps, dans cette direction, des nuages menaçants se massaient dans le ciel. Il y avait de l'orage dans l'air.

15

Le kidnapping des Hells

L'aviateur Pekka Kasurinen et l'inspecteur principal et contrôleur bio Jalmari Jyllänketo partirent eux aussi à vive allure vers le nord.

À Rovaniemi, ils remplirent le réservoir du semi-remorque de deux cents litres de carburant, déjeunèrent en vitesse à la station-service, raflèrent à l'office de tourisme une liasse de cinquante prospectus d'un hôtel de Pello et achetèrent de l'huile antimoustiques, des bottes en caoutchouc ainsi que quelques cartes topographiques des vastes forêts inhabitées qui s'étendaient dans le triangle Aavasaksa-Pello-Rovaniemi. Remontés dans le camion, ils foncèrent pied au plancher, longeant l'Ounasjoki jusqu'à Sinettä, d'où ils tournèrent vers l'ouest pour prendre, à une dizaine de kilomètres, une étroite route de terre menant à Nuasjärvi.

L'après-midi était déjà bien avancé quand ils se garèrent dans les bois. Kasurinen changea les plaques d'immatriculation du semi-remorque.

«On en a tout un stock», fit-il remarquer en vissant les nouvelles.

Les deux hommes fermèrent le camion à clef, chaussèrent leurs bottes, s'enduisirent le visage d'huile antimoustiques et prirent vers le nord-nord-est en suivant la rive du lac de Nuasjärvi. D'après la carte, Rattosjärvi se trouvait à dix kilomètres, dont ils parcoururent les premiers sur un chemin forestier carrossable et les cinq ou six derniers seulement en pleine nature.

«Tu ne crois pas qu'on est cinglés?» demanda Kasurinen tandis qu'ils pataugeaient à travers les marécages.

Jyllänketo certifia qu'il n'avait en tout cas jamais, pour sa part, entrepris de projet aussi insensé.

Grâce au sens de l'orientation du premier et à la ténacité du second, l'aviateur et l'inspecteur principal atteignirent leur but en fin d'après-midi. Ils entendirent déjà de loin le grondement de grosses cylindrées sur la route de Rattosjärvi. Ils sentirent l'impatience les gagner — tels des pêcheurs s'apprêtant à relever un immense filet, au fond duquel frétillaient cette fois des dizaines de motos chevauchées par de dangereux Hells en blouson de cuir. Ils trouvèrent sans mal le lieu du rendez-vous.

Une cinquantaine de bikers tournaient nerveusement en rond dans une pinède. Jyllänketo et Kasurinen pénétrèrent dans leur cercle et se présentèrent comme les détenteurs d'informations béton sur la castagne qui s'annonçait à Över-torneå. L'aviateur distribua les prospectus de l'hôtel de Pello et expliqua que tout l'établissement avait été réservé pour accueillir cette nuit les motards. Pour des raisons de sécurité, le plus prudent était maintenant de laisser les bécanes où elles étaient et de rejoindre à pied le véhicule de transport qui attendait à une dizaine de kilomètres pour emmener tout le monde dormir à Pello et de là, après le petit déjeuner, dérouiller les écoanarchistes massés de l'autre côté de la frontière.

Après quelques instants d'hésitation, les Hells cachèrent leurs motos un peu plus loin dans la forêt et les y cadenassèrent. La troupe partit à travers bois, juste au moment où il commençait à pleuvoir. Les nuées d'orage déversèrent leur eau sur les blousons de cuir. Leurs coûteuses bottes bientôt trempées, les motards fatigués suivirent Jyllänketo et Kasurinen vers le sud et le lac de Nuasjärvi, en une longue file indienne harcelée par les moustiques. Pour les bikers peu habitués aux randonnées en pleine nature, les dix kilomètres de marche furent une torture. Ils avaient les pieds meurtris et couverts d'ampoules, leurs cigarettes étaient mouillées, jurons et imprécations volaient en escadrilles.

Dans la pénombre de la nuit d'été, l'acrimonieuse colonne arriva enfin en boitillant à Nuasjärvi. Les blousons de cuir mouillés brillaient d'un éclat sinistre autour du semi-remorque garé dans la forêt. Les Hells suédois s'insurgèrent

— au lieu d'un autocar, on voulait les transporter en camion comme du bétail mené à l'abattoir. Mais quand Kasurinen ouvrit les portes arrière du Sisu et les invita à y monter, ils cessèrent de râler. Il y avait à l'intérieur de la bière et des saucisses et, quand on alluma le téléviseur pour passer des films d'action, l'atmosphère se détendit. L'aviateur annonça aux opiniâtres randonneurs qu'ils avaient bien mérité leur récompense : dans une heure ou deux, leur véhicule les déposerait à l'hôtel à Pello, où ils pourraient goûter aux plaisirs d'un cinq étoiles. En attendant, ils devraient se contenter de boire de la bière, de saucissonner et de profiter des vidéos.

«On fera avec», déclara l'organisateur du rassemblement.

Kasurinen sauta à terre et, avec l'aide de Jyllänketo, verrouilla les portes de l'extérieur. Puis ils s'installèrent dans la cabine et prirent la route du lac Sauvage. Il était déjà près de deux heures du matin.

De Nuasjärvi, le camion à champignons de l'Étang aux Rennes gagna Pello, mais, au lieu de s'arrêter à l'hôtel, continua bien sûr vers le nord. Dès Raanujärvi, la remorque se mit à retentir de chansons et autres beuglements. Aux alentours de Sieppijärvi, le vacarme était tel que l'inquiétude commença à gagner Kasurinen et Jyllänketo. Heureusement, le lac Sauvage n'était plus très loin !

Quand l'inspecteur principal, au volant du camion, arriva au carreau de la mine, les grilles s'ouvrirent comme par magie. Maintenant habitué à la manœuvre, il pénétra directement en marche arrière dans le hall principal dont les lourds vantaux métalliques se refermèrent avec un bruit menaçant. L'agronome Juuso Hihnaaapa, posté à l'entrée, dirigeait par gestes les opérations, son gros Taurus .357 Magnum à la main. On ouvrit les portes arrière du semi-remorque et, sans plus de cérémonies, on ordonna aux passagers d'en descendre pour aller droit à l'ascenseur.

Jyllänketo compta qu'ils avaient capturé quarante-sept Hells, qui, dans un boucan d'enfer, disparurent emportés par la cabine brinquebalante à près d'un kilomètre de profondeur dans la roche arctique. En bas, l'accueil serait sans doute rude.

La patronne de l'Étang aux Rennes se montra très satisfaite de l'embauche forcée de cette cinquantaine d'hommes, jeunes et solides, et adressa ses chaleureux remerciements à Kasurinen et Jyllänketo pour leur exploit. Elle salua tout particulièrement la maîtrise de la communication et l'exploitation habile de ses fréquentations douteuses dont avait fait preuve le contrôleur bio. Dans son enthousiasme, Ilona Kärmeskallio promit à l'aviateur d'envisager malgré ses réticences l'achat d'un avion-cargo, si le recrutement de la main-d'œuvre continuait d'être aussi efficace.

Dans le bureau du domaine, on imprima en plusieurs exemplaires un communiqué annonçant que les Hells avaient décidé, dans un esprit constructif, de consacrer le reste de la saison d'été à une longue et paisible retraite entre bikers et qu'il ne fallait pas s'inquiéter pour eux. La circulaire fut postée de Vadsø, en Norvège. Son contenu fut un soulagement non seulement pour leurs proches, mais aussi pour les autorités.

Aucune nouvelle des Hells ne filtra de la mine. Seul l'organisateur du rassemblement raté, «Jari», demanda à remonter à la surface pour s'expliquer. Ilona Kärmeskallio lui accorda un entretien auquel assistèrent l'aviateur Pekka Kasurinen et le contrôleur bio Jalmari Jyllänketo.

Son histoire était triste. Il avait commencé à fréquenter une bande de motards un peu par hasard, avec l'inconscience de la jeunesse, mais, quand le sang s'était mis à couler, il avait pris peur et annoncé qu'il quittait le groupe. On ne l'avait pas laissé faire. Le pauvre garçon avait subi de cruelles épreuves : on lui avait plusieurs fois cassé la figure, puis brisé les clavicules et raccourci le petit doigt de la main gauche. Pour plus de sûreté, on avait menacé sa famille. La photo de communion de sa mère avait été souillée de cambouis et clouée au mur du garage de la bande. Sa grand-mère avait connu un sort encore plus terrible : elle avait l'habitude de s'asseoir dans un fauteuil en osier sur le balcon de son appartement pour écouter les livres audio qu'elle empruntait dans une bibliothèque spécialisée. Depuis l'immeuble d'en face, ces ignobles scélérats lui avaient visé les yeux avec de puissants faisceaux lasers, dans le but de détruire sa vue.

«Heureusement que mémé était complètement aveugle depuis déjà plusieurs années», se réjouit «Jari».

Il avait été obligé de rester dans la bande et avait même été promu au rang de chef du chapitre, mais il rêvait toujours de se libérer de ce milieu.

Ilona Kärmeskallio décida de le laisser quitter la mine pour sarcler les potagers de l'Étang aux Rennes. Quelques semaines plus tard, elle l'autorisa même à rentrer définitivement chez lui.

Convoyer les quarante-sept grosses motos de Rattosjärvi à l'Étang aux Rennes fut pour Kasurinen et Jyllänketo leur plus exaltante mission de l'été. Ils auraient pu les transporter en camion, mais ç'aurait été bien trop banal. Ils se procurèrent un radeau pneumatique équipé d'un moteur hors-bord, dans lequel ils descendaient le large et tumultueux cours de la Torne jusqu'à Pello, où ils pliaient l'embarcation et la chargeaient avec son moteur dans un taxi qui les conduisait à Rattosjärvi, où ils se choisissaient chacun une bécane à leur goût. Le canot sur le porte-bagages de l'une, le moteur sur celui de l'autre et en route! Quel plaisir de rouler de Rattosjärvi à Turtola et à l'Étang aux Rennes sur une Harley-Davidson de 1 200 cm^3! Ou sur une BMW 1 500! Une Jawa Cluster 1 000! De puissantes Norton et Triumph, de fougueuses Ducati!

Il y avait une centaine de kilomètres de route et, avec l'expérience, ils les parcouraient en général en une heure. Tout excités, ils faisaient la course. Dès qu'ils avaient ramené une paire de grosses cylindrées dans le hangar à machines de l'Étang aux Rennes, ils regonflaient le canot pneumatique, le poussaient sur les flots de la Torne et allaient chercher les suivantes.

Ils faisaient trois, parfois quatre voyages par jour. La nuit venue, ils dormaient six ou sept heures, puis avalaient leur petit déjeuner et repartaient sur les flots, puis en taxi, pour chevaucher de nouvelles montures.

Quand deux têtes brûlées retombées en enfance déplacent de cent kilomètres vers le nord près d'une cinquantaine de grosses motos, on ne peut guère s'attendre à ce que cela se fasse sans incidents. Le canot pneumatique creva dans les rapides du fleuve en heurtant la nasse d'un braconnier suédois. Mille sabords! Sur le chemin de Pello à Rattosjärvi, le chauffeur de taxi eut une crise cardiaque et il fallut le transporter aux urgences de l'hôpital central de Laponie, à Rovaniemi. À temps, heureusement, ce qui lui sauva la vie. Une autre fois, alors qu'ils revenaient un dimanche après-midi à l'Étang aux Rennes avec les 42e et 43e motos, Jalmari Jyllänketo, qui roulait en tête, percuta à Lankojärvi, à la vitesse de cent cinquante kilomètres à l'heure, une vache qui traversait la route. Pekka Kasurinen, qui arrivait juste derrière, ne put éviter le carambolage. La pauvre bête dut être achevée. Les réservoirs à essence des bécanes étaient cabossés, mais pour le reste elles étaient en état de rouler. Les deux hommes s'assirent sur la carcasse de l'animal pour fumer une cigarette.

Une fois leur mégot écrasé, ils entreprirent de dépecer le corps. Ils rangèrent la peau sanglante du malheureux ruminant sur le porte-bagages d'une des motos, à côté du canot pneumatique. La viande fut donnée au propriétaire de l'unique boutique du village de Lankojärvi, qui, en été, était ouverte même le dimanche. Jyllänketo se demanda un moment si l'assurance du véhicule, la Sécurité nationale ou le camp de concentration de l'Étang aux Rennes seraient prêts à indemniser l'éleveur de bétail pour le préjudice subi, mais décida au bout du compte d'en endosser la responsabilité, solidairement avec Kasurinen.

16

Sommet des patrons finlandais
en «Amérique du Sud»

Le contrôleur bio, arguant qu'il avait maintenant des loisirs, prit son air le plus charmeur
pour proposer à Sanna d'emprunter la plus
belle des motos du hangar et d'aller faire une
virée en amoureux dans le Grand Nord, ou au
moins dans les forêts et les champs de l'Étang
aux Rennes. Mais la jeune femme n'avait pas le
temps de pratiquer de futiles sports mécaniques,
ni de se promener bras dessus, bras dessous sur
les rives de la Harlière. Ilona Kärmeskallio lui
avait confié une tâche importante, bien que sans
grand rapport avec son métier d'horticultrice.
Elle devait en effet organiser une importante
conférence pour les principaux dirigeants économiques finlandais.

La patronne de l'Étang aux Rennes estimait
que l'argent et surtout l'insupportable avidité
des milieux économiques qui les poussait à en
amasser des quantités insensées étaient ce qui
causait le plus de souffrance sur cette terre.
Ilona Kärmeskallio n'était pas croyante, bien

au contraire, au grand désespoir de monseigneur Röpelinen, mais elle avait rappelé à Sanna un proverbe de la Bible : il est plus facile pour un chameau de passer à travers le chas d'une aiguille que pour un riche d'entrer au royaume des cieux. La route de l'enfer du lac Sauvage était en revanche pavée.

Cela ferait du bien aux barons de l'économie de ce pays, à tous ces types parés du titre honorifique de conseiller aux mines, d'apprendre les rudiments de la culture des champignons dans les profondeurs de la roche du lac Sauvage, et, après avoir longtemps réfléchi au moyen de capturer ces messieurs, Ilona Kärmeskallio avait décidé de les réunir pour une conférence. Elle pensait qu'ils accepteraient volontiers de participer à un sommet du monde des affaires où les plus compétents gourous de l'économie, ou même de petits génies de la bourse, tiendraient des discours soi-disant intelligents spécialement rédigés à leur intention.

« Tu peux choisir à ta guise le lieu de la réunion. Peut-être y a-t-il en Amérique du Sud, par exemple, des régions suffisamment exotiques pour attirer des conseillers aux mines finlandais. »

Toute la soirée, dans sa chambre, Sanna Saarinen avait fait tourner un globe terrestre, hésitant entre Rio de Janeiro, Lima et Santiago, mais toutes ces destinations semblaient trop banales. Elle avait résolu le problème en lançant au hasard une fléchette sur la mappemonde. Elle s'était plantée en Amérique du Sud, en Uruguay, et le sort avait ainsi désigné Montevideo comme lieu de la conférence.

L'horticultrice avait suggéré de fixer les frais de participation à cinquante mille marks, y compris les billets d'avion des participants, l'hôtel en pension complète et bien sûr la prise en charge du voyage d'une compagne ou d'une secrétaire.

Ilona Kärmeskallio avait trouvé la somme inutilement modeste, vu les circonstances.

« C'est trop peu, cinquante, demandons plutôt soixante-quinze mille, les conseillers aux mines comprendront qu'il s'agit d'une réunion de la plus haute importance. »

Sanna Saarinen n'avait pas l'habitude d'organiser des sommets économiques mondiaux. Elle avait certes, pendant ses études, travaillé comme assistante intérimaire à la Foire du jardinage du centre des expositions de Helsinki, qui avait remporté un grand succès, mais quand même.

Jalmari s'empressa de lui proposer son aide. Il se vanta d'avoir supervisé la sécurité d'innombrables réunions internationales — il avait été présent à la Conférence sur la sécurité et la coopération en Europe, puis, presque chaque année, à la plupart des autres sommets politiques tenus en Finlande. Il était mieux placé que personne pour organiser la logistique de ce genre de rencontres.

Sanna lui demanda s'il avait travaillé dans la police, pour avoir acquis une telle expérience.

« Le bruit court que tu aurais été officier dans l'armée, ou dans les forces de l'ordre. »

Jalmari Jyllänketo admit avoir exercé de nombreux métiers avant de devenir contrôleur bio. Il n'était pas homme à se plaire toute sa vie à un seul et unique poste. Il regardait vers l'avenir, changeait d'emploi selon les circonstances et avait l'expérience de diverses professions grâce auxquelles il avait accumulé une foule de compétences. Il s'était tourné vers le contrôle de l'agriculture biologique en constatant que la planète semblait prête à succomber sous la pollution.

«Je veux participer à la construction d'un monde plus propre — si ce n'est pour moi, au moins pour les générations suivantes, qui sont notre avenir.

— Tu es si convaincant, Jalmari. Si un jour j'ai des enfants, je…

— Quoi?»

Sans plus s'étendre sur le sujet, Sanna exposa ses projets de conférence. Elle avait réuni de la documentation sur la vie économique et pourrait facilement imprimer à partir de son ordinateur la liste des participants et d'autres informations plus détaillées.

Ils feuilletèrent l'encyclopédie.

«On ne va bien sûr pas vraiment organiser ce sommet à Montevideo, mais ici à l'Étang aux Rennes. Tu avais compris?»

Jyllänketo acquiesça. Il suggéra de choisir comme lieu de réunion un luxueux hôtel sud-américain flambant neuf, qu'on pourrait par exemple baptiser… Livramento Inn! Rien que le nom était alléchant. Sanna attribua cinq étoiles à l'établissement. Ils entrèrent dans l'ordinateur les autres caractéristiques de l'hôtel : construit sur trois étages, il pouvait accueillir deux cent quarante personnes, toutes dans des suites climatisées, ses fenêtres donnaient sur la mer, il y avait sur le toit une terrasse avec piscine... les participants auraient à leur disposition un golf de dix-huit trous et des safaris seraient organisés dans la pampa. En plus de ces activités et des séances de travail de la conférence, des réceptions de haute tenue avaient été prévues — banquets, dîners de gala, barbecues et bals. Il y avait bien sûr à l'arrière de l'hôtel une plate-forme d'hélicoptère, et l'on ajouta au programme post-congrès des excursions en avion aux sources du Rio de la Plata, où l'on rencontrerait des tribus indiennes. Les participants pourraient fabriquer de leurs mains des sarbacanes destinées à envoyer de petites flèches enduites de curare. Pour des raisons de sécurité, et dans un esprit festif, le curare serait cependant remplacé par des boissons alcoolisées.

Sanna admira l'inventivité de Jalmari. Les patrons finlandais, leurs épouses ou maîtresses et leurs secrétaires trouveraient sûrement quelques jours, dans leur agenda, pour une aussi intéressante réunion.

« Ajoutons que le restaurant de l'hôtel sert une cuisine aromatisée aux herbes et que son institut de beauté propose des soins à l'argile bio », proposa Jyllänketo.

L'horticultrice jugea l'idée intéressante, mais

se demanda s'il y avait de l'argile en Amérique du Sud. Elle s'y connaissait en sols, du fait de son métier. L'argile était un sédiment de l'ère glaciaire et elle n'était pas certaine que l'Uruguay ait jamais connu d'ère glaciaire au sens scandinave du terme. On y trouvait plus probablement des dépôts érosifs hétérogènes et non des anciens fonds marins comme dans le nord de l'Europe.

Plutôt que de s'aventurer sur le terrain glissant de l'existence de dépôts d'argile en Amérique du Sud, Jalmari Jyllänketo remplaça les bains de boue par des soins à base de tourbe.

« Ça, ils doivent bien en avoir », grommela-t-il.

Sanna admit que l'on trouvait partout de la tourbe, sauf peut-être dans le Sahara et le Kalahari.

Elle imprima les horaires d'avion que lui avait envoyés une agence de voyages et y joignit le menu des repas servis pendant les vols. Le départ se ferait à titre exceptionnel à l'aéroport de Malmi, d'où l'on prendrait un appareil privé pour Paris. Là, les participants à la conférence embarqueraient à bord d'un jumbo-jet qui rallierait Montevideo sans escale. En l'occurrence, « Montevideo » était le nom de code de la mine de fer du lac Sauvage.

« La première classe sera bien entendu réservée en totalité à l'élite de l'économie finlandaise, ainsi que le bar du pont supérieur, décida l'inspecteur principal.

— Et l'ensemble des services de secrétariat

nécessaires seront assurés à bord pendant toute la durée du vol», ajouta Sanna sans hésiter.

Jalmari Jyllänketo inscrivit au menu du vol du carpaccio de bœuf des pampas d'Amérique du Sud, rassis à point et assaisonné d'herbes aromatiques façon gauchos.

Il rédigea d'une main compétente un mémoire de deux pages sur les mesures de sécurité entourant le sommet. On y attirait l'attention non seulement sur la sûreté aérienne et les risques sanitaires — inexistants en pratique lors d'un voyage d'aussi haut niveau — mais aussi sur les menaces pesant sur les personnes. L'inspecteur principal indiqua que la police secrète uruguayenne veillait main dans la main avec la Sécurité nationale finlandaise à la protection de tous les participants à la conférence — sans oublier bien sûr de garder un œil sur les personnes accompagnantes. En clôture de son exposé, il précisa que ce mémoire était strictement confidentiel et qu'aucun des points abordés ne devait être évoqué ou vérifié auprès de tierces personnes. Il en allait de même pour le reste du programme du sommet — vu qu'il s'agissait d'un long voyage de personnalités de la plus haute importance, le grand public ne devait pas en être informé, et encore moins la presse. L'assurance comprise dans les frais de participation avait été souscrite par l'intermédiaire de la Lloyd's, compte tenu du rôle essentiel des bénéficiaires dans l'économie finlandaise.

Quel plaisir que d'organiser aux côtés d'une

jolie jeune femme un sommet économique de grande envergure! Jalmari Jyllänketo songea soudain qu'il fallait aussi offrir aux conseillers aux mines la possibilité d'aller au sauna.

«Ajoutons dans les renseignements concernant l'hôtel qu'il y a sur le toit, à côté de la piscine, un équipement unique au monde : un sauna à fumée finlandais où des femmes indiennes lavent et massent les clients.»

Emporté par son enthousiasme, il suggéra de vanter les services d'une poseuse de ventouses, mais Sanna trouva qu'il allait trop loin. L'idée lui semblait de mauvais goût, car la saignée par ventouses était à son avis une pratique archaïque et répugnante. D'ailleurs les conseillers aux mines n'avaient besoin d'aucune aide dans ce domaine, saigner les gens à blanc était leur spécialité, et c'était bien pour ça qu'on organisait cette conférence sans précédent.

17

Le rêve de l'aviateur
Pekka Kasurinen

L'inspecteur principal Jalmari Jyllänketo et l'aviateur Pekka Kasurinen tapaient le carton à l'ombre du chevalement de la mine du lac Sauvage. La matinée d'été était chaude. Plus tôt, ils avaient vérifié que les temporisateurs et les buses des secteurs d'arrosage du système d'irrigation par aspersion des champs d'herbes aromatiques fonctionnaient correctement, car la journée s'annonçait caniculaire. On les avait ensuite envoyés faire la popote pour les ouvriers horticoles trimant dans les champignonnières du lac Sauvage. Ils avaient de nouveau emprunté des motos : Jyllänketo avait enfourché pour se rendre à la mine une Norton de 500 cm^3 et Kasurinen une Triumph de même cylindrée.

Sanna Saarinen était partie à Rovaniemi acheter des livres traitant de l'organisation de congrès ainsi que des fournitures de bureau : bristols pour cartes de visite, chemises en plastique et autres babioles à envoyer aux participants — bref du « matos », comme disent si bien les publicitaires.

Les deux hommes avaient sorti de la remise du lac Sauvage une cantine roulante électrique équipée d'une marmite de cent litres et l'avaient garée à l'ombre du chevalement. Ils avaient épluché et coupé en morceaux plusieurs seaux de pommes de terre et autres légumes auxquels ils avaient ajouté quelques kilos de viande d'élan, surgelée dans les installations frigorifiques du domaine, et bien sûr de pleines poignées d'herbes aromatiques.

La soupe commençait à bouillir. Jalmari Jyllänketo calcula qu'il y avait là au moins quatre-vingts litres de pot-au-feu d'élan. On pouvait en conclure qu'il y avait dans les entrailles de la mine au moins cent, voire deux cents personnes à nourrir.

En attendant que la tambouille soit cuite, Kasurinen se mit comme à son habitude à parler de femmes, mais cette fois, au lieu de se vanter de ses conquêtes, il se plaignit d'être tombé dans sa jeunesse entre les griffes d'une véritable harpie. Il rêvait aujourd'hui de la kidnapper et de l'enfermer dans la plus profonde galerie de la mine. Comme Jyllänketo s'étonnait qu'un homme aussi galant que lui puisse faire preuve d'autant de dureté, il soupira amèrement :

« Je n'ai jamais rencontré pire salope. »

L'aviateur poursuivit ses jérémiades. Il confia au contrôleur bio qu'après être revenu du Canada il avait fait la connaissance d'une mère célibataire à première vue séduisante, qui l'avait convaincu de venir habiter chez elle ; elle avait par la suite mis au monde deux enfants d'on ne sait quel père, mais en tout cas pas de lui. L'entretien de cette marmaille était devenu au fil du temps une telle pomme de discorde que Kasurinen avait pris sa casquette d'aviateur et sa licence de pilote et claqué la porte, mais ça n'avait pas suffi. Cette mégère avait exigé une pension alimentaire et, comme il avait bien entendu refusé de payer, elle lui avait collé un huissier aux trousses. Pendant des années, les arriérés de pension n'avaient fait que s'accumuler, le poursuivant où qu'il aille, jusqu'à ce qu'il réussisse enfin à se cacher à l'Étang aux Rennes. Mais le long bras de la justice l'avait rattrapé quand il était allé acheter pour le domaine un avion d'épandage agricole, le Cessna maintenant remisé dans la forêt au bout de la piste de l'aéroport.

Jyllänketo lui demanda si le maigre salaire que lui versait Ilona Kärmeskallio avait en fin de compte été saisi.

Le visage de Kasurinen s'éclaira.

«Les poursuites ont cessé quand on a jeté l'huissier pour une semaine dans la mine. Quand on l'a laissé sortir, il a filé à toutes jambes et on ne l'a plus jamais revu. Il est parti avec vingt kilos de pleurotes.

— Et les enfants?»

L'aviateur déclara qu'ils étaient presque adolescents et avaient un nouveau père, encore un pauvre jobard, bien sûr.

Jyllänketo songea in petto que son ex-fiancée

Sinikka était bien différente de la harpie de Kasurinen, même si elle avait elle aussi plutôt mauvais caractère. Mais elle n'avait pas d'enfants, ce qui le dispensait de toute pension alimentaire, et il s'était quand même rappelé cet été à son bon souvenir en lui envoyant un colis. Différents échantillons de sol pour un intérieur féminin.

Soulagé par son récit, Kasurinen ressortit son jeu de cartes et défia Jyllänketo au poker. Il cherchait à se donner des airs de tricheur coriace et sans scrupule, mais on imagine bien que dans ce domaine un simple aviateur ne fait pas le poids face à un inspecteur principal de la Sécurité nationale. Sans remuer un cil, celui-ci lessiva son adversaire, main après main, jusqu'à le laisser pauvre comme Job. Kasurinen demanda un crédit, il était certain que sa chance tournerait. Jyllänketo savait que son adversaire n'avait pas les moyens de payer ses dettes de jeu et il fut donc convenu de les convertir en leçons de pilotage sur le Cessna de l'Étang aux Rennes. Leur prix fut fixé à cent marks de l'heure, et l'aviateur n'abandonna la partie qu'une fois redevable de dix cours, à point nommé pour constater que le pot-au-feu d'élan était cuit. Les deux hommes purent pousser la cantine d'où s'échappaient de délicieuses odeurs jusque dans le hall d'entrée de la mine, et de là dans l'ascenseur. Kasurinen cria dans le téléphone intérieur que la soupe était servie. Puis il envoya la cabine et sa marmite fumante dans les profondeurs de la terre.

Il y avait quelque chose de réconfortant à

nourrir les malheureux qui s'échinaient dans les entrailles de la roche, sûrement affamés par leurs longues journées de travail dans l'obscurité, sans jamais voir le moindre rayon de soleil ni sentir sur leur peau trempée de sueur le plus petit souffle d'un frais vent d'été.

Au retour, sur leurs motos, les deux hommes firent de nouveau la course jusqu'à l'Étang aux Rennes, et de là jusqu'au terrain d'aviation. Ils retirèrent la bâche qui couvrait le Cessna garé dans les bois et le poussèrent sur la piste. Kasurinen entreprit de montrer à Jyllänketo le fonctionnement de l'appareil, l'utilisation des commandes et la conduite au sol. Ils auraient même décollé s'ils n'avaient pas vu surgir la Land Rover de Juuso Hihna-aapa, qui semblait avoir quelque chose d'urgent à leur dire.

L'agronome courut jusqu'au Cessna et déclara avoir deviné que les cuistots envoyés au lac Sauvage avaient laissé tomber leur travail pour perdre leur temps à s'amuser sur le terrain d'aviation. Il était temps qu'ils cessent de se conduire comme des gamins, surtout Kasurinen, car on avait maintenant besoin de ses compétences pour agrandir l'aérodrome. Il fallait élargir et prolonger la piste, et sans doute la renforcer d'une couche de gravier. Les travaux devaient commencer sur-le-champ.

L'aviateur protesta que l'actuelle piste gazonnée suffisait bien pour le Cessna. Ils avaient justement l'intention de décoller pour une leçon de pilotage.

«Certes, mais y paraît qu'on va acheter un avion-cargo», annonça Hihna-aapa.

Kasurinen n'en croyait pas ses oreilles. Il pleurait en vain depuis des années pour avoir du matériel lourd, et voilà que sans même lui en parler la patronne avait décidé d'agrandir le terrain d'aviation et d'acheter un nouvel appareil.

On reconduisit le Cessna dans la forêt et on le recouvrit en hâte de sa bâche. Juuso Hihna-aapa livra de plus amples détails sur la grande décision :

«Ilona m'a demandé d'y soumettre un projet complet pour l'agrandissement de l'aéroport. Y faut aussi construire une nouvelle tour de contrôle, et peut-être un hangar d'aviation. Mais y faut d'abord décider quel appareil acheter, et déterminer le prix de cet investissement.»

Kasurinen, tout émoustillé, ne tenait plus en place. Il sortit de sa poche de poitrine un carnet écorné qu'il consulta pour déclarer à Hihna-aapa que l'on pourrait par exemple songer à un Antonov An-8, qui était un avion de transport militaire russe conçu dans les années cinquante, d'un modèle déjà un peu ancien mais bien adapté aux besoins aéronautiques de l'Étang aux Rennes. Il avait noté les caractéristiques techniques de l'appareil : 30 mètres d'envergure, 26 mètres de long, poids à vide 21 tonnes. L'Antonov pouvait emporter 9 000 litres de carburant, et le même poids de charge utile.

Sur le chemin de la maison des kolkhoziens, Kasurinen ajouta, euphorique :

«Et écoutez ça : sa vitesse de croisière est de près de 500 kilomètres à l'heure et son autonomie à pleine charge de 3 000 kilomètres !»

L'An-8 était équipé de deux turbines à hélice mises au point par Kouznetsov, d'une puissance totale de 5 100 chevaux.

L'aviateur souligna que ces avions-cargos bimoteurs avaient été conçus pour servir en temps de guerre et n'exigeaient pas de pistes particulièrement sophistiquées.

«On peut en acheter pour une bouchée de pain aux forces aériennes de l'ancienne Armée rouge, les généraux vendent les surplus à qui en veut, pour leur propre compte.»

Il supputa que dans le meilleur des cas on pourrait échanger un bon vieil Antonov contre quelques cargaisons d'herbes séchées... mais après avoir réfléchi un moment à l'intérêt que pouvaient avoir les aromates pour des généraux russes, il conclut qu'il valait peut-être mieux, tout compte fait, leur proposer de l'argent.

Hihna-aapa retourna à ses occupations. Jyllänketo accompagna l'aviateur dans le studio qu'il occupait dans le bâtiment du personnel. Sans surprise, les murs étaient couverts de photos d'aéronefs. Il y avait aussi, encadrées, une licence de pilote et une vieille photo de groupe d'un stage de vol à voile à Jämijärvi, où un Pekka Kasurinen au visage juvénile se tenait fièrement au second rang, en deuxième position à partir de la gauche. La bibliothèque contenait une impressionnante collection d'ouvrages traitant d'aéronautique.

«J'ai de la documentation sur tous les avions du monde!»

Kasurinen prit un livre anglais présentant les appareils des forces aériennes soviétiques de la fin de la Seconde Guerre mondiale aux années soixante-dix. C'était un gros bouquin illustré, au texte dense, usé à force d'avoir servi. Il l'ouvrit au chapitre des avions-cargos.

Il y avait deux photographies de l'Antonov An-8, l'une le montrant volant dans les nuages, dans toute sa splendeur, tandis que sur l'autre un groupe de parachutistes s'engouffrait à l'intérieur. La porte de la soute se trouvait dans la section centrale du fuselage, au niveau des ailes, et on concevait facilement qu'il puisse embarquer dix tonnes de fret, qu'il s'agisse de soldats vivants ou de poids mort, au retour des combats.

On avait vite développé des versions quadrimoteurs pour passagers de l'Antonov, l'An-10 et l'encore plus grand An-12. On voyait en illustration le modèle *Ukraina*, photographié en 1957 sur l'aéroport de Vnoukovo à Moscou.

«Si je pouvais en avoir un comme ça!» soupira l'aviateur.

Jyllänketo regarda la photo et jeta un coup d'œil aux caractéristiques techniques de l'appareil : son envergure atteignait près de 40 mètres, sa capacité d'emport était de 20 tonnes, son poids maximum en pleine charge de 40. Les champs de l'Étang aux Rennes risquaient de ne pas pouvoir supporter un avion-cargo aussi lourd. Un tel géant n'exigeait-il pas une piste goudronnée?

«Si… il est peut-être un peu grand pour nos besoins», dut admettre Pekka Kasurinen.

Il téléphona sur-le-champ à l'Agence nationale de l'aviation civile, à Helsinki, et demanda au premier ingénieur de vol venu s'il était encore possible d'immatriculer en Finlande un Antonov 8 russe comme avion de transport privé.

On lui répondit aussitôt que ce type d'appareil ne pouvait plus être homologué pour le trafic de marchandises — il était classé comme avion de collection et ne pouvait voler que sur autorisation spéciale, sans passagers ni cargaison. Et il fallait au moins trois pilotes, tous détenteurs d'une qualification de type.

«Pour dire les choses franchement, ces vieux appareils militaires soviétiques sont des poubelles volantes.»

Pour ce que l'Agence nationale de l'aviation civile en savait, il restait peut-être encore quelques Antonov en service dans les forces aériennes albanaises, par exemple, ou qui sait en Chine.

Kasurinen raccrocha, un peu désappointé. Il sortit un annuaire mondial de l'aéronautique, publié en anglais, et entreprit d'y chercher des appareils pouvant convenir au transport des produits de l'Étang aux Rennes.

«On peut bien sûr acheter un avion occidental…»

On pouvait par exemple imaginer acquérir un Handley Page Dart Herald, qui était un petit bimoteur de ligne britannique existant également en version cargo. Il était à aile haute — sur du gravier, ce type de structure avait des avantages, les ailes ne risquaient pas de toucher le sol en cas d'atterrissage un peu acrobatique. Équipé de turbopropulseurs Rolls-Royce, il mesurait un peu plus de vingt mètres de long et avait une ligne élégante rappelant celle du Convair américain que Finnair utilisait comme avion de ligne dans les années cinquante et soixante.

Kasurinen se vanta d'avoir lui-même effectué sur ce dernier des vols de vérification de compétence, dans le temps, et prendre les commandes d'un appareil de cette taille ne lui posait donc aucun problème insurmontable. Jyllänketo se permit d'en douter : d'après ses calculs, quand le Convair était en service en Finlande, le futur pilote avait à peine dix ans.

Le de Havilland Otter canadien, surtout connu comme hydravion, avait aussi été fabriqué sur roues. Mais ce type d'appareil à décollage et atterrissage courts était peut-être malgré tout trop petit pour transporter du vrai fret, et il ne pouvait contenir qu'une dizaine de passagers. Un bel engin, à part ça, nota Kasurinen, qui en avait piloté un au Canada.

Il ferma les yeux et plongea dans ses souvenirs :

«Sacré moteur... au décollage, il avait tendance à déporter tout l'Otter vers la droite, tellement il arrachait. Mais il suffisait de pousser les manettes à fond, et pleins gaz!»

L'aviateur, en extase, évoqua la puissante

accélération, le bouillonnement de l'eau sous les flotteurs, le raidissement des ailerons... il avait dû peser de tout son poids sur le gouvernail de direction pour empêcher l'appareil de partir en lacet, et le flotteur de droite avait émis des bruits inquiétants. Puis le dieu des airs avait déclenché sa catapulte : l'Otter s'était élevé au-dessus des flots pour grimper en pente raide vers les nuages dans un grondement d'enfer, plaquant le dos du pilote à son siège comme... les hanches d'une vieille femme au bas-ventre d'un jeune homme.

Kasurinen se demanda s'il serait possible de poser un de Havilland Otter sur la Harlière, mais il abandonna l'idée, le lac était trop petit, et le reste de l'Europe manquait de plans d'eau se prêtant au transport de marchandises par hydravion.

Mais le monde était plein de bons vieux avions-cargos. Pekka Kasurinen feuilleta l'annuaire : les Anglais avaient produit le Hunting Provost, les Américains l'énorme Lockheed 130 Hercules, les Français le vieux Breguet Intégral 940 au fuselage ramassé ainsi que le Hurel-Dubois, encore plus gros, et les Hollandais le Fokker, disponible dans de nombreuses versions. N'importe lequel d'entre eux pouvait faire l'affaire, à condition de se mettre d'accord sur le prix et de vérifier les questions relatives à l'état de l'appareil, à la maintenance, aux heures de vol restantes, à l'équipage et au type de piste nécessaire.

Kasurinen n'avait pas peur de la tâche qui

l'attendait et il se déclara prêt à relever bille en tête le défi lancé par Ilona Kärmeskallio.

« Le fret aérien arctique va connaître son âge d'or. »

18

Le nouvel aéroport
de l'Étang aux Rennes

Les travaux d'extension du terrain d'atterrissage du domaine de l'Étang aux Rennes commencèrent fin juillet, début août. Le chef du
Bureau de la construction de Turtola en établit
les plans conformément aux instructions de
l'aviateur Pekka Kasurinen. Dès sa réunion suivante, la commission de l'environnement donna
son feu vert au projet. Ce dernier avait tout pour
plaire aux élus locaux, ravis d'avoir bientôt un
véritable aéroport dans leur pauvre commune
rongée par le chômage, au lieu d'une simple
bande de gazon au milieu de plantations d'herbes
aromatiques. Pour plus de poids, on avait joint
à la demande de permis de construire un avis
favorable du contrôleur en agriculture biologique Jalmari Jyllänketo soulignant l'absence
d'effets négatifs du projet sur l'environnement.
Le dossier fut aussitôt expédié pour agrément
à l'Agence nationale de l'aviation civile. Les
édiles du canton espéraient que Finnair ou SAS
ouvriraient des liaisons directes avec le nouvel

aéroport depuis Rovaniemi, Mourmansk et Nar-vik, ce qui ferait de Turtola une plaque tournante du trafic aérien de tout le nord de la Scandina-vie. Cette exaltante possibilité ne souleva qu'un enthousiasme mitigé dans les rangs des habitants de l'Étang aux Rennes, dont la patronne Ilona Kärmeskallio se contenta de déclarer que les vols se limiteraient pour commencer au transport privé de marchandises.

Construire un aéroport n'est pas aussi compli-qué qu'un profane pourrait le croire. La vieille piste gazonnée du domaine, longue de quelques centaines de mètres, se trouvait à un kilomètre à peine au sud-est de la maison des kolkho-ziens, non loin de la Harlière. Elle était entourée de champs sur lesquels on pouvait facilement mordre pour l'élargir et la prolonger. La nou-velle piste se situerait donc dans le même axe nord-nord-ouest — sud-sud-est que la précé-dente et atteindrait presque la rive est du lac. Le cimetière se trouvait à six cents mètres de son extrémité, mais le bruit des avions ne dérange-rait guère les défunts — pour ce que peuvent en savoir des vivants n'ayant encore aucune expé-rience personnelle de la question.

La piste, dont une partie seulement devait être recouverte de gravier, mesurerait au total près de deux kilomètres et demi. D'après Kasurinen, on aurait même pu se contenter de moins, mais ce n'était pas la place qui manquait.

Lui-même n'avait pas le temps de surveiller le chantier, car il devait se mettre en quête de l'avion-cargo idéal. Ilona Kärmeskallio l'autorisa à utiliser l'une des lignes de crédit de l'Étang aux Rennes, grâce à laquelle il disposerait d'un montant suffisant pour verser des arrhes sur l'achat d'un appareil, même coûteux. Elle se réservait néanmoins le droit d'approuver ou non le marché négocié par l'aviateur, car elle n'avait qu'une confiance limitée dans ses compétences économiques.

Tout heureux, Pekka Kasurinen prit la route sur une BMW 1 000 cm^3 quatre cylindres. Il pensait se rendre à Helsinki et de là en Allemagne, ou peut-être aux Pays-Bas. L'engin appartenait à un Hells de Malmö. Ce dernier n'en avait cependant pas besoin dans l'immédiat pour ses propres déplacements, pas plus que de ses bottes et de sa combinaison de cuir cloutée.

L'agronome Juuso Hihna-aapa laissa provisoirement tomber les travaux des champs pour diriger le chantier de l'aéroport. Il s'y connaissait en terrassement et commença par assécher le terrain : pour évacuer les eaux de surface, on creusa des drains conduisant à des puits de trois mètres de profondeur situés des deux côtés de la piste, à intervalles de cinquante mètres, d'où des conduites posées suffisamment profond pour être à l'abri du gel menaient au canal qui traversait le domaine. Il coulait heureusement soixante centimètres au-dessous du niveau de la nappe phréatique du terrain d'aviation, ce qui permettait de faire l'économie de coûteuses stations de pompage.

Hihna-aapa calcula que l'on avait besoin pour consolider la piste de 48 000 mètres cubes de remblai recouverts de 12 000 mètres carrés de gravier sableux. On les trouva sans mal sur les terres de l'Étang aux Rennes : les débris de roche concassés de la mine de fer du lac Sauvage, qui se présentaient sous forme de gravillons d'un noir brillant d'une vingtaine de millimètres de diamètre, faisaient un remblai parfait. Pour la couche supérieure, on trouva à cinq kilomètres à l'est de la piste d'atterrissage une petite butte sablonneuse que l'on déplaça d'un bloc jusqu'à l'aéroport. Il ne resta à la place qu'un grand trou qui se remplit sans tarder d'une eau claire remontée de la nappe souterraine et forma dans la forêt, une fois ses bords nettoyés, une charmante petite mare. Le conseil municipal avait décidé le 31 juillet, lors d'une réunion extraordinaire, de payer les frais de transport des matériaux. On put ainsi louer des véhicules lourds à la Direction départementale de l'équipement et une vingtaine de camions-bennes se relayèrent vingt-quatre heures sur vingt-quatre pour déverser sur la piste des tonnes de sable et de gravier. Des niveleuses se chargèrent ensuite de la rendre aussi plane qu'un lac gelé. On planta des balises lumineuses dans le sol et on y raccorda des câbles électriques.

L'ex-député Kauno Riipinen, qui avait fait ses classes comme délégué syndical, dans sa jeunesse, s'occupa avec monseigneur Henrik Röpelinen de réunir une équipe de charpentiers. Ils construisirent en bordure de la piste une tour de contrôle aérien de deux étages. Dans leurs rangs s'affairaient à scier, clouer et porter des planches quelques vicaires, deux ou trois chantres et une vingtaine de futurs confirmants de la paroisse d'Ylivieska. Le bâtiment se composait d'un hall d'attente, au rez-de-chaussée, et d'une salle de contrôle aérien au premier étage.

Tous ces travaux, qui prirent plusieurs semaines, furent terminés le 28 août. Un ingénieur de l'Agence de l'aviation civile vint contrôler l'exécution des plans, vérifier la piste, tester les équipements de régulation du trafic et rédiger un rapport final. L'agronome Juuso Hihna-aapa fut nommé directeur de l'aéroport, avec pour adjoint monseigneur Henrik Röpelinen.

«Ce n'est qu'une formalité», déclara l'ingénieur en signant les derniers papiers.

Le jour de l'inauguration du nouvel aéroport de l'Étang aux Rennes, la manche à air flottait au bord de la piste dans un frais vent automnal. Selon la coutume, on servit aux ouvriers et aux représentants de l'Agence de l'aviation civile, de la Direction départementale de l'équipement et du conseil municipal de la soupe aux pois, préparée bien sûr avec des produits bio du domaine, ainsi que de la bière parfumée aux baies de genièvre et des galettes d'orge, elles aussi bio.

Pendant qu'on construisait l'aéroport, l'inspecteur principal Jalmari Jyllänketo avait participé de son côté aux activités du domaine. Se sentant seul et inutile pendant que Sanna Saarinen

s'occupait à Rovaniemi puis à Helsinki de peaufiner l'organisation du sommet de Montevideo et
que Pekka Kasurinen parcourait l'Europe à moto
à la recherche d'un avion-cargo, il avait demandé
à Ilona Kärmeskallio ce qu'il pouvait faire pour
l'aider. Elle l'avait envoyé livrer une cargaison de
champignons et d'herbes séchées et, par la même
occasion, emmener loin de l'Étang aux Rennes
les neuf premiers Hells qui devaient être rendus
à la liberté. Lassés des shiitakes, des agarics et
des pleurotes de la mine de fer du lac Sauvage, ils
avaient juré de s'amender et d'abandonner leurs
folles équipées pour suivre un chemin plus sage.
Quels émouvants citoyens modèles ils faisaient
maintenant !

Jyllänketo s'était muni d'une vingtaine de paires
de menottes prises dans les abondantes réserves
du hall d'entrée de la mine, avait enfilé sous ses
gants un coup-de-poing américain, vérifié son
arme de service et chargé dans la remorque du
camion, en plus de quelques tonnes d'herbes et
de champignons, neuf motos sorties du hangar à
machines de l'Étang aux Rennes. Puis il était allé
chercher au lac Sauvage les neuf ex-Hells libérés.
Ceux-ci avaient pris une douche, s'étaient rasés
et sentaient bon. Ils étaient plus pâles qu'à leur
arrivée et semblaient flotter dans leurs vêtements
de cuir. Mais c'étaient surtout leur attitude et
leur comportement général qui avaient changé.
Ils marchaient en silence — la leçon avait porté.
Ils ne donnaient plus de coups de pied dans tout
ce qui se trouvait sur leur chemin. L'air anxieux

et apeuré, ils sursautaient au moindre bruit un peu fort, et les plus nerveux se jetaient instinctivement à l'abri.

L'inspecteur principal Jalmari Jyllänketo leur avait parlé d'un ton rassurant en les invitant à monter dans le semi-remorque. Il leur avait souhaité bon voyage, avait verrouillé les portes de l'extérieur et avait pris la direction du sud avec sa cargaison.

À Kokkola, il avait déchargé le camion : il avait laissé les Hells récupérer leurs motos et filer comme des flèches — rarement plaisir de conduire s'était exprimé de manière aussi libérée ! — puis il avait livré les herbes et les champignons à l'entrepôt du grossiste. Comme il n'était qu'un peu plus de minuit, il avait décidé de continuer d'une traite jusqu'à Helsinki et était arrivé rue de la Voie-Ferrée pour le café. Il s'était présenté au directeur adjoint et lui avait brièvement rapporté les événements de l'été, sans rien lui révéler de la véritable nature de l'Étang aux Rennes. Puis il avait fait un saut aux archives, pris quelques notes et relevé un certain nombre de noms et d'adresses afin de ne pas rentrer à vide. Il y avait là une épouvantable liste de malfrats qui, faute de preuves, n'avaient jamais eu à répondre de leurs crimes et poursuivaient leur vie scélérate hors de portée des griffes de la justice.

L'inspecteur principal avait constaté qu'il ne manquait vraiment pas, dans ce bas monde, de main-d'œuvre faite pour le lac Sauvage.

Comme il s'en doutait, il n'y avait pas de dossier au nom de Sanna Saarinen. Les agents de la Sécurité nationale ne se préoccupaient pas des jeunes horticultrices innocentes, à l'exception de lui-même, qui lui portait un vif intérêt. Il voulait vérifier si elle avait réellement habité à Helsinki, après ses études, et en particulier rue de la Voie-Ferrée comme elle l'avait prétendu. Il s'était attaqué aux archives de la police administrative pour examiner les déclarations de changement de domicile de toutes les personnes ayant vécu dans les deux immeubles d'en face. C'était un gros travail, qui lui avait pris toute la matinée, mais il avait pu en conclure qu'aucune Sanna Saarinen n'habitait à cette époque rue de la Voie-Ferrée. La jeune femme, une fois diplômée de l'Institut d'horticulture de Lepaa, avait en revanche travaillé dans une graineterie, comme elle l'avait dit, mais était alors domiciliée rue Traversière, dans le quartier de Kruununhaka. Cette incontestable réalité avait plongé l'inspecteur principal dans un abîme de perplexité.

Dans l'après-midi, il avait enfin pris le temps de passer chez lui. Il avait trouvé sous la porte des prospectus publicitaires, quelques cartes postales et un avis l'informant qu'il avait reçu un colis de la part d'une mystérieuse Association des admirateurs de la police finlandaise. Agréablement surpris, il s'était hâté d'aller chercher son paquet à la poste. Que contenait-il de beau ? Il était lourd et joliment emballé dans du papier à fleurs.

Impatient, Jalmari Jyllänketo s'était précipité à son appartement, ce qui n'avait rien d'étonnant, car il est hélas très rare que les agents de la Sécurité nationale aient le plaisir de recevoir des cadeaux surprises. Il avait ouvert le paquet, d'où s'étaient échappés plusieurs kilos de terre et d'engrais malodorants ainsi que des boîtes d'échantillons qu'il connaissait bien pour les avoir utilisées à l'Étang aux Rennes. Au milieu du chaos, il avait trouvé un petit mot de Sinikka Renkonen le remerciant en termes crus de son envoi.

19

Jyllänketo rassemble
une cargaison de criminels

Sur le chemin du retour, l'inspecteur principal Jalmari Jyllänketo avait eu tout le temps de réfléchir à la situation dans laquelle il se trouvait. Il était pris dans une spirale infernale — qui plus est en tant qu'enquêteur de la Sécurité nationale ayant pour obligation morale de dénoncer et de faire condamner les activités du camp de concentration secret de Turtola. Se comporter comme il l'avait fait était une faute pour tout policier, et encore plus s'il était responsable de la sûreté de l'État, ce qui constituait une circonstance aggravante. Même si punir des criminels était en soi moralement acceptable, cela n'y changeait strictement rien — d'autant plus qu'il avait participé à des menées contraires à la loi avec un enthousiasme juvénile, en contribuant de son plein gré et de ses mains à envoyer près de cinquante personnes aux travaux forcés dans une mine de fer abandonnée. Sa conscience ne l'avait pas mis en garde contre cette avalanche d'actes répréhensibles.

À Sääksmäki, il s'était arrêté pour se restaurer. Le paysage était magnifique, la route n° 3 franchissait un détroit du lac Vanajavesi. Le soir tombait, de la brume planait sur l'eau. Indifférent à la beauté de l'été finlandais, Jalmari Jyllänketo était entré d'un pas lourd dans le café-restaurant, l'esprit préoccupé. Il avait avalé sans appétit un sandwich au fromage. L'angoisse le rongeait : jamais plus il ne pourrait prétendre à défendre la loi.

Des fermiers du coin discutaient des coûts de production et se plaignaient des nouveaux quotas agricoles de l'Union européenne. Puis l'un d'eux avait grogné d'un air furieux :

« S'il n'y avait pas des lois pour l'empêcher, le Kalle Saarela mériterait qu'on le descende.

— Comment est-ce qu'il a pu s'en tirer avec trente jours-amende ! »

L'inspecteur principal avait tendu l'oreille car, après la politique agricole, la tablée parlait maintenant d'une histoire de procès. D'instinct, il ne pouvait que s'intéresser à une conversation portant sur des délits. Une troisième voix avait ajouté :

« Si c'était moi qui avais laissé le bétail pourrir à l'étable, on m'aurait jeté en prison. »

Jyllänketo avait écouté le reste avec attention et compris peu à peu de quoi il retournait. Le tribunal de première instance de l'endroit avait condamné un fermier du voisinage à une amende pour actes de cruauté envers des animaux. Les détails semblaient être de notoriété publique.

En octobre de l'année précédente, et à nouveau plus récemment, l'agriculteur condamné avait laissé pendant plusieurs semaines des taurillons à l'étable, dans une couche de purin si épaisse qu'ils ne pouvaient même pas se coucher. On avait été obligé d'en abattre plusieurs. Au printemps, il avait récidivé. Il avait aussi fait pâturer ses vaches dans des prés où il n'y avait aucun abri, attachant même des veaux d'un mois à des longes trop courtes, dans la pluie et le vent.

Les fermiers, à la table voisine de celle de l'inspecteur principal, étaient particulièrement indignés par le fait que le tribunal n'avait même pas interdit à ce bourreau d'animaux de continuer à élever du bétail. Il avait paraît-il l'intention d'acheter des veaux à la place des bêtes abattues d'office et de poursuivre ses activités.

« C'est un peu comme si je tuais ma femme et que je puisse en prendre une nouvelle à la place à condition de payer une amende. »

Jalmari Jyllänketo avait soudain retrouvé l'appétit. Il était allé au comptoir reprendre du café et se choisir dans la vitrine un sandwich à la viande salée. Il était revenu à sa table, l'avait mangé avec entrain, s'était essuyé les lèvres et avait regagné son semi-remorque. Avant de reprendre la route, il avait téléphoné à son domicile à l'inspecteur d'hygiène de la commune, puis étudié la carte. Quelqu'un viendrait bientôt chercher Kalle Saarela.

L'inspecteur principal était reparti vers le nord, mais avait tourné, à peine deux kilomètres plus loin, sur un chemin vicinal. La ferme de Saarela se trouvait au bout : une grande maison jaune et une longue étable rouge, un hangar à machines et d'autres bâtiments agricoles. Tous en bon état. Jalmari Jyllänketo était entré dans la cour avec son semi-remorque, espérant que le propriétaire sortirait de chez lui. Il y avait en tout cas quelqu'un, de la lumière brillait à l'intérieur.

Après avoir fait faire demi-tour au camion, l'inspecteur principal était allé visiter l'étable. La porte était ouverte, toutes les stalles étaient vides. C'était bien là ! Il s'était dirigé vers la maison, avait pénétré dans l'entrée plongée dans la pénombre et frappé d'un geste impérieux à la porte. Une voix d'homme, à l'intérieur, avait grogné quelque chose.

Le fermier était vautré sur son canapé. Il avait une quarantaine d'années, les chairs molles, le regard mauvais. Il n'avait pas pris la peine de se lever en voyant le visiteur entrer dans la salle. C'était d'ailleurs inutile, car Jalmari Jyllänketo s'était approché de lui la main tendue, non pas pour le saluer chaleureusement, mais pour l'empoigner sans hésiter au collet.

Le bourreau d'animaux sur l'épaule, il était ressorti dans la cour, lui avait passé les menottes, l'avait jeté dans la remorque et avait verrouillé les portes. Puis il était monté dans la cabine et avait embrayé.

L'estomac plein et l'esprit en paix, il se sentait mieux. Il savait qu'Ilona Kärmeskallio infligerait à Kalle Saarela une peine de travaux forcés d'au moins deux semaines sans sursis dans les profondeurs de la roche du lac Sauvage. De bonne humeur, il avait contourné Tampere et pris le chemin de l'Ostrobotnie.

Dans la nuit, il était arrivé à Kokkola. Il était si fatigué qu'il avait décidé de dormir dans la cabine du camion. Du bruit s'échappait de la remorque : le fermier protestait avec énergie. Cela n'avait pas empêché l'inspecteur principal de dormir sur ses deux oreilles.

Il s'était réveillé dans l'après-midi. Il se sentait étrangement calme. Saarela se tenait maintenant tranquille, sans doute ronflait-il lui aussi. Jyllänketo avait repris le volant jusqu'au bord de la mer et piqué une tête dans les vagues. Il s'était un moment demandé s'il devait laisser à son prisonnier la possibilité de se rafraîchir, mais avait décidé que non. Son bétail avait dû rester des mois debout dans le purin, pourquoi aurait-il dû être mieux traité ?

À la cafétéria d'une station-service, l'inspecteur principal avait déjeuné de boulettes de viande et lu le journal local. Il s'était rappelé sa jeunesse, quand il avait travaillé avec enthousiasme comme journaliste stagiaire. Il y avait déjà vingt ans de ça.

Dans le courrier des lecteurs, il était tombé sur un récit saisissant. «La vie des parents peut être un enfer, écrivait un habitant de Kokkola. Des victimes de violences familiales ont réclamé en vain l'aide des autorités. J'apporte depuis plus de dix ans un soutien psychologique à ces personnes. Leur fils, qui a aujourd'hui vingt-trois ans, est un polytoxicomane qui abuse de médicaments et d'alcool et se montre extrêmement agressif quand il a bu. La maison est devenue un véritable asile psychiatrique.»

Le fils n'avait pas de domicile fixe et était incapable de vivre seul de son côté — on avait aussi essayé. Il était si violent que ses parents n'en voulaient plus chez eux. Il s'introduisait néanmoins par effraction dans l'immeuble et urinait dans l'appartement par la fente à courrier de la porte, quand il n'y versait pas du vin ou de la bière en hurlant des menaces. Il avait même jeté à l'intérieur une cigarette allumée, qui avait déclenché un incendie. On l'avait parfois laissé entrer, dans l'espoir qu'il se tienne tranquille, mais il s'était vite déchaîné de nouveau, agitant même un couteau.

«J'ai moi-même vu son père diabétique le maintenir au sol pendant que sa mère appelait la police. Cela se produit des dizaines de fois par an. La mère, quand elle est seule, n'ose même pas lui ouvrir la porte, car il lui extorque son argent et ses cartes de crédit.»

Le signataire avait, avec les parents, tenté d'obtenir de l'aide auprès des autorités sanitaires et sociales. Rien n'avait été fait, et pourtant la loi autorisait le placement d'office.

«La situation des victimes de ces agressions devrait être prise en compte et ce toxicomane soigné, de force s'il le faut.»

Quelle misérable crapule... ça ne pouvait pas

durer comme ça. Jyllänketo avait acheté une bouteille d'eau minérale et deux sandwiches qu'il avait portés à Saarela, assis l'air abattu dans la remorque. Puis il avait téléphoné à la rédaction du journal local et demandé les coordonnées du signataire de l'article. Il avait expliqué qu'il était médecin et souhaitait étudier de plus près le cas en question, au nom de l'Association des intervenants en santé mentale à laquelle il était affecté à titre professionnel. Sa démarche avait été bien accueillie et il avait obtenu l'adresse des parents du jeune drogué, qui se trouvaient habiter à Kokkola. Il était allé garer son camion devant un immeuble de quatre étages du centre-ville. Le bourreau d'animaux braillait de nouveau dans la remorque et il avait dû lui mettre son poing dans la figure. Le silence était revenu. Puis l'inspecteur principal avait vérifié qu'il était au bon endroit. Dans l'appartement indiqué, au dernier étage, on avait refusé de lui ouvrir. En criant par la fente à courrier, il s'était présenté comme un marchand de tapis ambulant qui avait à proposer des tapisseries à petit prix.

«Une gazelle buvant à une source pour six cent soixante marks, paiement comptant!»

L'offre n'avait pas trouvé d'écho, mais la malheureuse famille habitait bien là. Jyllänketo était resté à attendre dans la cabine de son camion, au cas où le fils chercherait une fois de plus à agresser ses parents.

Pour passer le temps, il avait téléphoné à Sinikka afin de la remercier du fond du cœur du tas d'engrais qu'elle lui avait envoyé. Elle en avait autant à son service. La conversation terminée, plus rien ne semblait devoir subsister de leur relation, à part des souvenirs voués à tomber dans l'oubli.

Une heure plus tard, les choses avaient commencé à bouger. Un taxi était venu s'arrêter dans la cour et le fils redouté de ses parents, Tauno Moilanen, en était descendu en titubant. Jyllänketo avait enfilé son coup-de-poing américain pour protéger les jointures de sa main droite, sorti une paire de menottes et couru dans l'immeuble sur les talons du jeune homme. Le taxi n'était pas resté à attendre son client. Dans le semi-remorque, Saarela continuait de faire du boucan.

L'inspecteur principal était monté quatre à quatre derrière l'arrivant jusqu'au dernier étage. Et voilà ! il donnait déjà des coups de pied dans la porte, hurlant comme un possédé. C'en était assez. Jyllänketo l'avait saisi à la gorge, lui avait envoyé un direct à la mâchoire, lui avait passé les menottes et l'avait jeté sur son épaule sans autre forme de procès.

Le paquet hurlant et gigotant avait atterri dans la remorque aux côtés du bourreau d'animaux. Les portes avaient claqué et le camion avait pris la route.

Tout en roulant vers le nord, Jalmari Jyllänketo s'était demandé s'il pourrait encore, après ces deux enlèvements, persuader la Sécurité nationale qu'il n'avait commis ces crimes que

173

pour mieux infiltrer l'organisation hors-la-loi de l'Étang aux Rennes. Qui y croirait? Les dés étaient jetés, on ne jouait plus aux gendarmes et aux voleurs. Il ne lui restait que l'impérieux et farouche sentiment d'agir pour le bien commun!

Il avait regagné Turtola par Oulu, Kemi et Rovaniemi, ramassant au passage une quinzaine de malfrats sélectionnés dans les dossiers des archives, dont il s'était emparé en toute discrétion mais avec efficacité (seul l'un d'eux était parvenu à s'enfuir) pour les mettre aux fers dans le camion, faisant goûter aux plus bruyants de son coup-de-poing américain, et les livrer pour finir aux champignonnières de la mine du lac Sauvage.

20

Le sinistre secret
du cimetière de la Harlière

Après l'inauguration de l'aéroport, Jalmari Jyllänketo et Sanna Saarinen, qui venaient tous deux de rentrer de voyage et ne s'étaient pas vus depuis longtemps, se dirigèrent ensemble vers l'extrémité sud-est de la piste d'atterrissage, du côté de la Harlière. Main dans la main, comme plusieurs fois déjà au cours de cet été, ils firent le tour du lac aux rives en pente douce, long d'un kilomètre et demi, dont le vent crêtait d'écume les eaux d'un bleu éblouissant. Deux cygnes nageaient près du bord, avec entre eux trois bébés gris se suivant à intervalles réguliers, comme attachés à leurs parents par une corde invisible. Jalmari nota qu'ils déménageraient sûrement pour un lieu plus tranquille quand Kasurinen survolerait la Harlière pour atterrir sur la nouvelle piste avec son gros avion-cargo. Sanna pensait au contraire que les majestueux oiseaux s'habitueraient vite au bruit, si on ne les dérangeait pas autrement.

L'inspecteur principal se vanta d'avoir conduit

à la mine un nouveau chargement de malfaiteurs destinés à remplacer les Hells remis en liberté. Sanna le félicita, mais avoua craindre que la police ne découvre un jour le pot aux roses.

«Tu ne diras jamais à personne, n'est-ce pas, Jalmari, que la main-d'œuvre de l'Étang aux Rennes et du lac Sauvage est embauchée... de force?»

Jyllänketo, d'un ton badin, raconta à la jeune femme que, lors de son voyage à Helsinki, il était bien sûr passé chez lui et avait eu l'idée de consulter par la même occasion l'ophtalmologiste de la rue de la Voie-Ferrée, qui se trouvait dans le même quartier. Il avait besoin de nouvelles lunettes de lecture, se plaignit-il.

«Mais il n'y avait aucun cabinet d'ophtalmologie, contrairement à ce que tu disais. Rien dans l'immeuble en question, ni dans celui d'à côté.»

L'inspecteur principal observait avec soin les réactions de Sanna. Une légère rougeur lui était-elle montée aux joues? Elle ne semblait cependant guère troublée. Elle déclara que l'ophtalmo devait avoir pris sa retraite, ça n'avait rien d'étonnant, il était déjà vieux à l'époque où elle habitait là.

Il lui demanda pourquoi elle avait quitté Helsinki pour s'installer au nord du cercle polaire. C'était un choix un peu curieux pour une horticultrice.

Sanna ne comprenait pas son étonnement, on avait autant besoin d'horticulteurs en Laponie qu'ailleurs, et l'Étang aux Rennes n'était quand même pas le pôle Nord. Elle était tombée dans la presse sur une petite annonce proposant un poste de responsable des cultures dans un domaine maraîcher à Turtola. C'était en général ainsi qu'on trouvait du travail, en répondant aux offres d'emploi.

«Tu n'as pas été enlevée de force à Helsinki et emmenée à l'Étang aux Rennes? Ilona Kärmeskallio n'a pas chargé un type dans mon genre de ramener un plein camion d'horticulteurs?»

Sanna Saarinen n'apprécia pas la plaisanterie.

«Arrête. D'ailleurs je me demande bien pourquoi je te raconte ma vie.»

Dans un souci d'apaisement, Jalmari Jyllänketo lui demanda si elle avait terminé les préparatifs du sommet économique des PDG finlandais.

Sanna lui expliqua de bonne grâce qu'elle avait travaillé du matin au soir, à Rovaniemi et à Helsinki, et avait été plus ou moins obligée d'apprendre le métier de secrétaire de conférence, mais que tout était prêt. D'épais dossiers contenant en bon ordre tous les documents relatifs à la réunion avaient été envoyés aux quinze participants sélectionnés parmi les plus grands patrons. Presque tous étaient conseillers aux mines, et ils dirigeaient les plus grosses sociétés finlandaises: Nokia, Merita, Sampo, Valmet, Metra, UPM-Kymmene, Enso, Neste, Rautaruukki, Pohjola, Outokumpu, Raisio, Kemira et Orion.

Sanna s'était assuré les services d'une petite agence de voyages de Montevideo, Tour Monte, afin de gérer les aspects pratiques du supposé sommet, au cas où quelque imbécile aurait l'idée de s'interroger sur les arrangements pris sur place ou autres détails oiseux. Elle avait envoyé à l'agence tous les documents nécessaires et ordonné de laisser sans réponse les questions les plus embarrassantes, c'était une méthode finlandaise éprouvée pour traiter sans se fatiguer les échanges de correspondance avec l'étranger, et seules les demandes les plus pressantes devaient lui être transmises par courrier électronique.

L'horticultrice avait ouvert un compte à la banque Merita pour encaisser les frais de participation à la conférence. Des virements importants étaient attendus dans les prochains jours. À supposer que les deux tiers des hauts dirigeants contactés acceptent l'invitation, l'Étang aux Rennes empocherait déjà plus de sept cent mille marks. En y ajoutant la participation des secrétaires et autres personnes accompagnantes, avec le prix de leurs billets d'avion, chambres d'hôtel et repas de gala, le total atteindrait un million et demi, voire plus.

Tout s'annonçait bien, mais on était toujours sans nouvelles de Kasurinen. On aurait bientôt besoin de l'avion, sauf à conduire les conseillers aux mines au lac Sauvage en semi-remorque. D'après Sanna, Ilona Kärmeskallio commençait à perdre patience, d'autant plus qu'on ne savait pas de quel côté du monde l'aviateur se baladait sur sa moto, ni si ses projets d'achat progressaient, ni même s'il s'en était occupé.

La patronne de l'Étang aux Rennes avait suivi le périple de Kasurinen grâce à ses relevés de compte. Il avait tiré de l'argent, à quelques jours d'intervalle, à Helsinki, Stockholm, Copenhague, Hambourg et enfin Amsterdam.

Sanna et Jalmari étaient arrivés au cimetière de la Harlière. Ils y croisèrent à l'improviste l'ex-député Kauno Riipinen, qui faisait lui aussi une promenade vespérale. Seul, comme souvent les hommes vieillissants. L'horticultrice, invoquant un travail urgent à finir, laissa Jalmari en tête à tête avec lui.

De tendres pousses vert pâle recouvraient déjà la dernière demeure du mort enterré là au début de l'été. Les premières camarines s'enracinaient dans le sable fin. Le tertre avait été régulièrement arrosé et on y avait planté une croix de bois. Elle était vierge de toute inscription, alors que les funérailles étaient passées depuis longtemps et que celui qui l'avait fabriquée aurait aussi bien pu par la même occasion y graver un nom. Jyllänketo s'en étonna, tout en se rappelant qu'à l'enterrement personne n'avait rien dit de la vie du défunt. Son identité n'avait d'ailleurs même pas été mentionnée!

Kauno Riipinen tourna sept fois sa langue dans sa bouche. Il était vrai qu'on ne regrettait guère l'homme qui reposait sous ce tertre.

«Tu te rappelles à quoi ressemblait le cadavre?»

Jyllänketo n'avait certes pas oublié l'effrayant regard torve du mort dont il avait de ses mains ouvert en secret le cercueil. Mais comment l'ex-député pouvait-il être au courant de sa discrète exploration du hangar servant de morgue?

Riipinen expliqua avoir été prévenu par Juuso Hihna-aapa que le contrôleur bio se trouvait dans le bâtiment. Ils avaient trouvé bizarre qu'il se mette à fouiller dans tous les coins sans rien demander à personne, mais avaient pensé qu'il voulait juste examiner tranquillement les engrais et les produits d'emballage, ou autre chose de ce genre. Ils l'avaient suivi en catimini et l'avaient vu dévisser le couvercle.

«Il n'était vraiment pas beau, il faut bien le dire», avoua Jyllänketo en regardant le tertre comme s'il avait eu peur que l'affreux qui y reposait en surgisse pour se ruer sur l'impudent osant le critiquer.

«Sa vie n'était pas belle non plus.»

Riipinen regarda longuement et attentivement le contrôleur bio dans les yeux. Puis il lui demanda s'il était réellement ce qu'il prétendait être. Jyllänketo jura dur comme fer que c'était le cas. L'ex-député savait bien qu'il était resté à l'Étang aux Rennes pour y prendre des vacances, puis pour donner un peu plus sérieusement un coup de main.

Riipinen affirma le croire sur parole. Mais des rumeurs avaient couru, tout au long de l'été, selon lesquelles il aurait été une sorte d'indic de la police venu fourrer son nez dans les affaires du domaine maraîcher. L'ex-député était content d'avoir posé franchement la question, c'était le meilleur moyen de dissiper les doutes. Il aimait aller droit au but et ne pas dévier de sa ligne, ajouta-t-il. Puis il tourna les yeux vers le tertre et déclara d'un ton sépulcral :

«Ci-gît Rauno Saarinen.»

Jyllänketo ne voyait pas très bien ce qu'il y avait là d'extraordinaire. Saarinen, Virtanen ou Mäkinen, quoi de plus banal !

«Celui-là n'était pas tout à fait n'importe qui. C'était le père de Sanna et le mari d'Ilona Kärmeskallio.»

La révélation laissa l'inspecteur principal pantois. Il prit conscience d'avoir agi comme un débutant. Il avait traité le mort comme n'importe quel cadavre hideux sans avoir l'idée de se renseigner sur son nom et sur son passé. Il avait négligé la prudence la plus élémentaire et s'était laissé surprendre à fouiner. Quel imbécile !

L'ex-député Kauno Riipinen remarqua le trouble du contrôleur bio. Il jugea bon de lui donner plus de détails sur le mystérieux défunt. L'histoire était triste. Saarinen — qui était à l'origine entrepreneur en bâtiment, si ses souvenirs étaient exacts — était un homme violent qui n'avait cessé de maltraiter son entourage et avant tout sa femme, Ilona Kärmeskallio. Il la battait et l'enfermait dans le noir. Elle avait fait plusieurs fausses couches, et l'homme avait aussi cruellement martyrisé ses enfants. Ilona avait malgré tout réussi à arracher Sanna à cette maison des horreurs. Elle avait ensuite rencontré Juuso Hihna-aapa et, ensemble, ils avaient mis Saarinen au pas. Leur première intention avait été de le tuer, pour finalement l'épargner. Ils avaient cependant mis en scène sa disparition, faisant croire que Saarinen avait été précipité dans un fleuve. On n'avait bien sûr jamais retrouvé le corps, et Ilona avait endossé la responsabilité du meurtre. De nombreuses circonstances atténuantes avaient plaidé en sa faveur, elle n'avait écopé que de deux ans de prison. Libérée après avoir purgé la moitié de sa peine, elle avait emménagé à l'Étang aux Rennes avec Juuso, dont les compétences d'agronome promettaient un avenir radieux à l'exploitation du domaine. Saarinen avait été enfermé dans la mine du lac Sauvage, dont il avait été le premier prisonnier, condamné à perpétuité, comme Jyllänketo le savait maintenant. Il n'avait jamais revu le soleil, Ilona y avait veillé.

Riipinen ajouta que tout cela était confidentiel, il n'avait mis le contrôleur bio dans le secret que parce qu'il faisait désormais partie du premier cercle de l'Étang aux Rennes. Il lui fit jurer de ne jamais en parler à personne.

«Sanna ne sait sans doute toujours pas qui était son père. Elle a été élevée par le pharmacien de Turtola et par son épouse. Tous deux sont aujourd'hui décédés.»

Riipinen soupira avant de reprendre.

«Mais au fond, et surtout vu de l'extérieur, il ne se passe rien de très extraordinaire, ici.»

Il ajouta que la fin justifiait les moyens. Il en était pour sa part convaincu. Et parfois, quand il avait un peu abusé du Cordial aux Herbettes de l'Étang aux Rennes, monseigneur Henrik Röpelinen lui-même se targuait d'être le seul évêque de l'Église luthérienne à apporter bénévolement son aide à une communauté de jésuites.

«L'Étang aux Rennes, conclut froidement l'ex-député, est un camp de concentration dont on ressort la plupart du temps vivant.»

21

L'agent de renseignements
mène l'enquête

Musti, le chien de chasse à l'ours au poil noir qui aboyait du haut de ses cinq ans dans la cour de l'Étang aux Rennes, était le seul obstacle empêchant l'accès aux logements de l'horticultrice, du régisseur et de la patronne du domaine maraîcher et à leur grenier, dans lequel Jalmari Jyllänketo avait décidé de s'introduire pour y placer des micros.

Il avait d'abord songé à résoudre le problème en lui tordant tout simplement le cou et en jetant son corps dans la rivière, mais il avait eu pitié du pugnace gardien qui ne donnait de la voix que par devoir. Il lui avait donc soufflé quelques bouffées de fumée de cigarette dans les narines afin de lui filer la colique, puis l'avait conduit chez le vétérinaire de Turtola. Il avait apaisé ses troubles de conscience en se disant que Musti se trouverait par la même occasion débarrassé de tous ses parasites intestinaux. Il fut convenu avec le vétérinaire que celui-ci garderait son patient trois jours en observation. Jalmari Jyllänketo pensait avoir le temps, pendant le congé de maladie du chien de garde, d'installer dans le grenier d'Ilona Kärmeskallio le système d'écoute improvisé qu'il avait fabriqué à l'aide de fils, d'un petit micro (comme on pouvait en acheter chez n'importe quel marchand de radios) et de deux écouteurs de baladeur. Les logements n'étant qu'à une vingtaine de mètres de la maison des kolkhoziens au premier étage de laquelle se trouvait sa chambre, il tendit son câble d'écoute entre les deux bâtiments, du grenier de la patronne de l'Étang aux Rennes à sa propre fenêtre. Le fil, attaché serré, était invisible de la cour. L'inspecteur principal se ménagea dans la forêt une cachette d'où il pouvait observer l'intérieur des logements, à condition que les rideaux restent ouverts. Il se livra à ces préparatifs en plein jour, pendant que le personnel était occupé aux champs ou ailleurs. Afin de se couvrir au cas où quelqu'un se serait étonné de ce qu'il faisait, il s'était muni d'un balai trouvé sur le perron avec lequel il ferait semblant de nettoyer la cour.

Vers sept heures du soir, Jalmari Jyllänketo s'installa sur son lit, ses écouteurs dans les oreilles. Il avait à portée de main quelques livres traitant d'agriculture biologique. L'extrémité du câble était dissimulée sous le tapis et, si l'on entrait à l'improviste dans sa chambre, il pourrait cacher ses écouteurs entre les draps.

Dès ce premier jour d'absence de Musti, le système fonctionna. L'inspecteur principal eut d'abord l'impression qu'une vive discussion se déroulait dans l'appartement, mais il se rendit vite compte qu'il s'agissait de la radio : une journaliste économique commentait les difficultés du gouvernement finlandais. Plus tard dans la soirée, Sanna passa voir Ilona Kärmeskallio. La mère et la fille bavardèrent de choses et d'autres. Ilona était de plus en plus inquiète du silence de Pekka Kasurinen et regrettait de l'avoir laissé partir seul à l'étranger avec une ligne de crédit à sa disposition. Sanna tenta de la rassurer, certaine pour sa part que l'aviateur accomplirait au mieux sa mission.

Juuso Hihna-aapa fit ensuite son entrée. On l'entendit parler tout seul dans le vestibule. D'après le bruit, il ôtait sans doute ses vêtements de travail, puis il passa dans la salle de bains et en ressortit en silence. Jyllänketo supposa qu'il était occupé à se peigner, car Ilona se moqua :

« Les jeunes sentent la sueur et les vieux sèment des pellicules. »

Rien de plus mystérieux ne filtra cette fois-là de l'appartement. Le lendemain soir, l'inspecteur principal se remit à l'écoute. Il entendit d'abord pendant une demi-heure un étrange vrombissement auquel se mêlaient des voix de femme — la mère et la fille bavardaient de nouveau. Peut-être le bruit parasite venait-il d'un appareil ménager, un batteur à crème, par exemple. Le niveau sonore d'un aspirateur aurait été bien plus élevé.

Juuso Hihna-aapa rentra chez lui comme la veille, et on entendit aller et venir le bruit de ses pas.

«Combien veux-tu de crêpes, Juuso, Sanna a promis d'en faire», demanda la voix d'Ilona Kärmeskallio.

Ses propos n'évoquaient en rien la cruauté d'un chef de camp de travail forcé, pas plus que la réponse de l'agronome:

«Au moins cinq, avec plein de confiture!»

Jyllänketo perçut dans ses écouteurs le grésillement de la poêle à crêpes. Il imagina la belle Sanna s'affairant devant la cuisinière, vêtue d'un tablier. Son estomac se mit à gargouiller. L'eau à la bouche, il essaya de compter combien de crêpes elle faisait. Elle en était au moins à quinze quand Ilona Kärmeskallio déclara qu'elle allait aérer pour chasser les odeurs de cuisson. On l'entendit écarter les rideaux et ouvrir la fenêtre. Jyllänketo se précipita. Il empoigna ses jumelles, sauta dans ses bottes, cacha ses écouteurs, détacha le fil de l'appui de fenêtre et se rua dans l'escalier. Il sortit en toute hâte, mais sans bruit, et courut dans la forêt à l'endroit qu'il s'était choisi comme poste d'observation. Il porta ses jumelles à ses yeux et découvrit l'intérieur de la cuisine d'Ilona Kärmeskallio, ainsi que la salle de séjour bien éclairée sur laquelle elle donnait.

Juuso Hihna-aapa somnolait allongé sur le canapé, Ilona se balançait dans un rocking-chair près de la porte de la cuisine, Sanna dressait le couvert et remplissait une carafe de jus de fruit rouge. Elle sortit du placard un imposant compotier rempli de confiture.

Sous le regard de l'inspecteur principal Jalmari

Jyllänketo, une famille finlandaise tout à fait ordinaire se préparait à manger des crêpes : la fille, la mère et le mari ou compagnon de cette dernière. Espionner un aussi charmant spectacle semblait ridicule.

Le policier rangea ses jumelles et retourna en silence dans sa chambre. Il écouta encore un moment ce qui se passait chez Ilona Kärmeskallio. On y savourait en bonne entente des crêpes à la confiture, sur fond de musique classique. L'atmosphère était idyllique, et l'idée que cette famille dirigeait un camp de concentration privé semblait totalement déplacée.

Sur le point de s'endormir, l'espion entendit Sanna soupirer :

« Jalmari me fait bien rire, par moments. »

Il tendit aussitôt l'oreille, mais ne distingua rien de plus, car la jeune femme faisait apparemment la vaisselle. Elle expliqua quelque chose à propos de la rue de la Voie-Ferrée, puis de l'ex-député Kauno Riipinen, mais le bruit de l'eau couvrait ses paroles, et bientôt elle regagna son propre studio.

Musti retrouva son poste à la fin de la dernière semaine d'août. Quelques jours plus tard, un message urgent de la Sécurité nationale s'afficha sur l'écran de l'ordinateur portable de l'inspecteur principal. Il devait immédiatement interrompre ses vacances et rentrer à Helsinki, on avait besoin de lui pour une nouvelle mission urgente. Jyllänketo craignait depuis un moment déjà que ses chefs ne le laissent pas se prélasser indéfiniment à l'Étang aux Rennes. Le service était en sous-effectif et ne pouvait pas se permettre d'affecter éternellement un enquêteur expérimenté à la surveillance d'une bande d'agriculteurs bio.

Jalmari expliqua à Sanna qu'il avait été invité à l'improviste à participer à Helsinki à une réunion extraordinaire du comité de normalisation des contrôleurs en agriculture biologique scandinaves et qu'il devait donc tout de suite regagner la capitale.

Dès le lendemain matin, l'inspecteur principal se présenta devant le directeur adjoint, un gros fumeur à la mine sévère qui tambourinait sur le dessus usé de son bureau des doigts aux ongles jaunis de sa main droite. Son cabinet se trouvait côté cour, on n'y entendait pratiquement aucun bruit de circulation. De lourds rideaux d'un gris vert sale obscurcissaient les fenêtres. L'endroit était sinistre. Les polices secrètes du monde entier occupent des repaires identiques. Jylländ-keto se surprit à penser que si on transférait le siège de la Sécurité nationale dans une église ou un château royal, ceux-ci se métamorphoseraient aussitôt en trous à rats de ce genre. Comment se fait-il donc que les services de renseignements répandent partout une odeur de moisi ? Les deux bâtiments de la rue de la Voie-Ferrée venaient d'être rénovés de fond en comble, mais la même puanteur en avait déjà envahi tous les recoins.

Jalmari Jyllänketo ne put s'empêcher de sursauter en apprenant ce que son supérieur attendait de lui.

«Nous avons appris que les plus hauts dirigeants économiques finlandais ont l'intention de tenir une conférence secrète à Montevideo, la capitale de l'Uruguay, en Amérique du Sud.»

Le directeur adjoint tendit une chemise en plastique à l'inspecteur principal. La couverture s'ornait en caractères élégants de l'inscription : «Les nouvelles stratégies du succès».

En ouvrant le dossier, Jyllänketo trouva l'invitation que l'horticultrice Sanna Saarinen avait fait imprimer ainsi que le programme du sommet de Montevideo qu'il avait contribué avec enthousiasme à élaborer. Il lut le texte qu'il avait lui-même rédigé sur les questions de sécurité et constata avec plaisir que Sanna l'avait joint, presque sans aucune modification, à la documentation à l'intention des participants. Il se sentit flatté de voir sa prose joliment imprimée sur du papier de luxe, c'était un peu comme s'il avait été publié dans un ouvrage sérieux ou un magazine de qualité. Il est hélas rare qu'un agent de la Sécurité nationale ait l'occasion d'écrire dans des livres ou des journaux, vu le caractère secret de ses activités. Ce n'est pourtant pas faute de talent littéraire ou de choses à dire. Mais non... et pas de mémoires non plus, même posthumes.

Le directeur adjoint ordonna à Jyllänketo de veiller à la sécurité de la conférence en se rendant à Montevideo pour toute sa durée. Il pouvait s'adjoindre pour l'accompagner en Amérique du Sud l'enquêteur de son choix. Comme l'indiquaient les documents, la réunion se tiendrait dans deux semaines, mi-septembre.

«Que dis-tu de ces notes sur les questions de sécurité? Elles ont de toute évidence été rédigées par quelqu'un de compétent.»

L'inspecteur principal admit que les mesures de protection semblaient remarquablement bien conçues, et ajouta que le texte était en outre écrit dans un excellent style.

«Bref et percutant, j'avoue.

— Conformément au règlement sur les frais de voyages, tu as droit à la deuxième catégorie : vol en classe touriste et hôtel du même niveau. Ça va faire un sacré trou dans notre budget. Merde, pourquoi est-ce qu'ils ne nous contactent pas avant d'organiser leurs sauteries», ronchonna le directeur adjoint.

Il se lança dans une violente diatribe contre les réunions entre grosses légumes, qu'il considérait comme un gaspillage d'argent éhonté. Jalmari Jyllänketo s'associa à l'intransigeante haine du bourgeois exprimée par son supérieur. Il trouvait lui aussi que l'on organisait bien trop de conférences inutiles, au lieu de travailler sérieusement.

«Ton visa est prêt et quand tu auras décidé qui emmener, on lui en fournira un illico», poursuivit le directeur adjoint.

L'inspecteur principal réfléchit. L'homme qui l'accompagnerait en Amérique du Sud devait être le plus stupide possible, afin de ne pas risquer de découvrir de quoi il retournait. À vrai dire, il avait le choix en la matière, parmi les agents de la Sécurité nationale finlandaise. Après s'être interrogé un instant, il déclara que la personne la plus apte à le seconder dans cette mission était sans doute l'inspecteur Jaakko Kylmäsaari, un solide enquêteur d'une cinquantaine d'années.

Le directeur adjoint regarda son subordonné dans les yeux, l'air suspicieux, et grommela :

« Ce géant de la pensée ?

— Kylmäsaari est expérimenté, minutieux et fiable, tu ne peux pas dire le contraire.

— Oui, oui... enfin ça te regarde.

— Et si je me souviens bien, il parle espéranto. C'est une langue internationale, ça peut être utile sur un continent étranger. »

22

Jyllänketo tend un piège
et rafle la mise

En aidant Sanna Saarinen, Jalmari Jyllän-keto s'était mis dans un pétrin dont il ne pou-vait se sortir qu'en partant pour l'Amérique du Sud. Encore heureux que l'horticultrice n'ait pas eu l'idée, pour rire, d'envoyer les PDG en Antarctique. Il aurait alors dû se muer en explo-rateur des pôles.

L'inspecteur principal fit le ménage dans son appartement de célibataire où la poussière s'était accumulée tout au long de l'été. Le cac-tus sur l'appui de fenêtre se portait bien. Il lui donna une goutte d'eau et lui confia qu'il ne reviendrait que dans quelques semaines, après avoir chatouillé les señoritas de Montevideo. Au milieu des prospectus publicitaires, il trouva un message d'un vieux copain, Veli-Pekka Yrjänäinen, inspecteur principal à la brigade des stupéfiants de la police judiciaire centrale, qui s'inquiétait de ne pas l'avoir vu de tout l'été. Jyllänketo lui passa un coup de fil et lui donna rendez-vous dans la soirée, on boirait quelques bières et on se rappellerait le bon vieux temps de l'école de police.

Dans l'après-midi, l'inspecteur Jaakko Kylmäsaari l'appela pour prendre ses ordres à propos de leur mission en Amérique du Sud. Il ne tenait plus en place : jamais il n'était parti aussi loin — deux ou trois fois aux Baléares, une fois à Stockholm et une fois à Tallinn. Mais là, il avait décroché le gros lot, et emballé dans du papier de soie, s'il vous plaît. Il exprima à Jyllänketo sa reconnaissance éternelle pour l'avoir jugé digne de veiller à ses côtés à la sécurité des participants au sommet.

Il lui fit en outre part de son intention d'acheter en prévision de leur séjour à Montevideo une caméra vidéo équipée d'un stabilisateur.

«Comme ça mes petits-enfants pourront voir un jour comment leur pépé s'occupait de la politique de sûreté de l'État.»

Jalmari Jyllänketo ne pouvait évidemment pas dévoiler à l'équipe de l'Étang aux Rennes que la Sécurité nationale l'avait réellement chargé d'une mission en Uruguay. Il téléphona donc à Sanna afin de lui annoncer qu'il devait malencontreusement partir en voyage pour quelques jours, juste au moment où les conseillers aux mines prendraient l'avion pour Montevideo, autrement dit pour le lac Sauvage. Il expliqua qu'il avait été choisi pour représenter la Finlande à une rencontre de contrôleurs en agriculture biologique organisée au Danemark. Il promit de revenir à Turtola dès qu'il aurait réglé ses affaires courantes. Puis il se rendit rue de la Voie-Ferrée pour convenir avec l'heureux Jaakko Kylmäsaari du programme de leur voyage en Amérique du Sud.

L'inspecteur lui montra fièrement sa caméra vidéo flambant neuve.

«Tu te rends compte, Jyllä, j'ai obtenu une réduction de près de deux mille marks en payant cash», se vanta-t-il en filmant son camarade dans son sinistre bureau de la Sécurité nationale.

«Ne reste pas devant la fenêtre, tu es à contre-jour... c'est parfait... allez, un sourire!»

Jyllänketo trouvait que ça suffisait, mais Kylmäsaari lui demanda de faire encore quelques zooms sur lui. Quand le propriétaire de la caméra eut été filmé, ils se mirent au travail. L'inspecteur principal expliqua à son adjoint qu'il ne s'envolerait lui-même pour l'Uruguay que quelques jours après lui. Il avait des choses à faire. Kylmäsaari devait s'installer à Montevideo, dans un hôtel d'un prix raisonnable, et attendre de ses nouvelles en gardant l'œil, en général, sur ce qui se passait en ville.

«Pas de problème.

— Appelle-moi sur mon portable pour me donner tes coordonnées dès que tu seras installé. Tu t'en sortiras, question langue?»

Kylmäsaari hésita un instant, mais retrouva vite son aplomb:

«Je parle couramment espéranto et je connais plusieurs dizaines de mots d'anglais. Et tout Finlandais sait se débrouiller par signes.»

Jyllänketo recommanda à Kylmäsaari d'éviter de prendre contact avec les autorités locales. C'était une mission secrète, comme toujours dans leur branche. S'il rencontrait des problèmes, le mieux était de rester à l'hôtel et d'attendre tranquillement les instructions qu'il lui enverrait de Finlande.

Plus tard dans la soirée, Jalmari Jyllänketo retrouva dans une taverne du quartier l'inspecteur principal Veli-Pekka Yrjänäinen, qui l'accueillit en levant sa chope :

«Alors, Jyllä, toujours sur la brèche?»

Il répliqua qu'il avait passé tout l'été dans le Nord, à pratiquer l'agriculture biologique. Avec l'âge, il s'intéressait de plus en plus à l'écologie. Yrjänäinen se permit d'en douter et soupçonna son camarade d'avoir poursuivi d'obscures visées secrètes, comme d'habitude.

«Et toi? Tu as l'air plutôt fatigué», nota Jyllänketo.

Yrjänäinen reprit son sérieux et expliqua qu'il revenait tout juste de l'institut médico-légal où il était allé reconnaître une jeune fille décédée d'une overdose.

«Elle n'avait que dix-neuf ans.»

Ç'avait été une épreuve de téléphoner aux parents pour leur apprendre que leur fille avait été trouvée la nuit précédente dans le coma, dans une boîte de nuit louche, et qu'elle était décédée quelques heures plus tard à l'hôpital, victime d'une trop forte dose de stupéfiants.

«Quelle tristesse!»

On arrêtait presque tous les jours des revendeurs et des livreurs de drogue. Les douanes et la brigade des stups faisaient leur travail, mais les rigidités de la loi empêchaient de mettre la main sur les gros bonnets.

«Tu le sais aussi bien que moi, Jyllä, impossible de tendre un vrai piège, d'infiltrer une organisation, de se faire passer pour un acheteur, de se mettre dans l'illégalité.»

Jyllänketo, intéressé, demanda plus de détails à son collègue. Celui-ci s'étonna de voir la police secrète se mêler de ce genre de délits, mais lui donna volontiers toutes les informations qu'il voulait, et il y en avait beaucoup.

La soirée se prolongea, ils firent la tournée de quelques bars et, tard dans la nuit, Jyllänketo rentra chez lui après un dernier détour par une boîte de jazz enfumée. Il se réveilla avec la gueule de bois, mais se rappela tout de suite sa conversation de la veille avec son camarade de la brigade des stups. Il avait un plan.

L'économiste Jouko Pulliainen était un professionnel du crime qui, plutôt que de se mouiller sur le terrain, gérait le côté financier des opérations et dirigeait d'une main de fer un gang de trafiquants de drogue qui lui rapportait des fortunes. Il avait pour partenaire commercial et conseil juridique un certain Timo Virtanen, avocat, qui le tirait en général immédiatement d'affaire quand il lui arrivait de se retrouver au tribunal. Tous deux étaient des hommes bien élevés, riches et sans scrupule, âgés d'une quarantaine d'années. Ils avaient sur la conscience la mort de plus de dix personnes, au bas mot. La plupart de leurs victimes avaient succombé à des overdoses.

Jalmari Jyllänketo téléphona au cabinet de Virtanen et demanda d'urgence un rendez-vous. Il l'obtint grâce aux tuyaux donnés par l'inspecteur principal Veli-Pekka Yrjänäinen. Sur place, il alla droit au but, prétendant s'appeler Lauri Henttonen et vouloir vendre une importante quantité de drogue qu'il avait en stock en Laponie. Il s'agissait d'un lot d'une valeur de près de dix millions de marks, au prix de revente. Vu les sommes en jeu, il préférait traiter avec un grossiste, pas avec des dealers.

Il expliqua en toute transparence d'où provenait la came et par quel chemin elle était arrivée dans le nord de la Finlande : Afrique, Espagne, Amsterdam, Norvège. Il mentionna aussi plusieurs noms que l'acheteur connaissait et fit part de son souhait d'être payé en liquide, selon la quantité écoulée et toujours dans des lieux différents, mais par versements minimums d'un million de marks.

Il laissa vingt-quatre heures à l'acheteur pour vérifier ses références. Afin de lever ses doutes, il déclara qu'on pouvait entre autres se renseigner directement sur lui à la Sécurité nationale, auprès de l'inspecteur principal Jalmari Jylländketo, mais de personne d'autre. Il donna à l'avocat son code téléphonique officiel et lui demanda, s'il appelait, d'utiliser comme mot de passe le nom de Lauri Henttonen.

«Vous pouvez l'interroger, il en sait long sur moi.»

Ils convinrent de se retrouver vingt-quatre heures plus tard en Laponie. Les acheteurs devaient prendre l'avion pour Rovaniemi, où on viendrait les chercher et où on échangerait un premier lot contre de l'argent.

La négociation avait été serrée, mais, en policier endurci, Jalmari Jyllänketo pensait s'en être bien sorti. Le piège était tendu. Il vérifia qu'il n'était pas suivi et, une fois qu'il en fut certain, retourna à son bureau rue de la Voie-Ferrée.

Pourquoi les trafiquants tardaient-ils tant à appeler? En attendant leur coup de fil de vérification, l'inspecteur principal lut la documentation réunie par Sanna Saarinen pour la fausse conférence. Il était plutôt content, en fin de compte, de pouvoir s'envoler gratuitement vers Montevideo. Ce n'était pas souvent qu'un simple inspecteur principal de la Sécurité nationale était envoyé en mission plus loin que Tallinn ou Stockholm. Il devrait penser à s'acheter un short et des chemises à manche courtes… puis le téléphone sonna.

Jyllänketo travestit légèrement sa voix et donna tous les renseignements demandés sur le dénommé Lauri Henttonen et ses accointances criminelles. La personne au bout du fil était une dame, mais elle était visiblement au courant de la conversation de tout à l'heure. «Cherchez la femme», songea-t-il, et il repensa à la forte personnalité d'Ilona Kärmeskallio.

L'inspecteur principal embarqua sa voiture dans le train de Rovaniemi et passa une excellente nuit dans son compartiment de wagon-lit. À l'arrivée, il fila droit à l'aéroport accueillir les trafiquants de drogue. Ils furent un peu surpris de voir Henttonen se présenter en personne, mais montèrent malgré tout avec lui dans son véhicule. Ils n'avaient pas de bagages, juste un attaché-case chacun. C'était aussi bien, songea Jyllänketo. Bientôt le piège se refermerait et on compterait l'argent.

Il prit le volant et invita le chef du gang à monter à côté de lui. L'avocat grimpa à l'arrière. «Henttonen» se montra bavard, heureux qu'on lui ait accordé le crédit qu'il méritait et que les affaires roulent. Il fit remarquer que dans ce métier, la confiance était essentielle, tout reposait sur elle. La marchandise les attendait plus au nord, près de la frontière suédoise. Belle journée, encore une fois, bien que les cultures aient besoin de pluie. Les barons helsinkiens de la drogue restèrent pour leur part silencieux.

Sur la route de Kittilä, du côté d'Alakylä, Jyllänketo déclara qu'il avait besoin de vider sa vessie, se gara sur le bas-côté et descendit de voiture. Il tira son pistolet de sa poche et ordonna d'un ton sec aux deux trafiquants de sortir du véhicule. Avant qu'ils aient le temps de réagir, le coup-de-poing américain vola et les menottes se refermèrent sur leurs poignets. Jyllänketo jeta l'avocat dans le coffre, où il tenait tout juste, et claqua le couvercle. Il ficela Pulliainen sur la banquette arrière, si serré que même Houdini, à sa place, n'aurait rien pu faire. Puis il ouvrit sa braguette et arrosa le bord de la route comme il l'avait annoncé avant de s'arrêter.

Moins d'une heure plus tard, il était à la mine du lac Sauvage. Il y déposa ses prisonniers et rentra pour la nuit à l'Étang aux Rennes.

23

En quête d'un avion-cargo

Le lendemain matin, Jalmari Jyllänketo reçut des félicitations pour ces nouveaux enlèvements, mais constata malgré tout que l'atmosphère de l'Étang aux Rennes s'était tendue depuis son départ. Plus d'une dizaine de PDG avaient déjà versé leurs soixante-quinze mille marks de frais de participation au sommet de Montevideo. La conjoncture économique avait beau être mauvaise, prétendait-on, elle ne freinait en tout cas pas les projets du domaine maraîcher. L'invitation à la conférence rédigée par Sanna Saarinen avait été prise au sérieux. Cette rentrée d'argent avait donné un coup de fouet aux activités de l'Étang aux Rennes. On y attendait sous peu les patrons des plus grandes entreprises finlandaises, mais où diable traînait l'aviateur Pekka Kasurinen et, plus grave encore, où était l'avion dans lequel on devait embarquer tous ces hauts dirigeants ?

Ilona Kärmeskallio était furieuse, elle tempêtait et fulminait, impuissante, et déchira en petits

morceaux une carte postale de Kasurinen par-
lant du beau temps qu'il faisait dans l'Ouest de
l'Europe.

Enfin on reçut un fax sérieux, dans lequel l'aviateur dressait la liste des offres qu'il avait reçues
en vue de négociations d'achat plus détaillées. Il
y répertoriait plus d'une dizaine d'appareils disponibles, avec leurs caractéristiques techniques,
leurs exigences en matière de personnel navigant
et, à titre préalable, leurs conditions de vente et
de livraison.

Kasurinen rapportait que les forces aériennes
albanaises avaient à vendre trois antiques avions-
cargos Antonov An-8. Ils se trouvaient sur une
base militaire en déshérence dans les environs
de Tirana. L'Albanie tout entière était en piteux
état et l'aviateur avait perdu de son enthousiasme pour le matériel venu de l'Est.

Il y avait également un Breguet 940 Intégral de fabrication française, un grand mono-
plan quadrimoteur à aile haute de 17,5 mètres
d'envergure et 12 mètres de long. «Cet appareil
a la particularité de pouvoir décoller en moins
de deux cents mètres et de se contenter, même
à pleine charge, d'une piste de moins de cinq
cents mètres.» Pour le reste, Kasurinen trouvait l'avion français peu économique à l'usage,
ses quatre moteurs engloutissaient plus de carburant qu'une centrale électrique. Il était en
revanche très séduit par les avions-cargos de
Lockheed, que l'on trouvait par dizaines sur le
marché européen, comme par exemple le C-130

Hercules Transport (16 mètres d'envergure, 18 mètres de long, quatre turbopropulseurs, capacité d'emport de 8 tonnes, poids total de 12,7 tonnes). Les frais d'entretien de ce modèle étaient cependant élevés et il nécessitait un équipage de quatre personnes, ce qui était sans doute rédhibitoire.

L'aviateur présentait aussi dans son rapport les principaux avantages de l'Otter canadien et du Fokker néerlandais, qui semblait avoir ses faveurs.

Ilona Kärmeskallio ordonna à Sanna de répondre par fax à Kasurinen, à Amsterdam, qu'il devait par tous les moyens acheter immédiatement un avion-cargo à un prix raisonnable et le ramener à l'Étang aux Rennes. C'était lui l'aviateur, il devait choisir seul l'appareil, personne à l'Étang aux Rennes n'était capable de prendre cette décision à sa place. L'intéressé répliqua aussitôt, toujours par fax, que si l'on voulait faire vite, il y avait à vendre un petit Fokker Friendship, déjà ancien mais entièrement révisé et, bien que prévu pour transporter des passagers, facile à transformer en avion-cargo — il suffisait d'ôter les sièges et de les ranger ailleurs. On pouvait au besoin les remettre en place en une demi-heure. C'était un appareil à aile haute, avec deux turbopropulseurs Rolls-Royce, qui avait dans le temps servi au trafic de fret en Corée avant d'être vendu à des Islandais. Il avait même effectué pendant trois mois des vols charters jusqu'en Finlande, dans les années quatre-vingt. Il appartenait à l'heure actuelle à une compagnie aérienne tunisienne — ou faisait, plus exactement, partie de ses biens mis sous séquestre après sa faillite —, mais il était en bon état et pouvait être livré sans délai à l'acheteur à Amsterdam. Il fallait cependant au Fokker une piste revêtue. Était-il possible de goudronner l'aéroport de l'Étang aux Rennes, ou au moins de recouvrir la piste d'une couche de tarmacadam? Si oui, Kasurinen verserait immédiatement cent mille dollars d'arrhes. Le prix total se montait au quadruple. Il pourrait être payé en trois ans, grâce aux revenus du fret.

Ilona Kärmeskallio mandata l'aviateur pour conclure le marché. On s'occuperait à l'Étang aux Rennes de revêtir la piste.

Pekka Kasurinen ajouta qu'il embaucherait deux pilotes professionnels comme commandant de bord et comme ingénieur de vol, tandis qu'il assurerait les fonctions de navigateur, car il n'avait pas pour l'instant de qualification de type pour le Fokker. Dès que l'appareil aurait été transféré en Finlande, il devrait être immatriculé par l'Agence de l'aviation civile finlandaise au nom d'une compagnie aérienne à fonder. La procédure serait rapide, selon Kasurinen, car le bimoteur était bien entretenu et en bon état.

Ilona Kärmeskallio confia à Juuso Hihna-aapa la tâche de veiller au revêtement de la piste. Jyllänketo prendrait les commandes du Cessna pour effectuer des essais de roulage, puisqu'il avait paraît-il pris des cours avec Kasurinen.

En attendant que les travaux soient terminés on remisa l'appareil plus loin dans la forêt bordant l'aéroport.

«On va saler la piste et la compacter au rouleau compresseur, ça fera l'affaire», décréta l'agronome.

Selon lui, une épaisse couche de sel suffirait à rendre le sable aussi dense que de la porcelaine et, après plusieurs passages d'un lourd cylindre routier, la piste serait assez résistante pour accueillir un jumbo-jet, au besoin.

24

Enseignement secret
du patois savolais en Laponie

À l'heure du déjeuner, dans la maison des kolkhoziens, Ilona Kärmeskallio déclara que la venue à l'Étang aux Rennes et au lac Sauvage des plus influents dirigeants de la vie économique finlandaise n'apporterait pas grand changement au quotidien de l'exploitation.

«Pas question de faire de courbettes à ces messieurs.»

L'évêque Henrik Röpelinen, l'ex-député Kauno Riipinen, l'agronome Juuso Hihna-aapa, l'horticultrice Sanna Saarinen, l'inspecteur principal et contrôleur bio Jalmari Jyllänketo et quelques autres permanents du domaine ouvrirent grand leurs oreilles. La patronne ne tenait en général pas de discours à table et ne commentait pas en public les affaires de l'Étang aux Rennes, mais elle semblait aujourd'hui décidée à faire une exception.

Ilona Kärmeskallio souligna que l'enlèvement de près d'une vingtaine de grands patrons était sans conteste un projet audacieux.

«Nous devons considérer cette visite forcée comme un élément normal de nos activités. Il s'agit de toute évidence pour nous d'une opération commerciale, qui nous permettra en même temps de donner une saine leçon aux puissances de l'argent.»

Monseigneur Röpelinen avoua craindre que l'enlèvement d'autant de conseillers aux mines ne suscite une effervescence médiatique propre à bouleverser le monde.

Ilona Kärmeskallio répliqua d'un ton sec que seul Jésus et ses disciples avaient le pouvoir de bouleverser le monde de l'évêque et qu'il n'avait pas à s'en faire pour la presse et les conseillers aux mines. Que quinze PDG se réunissent une semaine dans un lieu secret n'avait rien de particulièrement curieux.

«Au moindre événement sportif un peu important organisé en Finlande ou ailleurs, ces abrutis se précipitent jusqu'au dernier pour y montrer leur bobine. On les voit assis aux premières loges, comme s'ils étaient entraîneurs et non conseillers aux mines.»

La patronne de l'Étang aux Rennes revint sur les questions de sécurité. La rumeur avait couru tout l'été que la police, voire les services secrets, s'intéressait aux affaires du domaine et surtout au recrutement de sa main-d'œuvre.

Jalmari Jyllänketo la regarda sans ciller droit dans les yeux et marmonna qu'il n'y croyait guère. Ce n'étaient que des racontars.

«On voit bien que tu es contrôleur bio, tu es

trop naïf, comme la plupart des écolos. Quoi qu'il en soit, j'ai décidé de renforcer nos règles de confidentialité. Il ne faut pas qu'on puisse deviner à notre façon de nous exprimer où se trouve le domaine. Fini de parler avec l'accent lapon!»

Juuso Hihna-aapa se racla la gorge d'un air coupable.

«Et comment qu'on va-t-y parler? grommela-t-il.

— On va apprendre le savolais.»

Le savolais! Tous restèrent interloqués. Pourquoi donc le patois du Savo?

Ilona Kärmeskallio expliqua patiemment que si tout le monde parlait savolais devant les étrangers — autrement dit les visiteurs amenés contre leur gré —, il ne viendrait à l'esprit de personne que l'on était en Laponie. Les gens prendraient la mine du lac Sauvage pour le gisement de cuivre abandonné d'Outokumpu, dans le Savo, et la maison des kolkhoziens pour on ne sait quel vieux manoir. Il faudrait bien sûr éviter de mentionner le nom de l'Étang aux Rennes, qu'on pourrait par exemple rebaptiser «Eùl marache à lès tcherfs», ou quelque chose de ce genre, pour rester dans l'esprit du lieu.

Kauno Riipinen applaudit au projet d'Ilona Kärmeskallio. Il se proposa aussitôt comme professeur de savolais.

«Bon Djeu! Ëj'sé bin bargouneu l'savolès.

— Ça ne suffit pas. Pour autant que je sache, tu es originaire de la vallée du Kymi. Nous devons trouver un natif du Savo, et des livres en patois.»

On n'avait pas coutume, à l'Étang aux Rennes, de discuter les décisions d'Ilona Kärmeskallio et personne ne contesta donc la nécessité de se mettre au savolais. Un vif débat eut en revanche lieu sur la question de savoir où trouver un professeur compétent.

«On pourrait faire comme d'habitude, en enlever un, suggéra monseigneur Röpelinen. J'ai quelques candidats à vous proposer, d'ailleurs, j'ai été vicaire dans ma jeunesse dans la paroisse rurale d'Iisalmi. Il y a en liberté dans le Savo bon nombre de gredins à qui un séjour éducatif à l'Étang aux Rennes ferait le plus grand bien.»

L'évêque jeta en hâte quelques noms sur un bout de papier puis regarda autour de lui. Qui s'occuperait en pratique du recrutement du professeur?

Ilona Kärmeskallio trancha la question en désignant Jalmari Jyllänketo. Le contrôleur bio était le mieux à même de s'en occuper, c'était un kidnappeur compétent et on pouvait se passer de lui au domaine. Sanna Saarinen tenta bien de protester, on avait besoin de Jalmari pour toutes sortes de travaux et il devait préparer son séjour au Danemark, où il devait représenter la Finlande à une importante réunion bio.

«Il aura le temps de partir au Danemark après, aller chercher un professeur à Iisalmi ne lui prendra pas bien longtemps», décréta Ilona Kärmeskallio.

On décida par la même occasion que Jyllänketo pourrait utiliser une des motos des Hells, lui qui aimait tant rouler avec. Sanna se proposa pour l'accompagner, mais c'était impossible, comment trois personnes auraient-elles pu tenir sur l'engin au retour !

Après le déjeuner, Ilona Kärmeskallio distribua à son équipe quelques livres en savolais qu'elle avait commandés à l'avance dans un but pédagogique à la bibliothèque municipale de Turtola, qui les avait fait venir de la médiathèque régionale de Kuopio. Il y avait parmi eux quelques recueils de poèmes de Kalle Väänänen, tels que *Carabistouyes et parlotâjes*, *Chë nous-ôtes à Peräkorpi* et *Èscrèpâje dë chignons*, ainsi qu'un ou deux ouvrages d'Ernst Lampén et un florilège de proverbes.

« Faites des photocopies et apprenez par cœur ces poésies de Kalle Väänänen, par exemple. Vous pourrez les réciter de concert, pour mieux vous en souvenir. »

La patronne ajouta que tous devraient savoir parler le savolais de manière convaincante avant l'arrivée des dirigeants économiques finlandais. Toute personne en contact avec eux devait s'exprimer en patois.

L'assistance feuilleta les livres d'un air morose. Obéir à la surprenante décision d'Ilona Kärmeskallio avait tout d'une corvée. Restés seuls, les futurs patoisants se plongèrent dans les poèmes de Kalle Väänänen. Ils n'étaient pas faciles à prononcer, en tout cas au début, pour qui n'était pas né dans le Savo. Apprendre cette nouvelle langue ne semblait toutefois pas totalement impossible, une fois qu'on en saisissait la logique. Au bout d'une heure, ils récitaient déjà avec assez d'aisance les vers de Väänänen, comme par exemple ce poème d'amour :

> *L'amoûr vré, à chô qu'on dit,*
> *Quand i vos met leû tchète à l'èrvieu*
> *Et vos fét jolimét canteu,*
> *Vos doune eùne nouvèle vîe.*
> *Come eùl travay, qu'i dit'të,*
> *Quand c'eùt fini, on eùt payeu*
> *Et lîb dë daleu ausquë on veut.*
> *Mès dès l'brâsieu dë l'amoûr,*
> *Eùl travay dure tout l'joû*
> *Èt n'eùt jamés fini.*

Juuso Hihna-aapa se plaignit d'être trop vieux pour y arriver sans efforts surhumains :

« Crénom de nom, je vous y dis, merde ! »

L'idée d'une balade à moto à Iisalmi n'avait rien de désagréable, car le temps, en cette fin du mois d'août, était encore incroyablement beau. Jalmari Jyllänketo se choisit pour monture une Harley-Davidson 1 200 cm^3 vert foncé. Son moteur quatre temps laissait échapper un grondement sourd, elle était solide mais pas raide, conçue dans le respect des traditions et du bon goût. Elle accélérait de zéro à cent en quelques infimes secondes. Un vrai plaisir !

L'inspecteur principal prit parmi les combinaisons de cuir des Hells celle qui lui allait le mieux. Il l'enfila, sauta en selle et fila pleins gaz vers le sud-est.

Arrivé à Iisalmi dans l'après-midi, il se mit en quête des personnes indiquées par monseigneur Henrik Röpelinen. Ce devaient être des natifs du Savo à la langue bien pendue, suffisamment malhonnêtes pour avoir toujours eu du mal à rester dans le droit chemin.

Le premier nom sur la liste était celui de Heikki Launonen, directeur retraité d'une école professionnelle, qui habitait d'après les informations de l'évêque dans un immeuble du centre de la ville. Jyllänketo consulta l'annuaire et trouva quelques Launonen auxquels il entreprit de téléphoner. Il apprit que celui qu'il recherchait était mort depuis déjà quelques années. Il demanda où il était enterré, puis se rendit au vieux cimetière d'Iisalmi, où il trouva facilement la dernière demeure de l'ancien directeur d'école. L'inspecteur principal se recueillit un instant sur sa tombe, en espérant qu'il avait eu après sa mort le châtiment qu'il méritait et souffrait désormais pour l'éternité dans les flammes de l'enfer. Il ne savait certes pas quels méfaits Heikki Launonen avait pu avoir sur la conscience, mais il trouvait réconfortant de le savoir six pieds sous terre.

La deuxième personne de la liste de monseigneur Röpelinen était une femme, Emma Oikarinen, elle aussi âgée, sans doute de près de quatre-vingts ans. Elle habitait selon les indications de l'évêque à Sonkajärvi, si elle n'était pas morte comme Launonen. Jyllänketo se rendit droit à la maison de retraite du bourg, où il la trouva sans avoir à chercher plus loin.

L'inspecteur principal entra, vêtu de sa combinaison de cuir, et demanda à parler au directeur en expliquant qu'il était un parent d'Emma Oikarinen, en vacances dans la région, et qu'en passant du côté de Sonkajärvi il avait décidé de lui rendre visite. Il montra ses papiers d'identité, mais pas sa carte de police.

«Ma femme et moi avons de si bons souvenirs de notre gentille tante Emma», se justifia-t-il.

La maison de retraite était dirigée par une aimable dame dodue, dont le visage se ferma cependant à l'évocation de ces souvenirs.

«Ah… peut-être Emma Oikarinen peut-elle paraître charmante, vue de l'extérieur, mais nous en avons une expérience un peu différente. D'ailleurs elle n'a pas de famille en vie, à notre connaissance, et nous sommes donc hélas obligés de la garder ici.»

Revenant sur ses propos, Jyllänketo avoua qu'il n'était pas vraiment de la famille, il avait juste fait les moissons chez les Oikarinen deux ou trois étés de suite et avait alors appris à connaître Emma, aussi bien sinon mieux qu'un véritable parent.

«Je pensais que ça lui ferait du bien de passer quelques jours, voire quelques semaines chez nous, à Jyväskylä, nous avons une maison, des enfants à dorloter, un chien. Emma les aime tellement», se souvint-il.

La directrice de la maison de retraite n'avait

pas l'impression qu'Emma soit une grande amie des bêtes, ni de personne d'autre, d'ailleurs, et elle avait carrément horreur des enfants. Ce n'était pas le genre de choses qui se disaient, en général, mais il fallait bien admettre qu'Emma Oikarinen était particulièrement difficile, égoïste et méchante, et toujours prête à se plaindre de l'établissement. Elle envoyait à tout bout de champ des lettres de dénonciation abusives au conseil municipal et à la Direction des affaires sociales. Bourrées d'allégations mensongères et de fautes d'orthographe.

Jyllänketo en conclut dans son for intérieur qu'Emma Oikarinen était une emmerdeuse de première, une vieille mégère qui semait la terreur dans la paisible vie de la maison de retraite.

On la fit venir dans le bureau de la directrice. Elle arriva, agacée, rouscaillant déjà en chemin, mais se tut quand elle vit le motard en combinaison de cuir venu lui rendre visite. Un rayonnant sourire illumina son visage et, quand on lui apprit que ce monsieur était venu évoquer avec elle de vieux souvenirs de moissons et surtout de délicieux poissons grillés qu'elle préparait à l'époque, elle s'enthousiasma et demanda comment s'appelait ce garçon, déjà.

« Jalmari. Tu ne te rappelles pas de moi, tante Emma ?

— Bon Djeu ! Si fét ! Bieu seûr quë j'm'é rapèle dë vous-ôtes ! »

La directrice lui expliqua qu'elle pouvait, si elle le souhaitait, aller passer des vacances à

Jyväskylä chez son parent, loin de la maison de retraite.

Les larmes aux yeux, Emma Oikarinen accepta la proposition et se hâta d'aller faire ses bagages. Y avait-il de la place pour une valise, sur la moto, ou devait-elle se contenter d'un sac ?

Jalmari Jyllänketo signa un papier par lequel il s'engageait à prendre soin de la vieille femme, à assurer son entretien, à veiller sur son traitement médical et ainsi de suite.

« Nous vous donnerons des nouvelles de sa santé toutes les semaines, mon épouse et moi. »

Pendant qu'Emma remplissait son sac de voyage, la directrice exprima l'espoir qu'elle se plaise chez ses proches, peut-être même jusqu'à la fin de ses jours.

« Elle a du mal à s'adapter à la vie en communauté, elle est trop indépendante, en un sens. Et c'est vrai qu'on est toujours mieux chez soi, une maison de retraite reste une maison de retraite, malgré tous nos efforts pour créer une atmosphère chaleureuse. »

Emma Oikarinen eut vite terminé ses préparatifs. Il était à peine sept heures du soir quand Jalmari Jyllänketo casa son sac sur le réservoir à essence de la moto, monta en selle et attendit qu'elle grimpe derrière lui.

Les pensionnaires et le personnel de l'établissement se rassemblèrent sur le perron pour assister à leur départ. Un vieux monsieur demanda si l'estafette à moto venue chercher Emma les en débarrassait vraiment pour de bon. L'assistance

tout entière laissa échapper un soupir de soulagement quand elle enserra d'un geste ferme et
confiant la taille de Jyllänketo et cria :

«Al'z-é plins gaz, m'garchon !»

25

Jyllänketo et la vieille Savolaise
mal embouchée prennent
une chambre dans un motel à putes

Jalmari Jyllänketo roula sans se presser jusqu'à
Iisalmi, d'où il prit la direction d'Oulu. La vieille
Savolaise, derrière lui, ne remarqua pas qu'ils
ne se dirigeaient pas vers Jyväskylä comme il en
avait été question. Ils traversaient de mélanco-
liques paysages de tourbières. C'était là que se
trouvait le centre géographique de la Finlande.
Peu de pays ont un cœur aussi pauvre et inhabité.

À Piippola, ils s'arrêtèrent boire un café dans
une station-service. Le motard en combinaison
de cuir et sa vieille passagère s'attirèrent quelques
regards des traîne-savates du coin, mais ils s'en
moquaient et, une fois restaurés, ils reprirent sans
sourciller leur route. Emma resserra le nœud de
son foulard et s'agrippa de nouveau solidement
à la taille de Jalmari.

Il était déjà tard, il fallait songer à trouver un
asile pour la nuit. Aux alentours de Tyrnävä,
Emma Oikarinen aperçut des granges en bois
gris dressées au milieu des champs, il en existait

donc encore, toute l'herbe n'était pas transformée en fourrage frais.

Elle cria dans l'oreille de Jyllänketo, sous son casque :

« Arèteuz, m'gars ! J'é soumèy, dalon'fé in roupiyon dés n'granje ! »

L'inspecteur principal s'arrêta sur le bas-côté et réfléchit à la proposition. De la brume montait des prés marécageux et l'air du soir était déjà frais. Dormir dans une grange ne serait guère agréable, ils auraient forcément froid, surtout sans couvertures.

Emma Oikarinen fit remarquer que les jeunes d'aujourd'hui étaient bien bégueules, pour ne pas vouloir dormir dans le foin. Puis elle se rappela son âge et déclara d'un ton vexé :

« Nom dë Djou ! Mi qui sonjwa d'jà quë j'dalwa m'rouleu dès l'foûrâje avèc in jonne couyu. Mès ëj'vwa quë j'sû tróp vièle poûr vous. »

Jyllänketo admit qu'ils devaient bien avoir quarante ans de différence.

« On va chercher un motel pour la nuit. »

La vieille marmonna que ce n'était pas grand-chose, quarante ans.

« Vos ètes bin sensîbes, vos lès jonnes d'ôjordwî, nom dë Djou ! »

C'était bien la première fois qu'on reprochait à l'inspecteur principal de la Sécurité nationale de se montrer trop sensible.

Ils trouvèrent un motel dans la zone industrielle de Liminka. Il était déjà près de minuit,

mais l'endroit grouillait de monde. Un autocar venu s'arrêter sur le parking déversa une
cargaison de fermiers du Nord qui envahirent
le hall de réception. Le bar était peuplé d'une
foule de prostituées russes. Elles étaient venues
à Liminka de Mourmansk, dans l'espoir de faire
de bonnes affaires, et vendaient leurs charmes au
plus offrant.

L'endroit n'était peut-être pas le mieux choisi
pour y passer la nuit avec une vieille dame, mais
Jyllänketo était si fatigué par sa journée de route
qu'il décida malgré tout de tenter le coup. Il
réussit à obtenir la dernière chambre pour deux
personnes de l'établissement. Le portier de nuit
leur indiqua que le petit déjeuner était servi à
partir de huit heures. Il y avait dans les toilettes
des hommes du rez-de-chaussée un distributeur
automatique où l'on pouvait se procurer des pré-
servatifs pour dix marks.

« Fouteuz-vous pwint d'ène vièle feùme, mal-
appris ! » répliqua Emma Oikarinen en guise de
bonsoir.

Elle ôta le couvre-pieds du grand lit double,
tapota les oreillers et se mit à son aise. Après
avoir pris une douche, elle revêtit une chemise de
nuit à fleurs délavée et se coucha sur le dos. Elle
demanda à Jyllänketo de lui mettre ses gouttes
dans les yeux.

« Avèc lès ans, l'monde s'pièrt dès l'broûyârd.
J'é èteu opèreu deûs cóps d'eùl cataraque èt
j'vwa toudis rieu, jusse in pô l'solèy, mès pus
l'clér dë leùne. Eùl bon coteu, c'eùt qu'jë n'é

pwint danjeu d'acateu chaque foutu èteu dès
lunètes d'solèy nieùves. »

Jyllänketo alla prendre le flacon de collyre dans
la trousse à médicaments de la vieille Savolaise.
Il n'aurait pas besoin, le lendemain, de lui mettre
par précaution un bandeau sur les yeux en arrivant à l'Étang aux Rennes, puisqu'elle était heureusement presque aveugle. Elle se débrouillait
pourtant étonnamment bien dans les escaliers
et ne se cognait pas aux portes, elle avait sans
doute appris à utiliser ses autres sens, comme
beaucoup de malvoyants.

L'inspecteur principal ôta ses bottes de motard,
se dépouilla de sa combinaison de cuir cloutée et
se glissa dans le grand lit à côté d'Emma. Il était
épuisé, mais eut du mal à s'endormir, car elle se
mit à ronfler et à parler dans son sommeil. Elle
en avait accumulé, des choses à dire, au cours de
sa longue vie. La bouche en cul-de-poule, elle
débitait un tel flot de paroles en savolais qu'il ne
put qu'écouter. Elle se disputait avec son ex-mari
à propos des travaux saisonniers de leur petite
ferme. Puis on entendit le lit de la chambre voisine cogner en rythme contre la fine cloison. Le
client d'une prostituée de Mourmansk consom-
mait son dû. Voilà à quoi ressemblent les nuits
en galante compagnie dans les motels finlandais,
songea Jyllänketo l'esprit embrumé.

Au matin, l'inspecteur principal fut réveillé par
des bribes de chant. Emma était sous la douche,
de la salle de bains s'échappaient des bruits
d'eau et de vieux cantiques. Ce qu'il ne faut pas

supporter! marmonna-t-il. Là-dessus, son télé-phone portable sonna. Le directeur adjoint de la Sécurité nationale voulait savoir où était son subordonné, et ce qu'il faisait.

Jalmari Jyllänketo se lança dans un rapport officiel. Excédé, il déclara qu'il se réveillait tout juste dans un motel à putes de Liminka où il avait passé la nuit dans le même lit qu'une vieille Savolaise mal embouchée et presque aveugle. Il l'avait kidnappée la veille, par ruse, dans une maison de retraite de Sonkajärvi, dans l'intention de la conduire en secret à l'Étang aux Rennes, à Turtola, pour y donner des cours de patois. Il circulait sur une grosse moto appartenant à un Hells suédois et portait la combinaison de cuir cloutée d'un autre biker, de la même taille que lui, ainsi que des bottes à grosses semelles ache-tées pour pouvoir donner des coups de pied aux gens. Il se vanta aussi d'avoir enlevé une cin-quantaine de ces Hells, au début de l'été, et de les avoir expédiés aux travaux forcés dans les profondeurs d'une mine de fer abandonnée.

«Arrête ton délire.»

L'inspecteur principal ajouta sans s'émou-voir qu'il avait l'intention d'arrêter encore une quinzaine de conseillers aux mines finlandais, avec leurs secrétaires, et d'obliger tout ce beau monde à cultiver des champignons bio dans des galeries souterraines... l'idéal écolo s'étendait dans le monde, et dans le cas présent jusqu'à des kilomètres de profondeur au cœur de la roche.

Le directeur adjoint aboya qu'il avait autre

chose à faire qu'écouter des conneries. S'il appelait, c'était parce qu'il avait sur son bureau les billets d'avion fournis par l'agence de voyages. Il voulait savoir pourquoi Jyllänketo avait l'intention de ne s'envoler pour Montevideo que deux jours après l'inspecteur Jaakko Kylmäsaari.

«J'ai peur que cet abruti ne sache pas se débrouiller seul à l'étranger, plouc comme il est.

— Il s'en sortira très bien, c'est un type rigoureux.»

Le directeur adjoint resta un instant silencieux, sans doute à s'interroger sur la rigueur de Kylmäsaari.

«Certes... d'un autre côté, s'il disparaît dans la nuit sud-américaine, ce ne sera pas une grande perte.»

Jalmari Jyllänketo promit de téléphoner d'Uruguay avant la fin de la semaine pour faire un nouveau rapport. Puis il alla prendre le petit déjeuner avec Emma Oikarinen. Il lui porta à table un choix de mets du buffet et du café. Elle en but plusieurs tasses, en dévorant de bon appétit du jambon, du fromage, des œufs et une grande assiettée de porridge.

«Ravisèz-më pwint come cha, i fôt eùs'dèfène, à m'n'âje.»

Puis il lui demanda si le nom de Henrik Röpelinen lui disait quelque chose.

Elle leva le nez de sa tasse et rassembla ses souvenirs.

«Henrik? Riri... an cha! jë m'souvéré dë li toute m'vîe!»

Jyllänketo lui transmit les salutations de Röpelinen, qui se rappelait avec émotion sa vieille
amie. Il lui envoyait même ses bons baisers.

Emma Oikarinen rougit jusqu'aux cheveux.
Elle n'était donc pas dépourvue de sentiments,
songea l'inspecteur principal. La vieille Savolaise se mit à lui parler de Riri, dont elle avait
fait la connaissance dans sa jeunesse, quand elle
était employée comme servante dans la paroisse
rurale d'Iisalmi. Il était à l'époque très amoureux
d'elle.

« Il ètwat vikêre ou n'sakeu come cha, l'dós
voûsseu èt lès dints jônes, toudis à grimpeu dés
m'lit malgreu quë j'li volwa pwint. Quéle tchète
dë mule ! Il ètwat porteu su l'artike èt proumètwa
toutes sortes dë côses, come tous lès omes.

— Il est aujourd'hui évêque.

— Djou m'bénisse ! Riri évêque, j'i crwa
pwint ! »

Jalmari Jyllänketo et la professeure de savolais
Emma Oikarinen arrivèrent vers midi à l'Étang
aux Rennes. Le soleil brillait de nouveau, le
temps avait rarement été aussi obstinément au
beau fixe. Même Emma, de toute sa longue vie,
n'avait jamais vu d'été aussi splendide. Il faut dire
que ceux qu'elle avait connus étaient si pleins de
travail qu'elle n'avait pas eu le temps de s'étonner du climat — pas plus d'ailleurs qu'en hiver
ou au printemps, et encore moins en automne.

L'inspecteur principal alla directement à
l'aéroport. Il voulait donner quelques émotions
fortes à sa passagère en testant sur la nouvelle

piste salée et plusieurs fois compactée au rouleau compresseur l'accélération et la vitesse de
pointe réelles de sa robuste moto routière.

«Accroche-toi, Emma, on y va!» cria-t-il en
tournant à fond la manette des gaz.

La roue arrière patina, puis la Harley-Davidson s'élança, dévorant la piste de sel. Jyllänketo
se rappela que les plus incroyables records de
vitesse étaient battus aux États-Unis dans les
grands déserts salés d'Arizona ou d'ailleurs...
ici aussi, il y avait une croûte de sel lisse d'un
kilomètre et demi. La vitesse atteignit facilement
cent, cent cinquante, et augmentait toujours
quand apparut le bord du lac de la Harlière.
Jyllänketo freina à mort, pneus fumants, la vieille
sur le siège arrière faillit lui escalader les épaules.
Demi-tour en bout de piste et nouvelle accélération! Le temps d'apercevoir du coin de l'œil
la manche à air flotter tel un joyeux drapeau
de course, ils étaient déjà à l'autre extrémité
de l'aéroport. L'inspecteur principal fit encore
quelques allers-retours qui lui permirent d'éva-
luer la vitesse maximale de la moto à deux cent
dix kilomètres à l'heure. Emma Oikarinen, derrière, riait de plaisir et le poussait à accélérer.

«Mèteuz lès gaz, m'garchon, al'z-é dâre-dâre!»

Dans la forêt bordant la piste, le petit Cessna
à deux places reposait sous sa bâche. Jyllänketo
se rappela qu'il devait tester le nouveau revêtement. Peut-être pourrait-il convaincre Sanna de
l'accompagner pour les essais de roulage, il pourrait en même temps lui faire découvrir l'avion.

Il était temps de regagner la maison des kolkhoziens. Monseigneur Henrik Röpelinen y ratissait la cour. L'inspecteur principal lui présenta sa passagère.

«Voici Emma Oikarinen, notre professeure de patois. Je l'ai trouvée à la maison de retraite de Sonkajärvi. À défaut d'autre chose, elle pourra toujours nous apprendre à jurer en savolais. Elle s'y connaît.

— Bon Djou! C'eùt vous Riri! Vos aveuz bougrëmét vièyi, salopiôd!

— Nous vieillissons tous, avec le temps, ma chère Emma. Mais tu te souviens quand même de moi, après plus de cinquante ans.

— Ç't'impossîbe d'jamés oublieu in coureû dë c'n'èspéce, al'zéz!»

Monseigneur Röpelinen soupira. Se pouvait-il qu'il ait commis une erreur en inscrivant le nom de son acariâtre amour de jeunesse sur la liste du contrôleur bio?

Ils entrèrent dans la maison. Jyllänketo présenta la professeure de savolais à Ilona Kärmeskallio. En serrant la main à cette dernière, la vieille s'abstint pour une fois de débiter des obscénités, et fit dans son émoi une petite révérence en déclarant aimablement:

«Madame eùl patronne, j'vous porte eùl bonjou, eùl grand bonjou de Sonkajärvi, ma fwa.»

26

Trafic aérien intense sur le nouvel aéroport de l'Étang aux Rennes

Jalmari Jyllänketo se préparait à partir, prétendument pour le Danemark, malgré les protestations d'Ilona Kärmeskallio qui estimait avoir besoin de lui dès que Kasurinen ramènerait l'appareil dans lequel il fallait aller chercher à Helsinki les conseillers aux mines et leurs secrétaires. Elle aurait aimé que le contrôleur bio serve de steward. Mais il ne pouvait renoncer à son voyage, assura-t-il, il s'était fermement engagé auprès des organisateurs. L'aviateur n'avait qu'à jouer lui-même les serveurs. Quant à lui, il serait de retour dans quelques jours pour travailler à nouveau à l'Étang aux Rennes. La patronne fut obligée de s'en contenter. Elle pria néanmoins le contrôleur bio de glisser dans sa valise des échantillons des meilleurs produits du domaine — pas comme provisions de route, mais pour présenter au Danemark l'agriculture bio des régions arctiques.

«Je te souhaite bon voyage. Mais avant de partir, est-ce que tu ne pourrais pas évacuer ce vieux coucou de la piste après avoir vérifié qu'elle est assez plane ? Kasurinen doit s'y poser aujourd'hui avec notre nouvel avion-cargo. Sanna va t'aider. »

Jalmari Jyllänketo posa sa valise sur le réservoir à essence bombé de la Harley-Davidson et monta en selle. Il avait décidé d'aller à Rovaniemi à moto afin d'y prendre l'avion pour Helsinki puis Montevideo, via Francfort. Un beau voyage comme il n'en avait jamais fait l'attendait, dans l'exotique Amérique du Sud.

Sanna monta sur le siège arrière, avec sur les genoux l'ordinateur portable et la mallette de Jalmari. Elle songeait avec mélancolie qu'elle allait de nouveau être séparée de lui plusieurs jours, pendant qu'il représentait la Finlande au Danemark.

Ils arrivèrent à l'aéroport. Il était tôt, à peine sept heures du matin. La journée s'annonçait moins chaude que les semaines passées, le ciel était couvert de lourds nuages prometteurs de pluie, ce qui ferait du bien aux cultures maraîchères.

Jyllänketo gara la Harley-Davidson devant la nouvelle aérogare. La manche à air pendait tristement, il n'y avait presque pas de vent. Il commençait à bruiner. Sanna et Jalmari se dirigèrent bras dessus, bras dessous vers la forêt à l'extrémité de la piste. Ils ôtèrent la bâche du Cessna. La jeune femme la roula serré et la posa contre un arbre.

Ils montèrent dans l'appareil. Jalmari présenta à Sanna les différents instruments de bord, puis démarra et commenta les chiffres affichés. Le réservoir était presque plein, il y avait assez de carburant pour plusieurs heures de vol. Les aiguilles de l'altimètre, du clinomètre, du compte-tours, du manomètre et de bien d'autres cadrans s'animèrent quand le moteur se mit à ronfler. Jalmari tira légèrement sur le manche et donna des gaz. Le biplan s'ébranla. Ils roulèrent jusqu'à la tour de contrôle, puis s'arrêtèrent, car il pleuvait maintenant pour de bon. Sanna courut à la moto chercher la valise, la mallette et l'ordinateur portable, afin qu'ils ne se mouillent pas. Elle les jeta sur le siège arrière et se rassit à l'avant.

Jalmari Jyllänketo accéléra, tout en maintenant la gouverne de profondeur centrée. L'avion prit de la vitesse, sans pour autant décoller. Les balises n'étaient pas allumées et on ne voyait pas très bien, à travers la pluie, où s'arrêtait la piste. Mais elle semblait plane. Les travaux de revêtement dirigés par Juuso Hihna-aapa avaient été parfaitement exécutés. L'inspecteur principal fit demi-tour du côté du cimetière et repartit dans l'autre sens. Cette fois, il poussa le moteur à fond. Le Cessna prit docilement de la vitesse. Il atteignit en un instant l'extrémité de la piste, mais Jyllänketo parvint à freiner avant la lisière de forêt.

«Bel essai, non? se vanta-t-il.

— Je pense qu'on a assez testé la piste comme ça.»

L'inspecteur principal n'avait cependant pas

l'intention de s'en tenir là. Il voulait prouver à Sanna qu'il avait l'étoffe d'un aviateur, même s'il n'avait pris qu'une heure de cours de pilotage. Quand le nez du biplan fut à nouveau pointé vers la piste, il remit les gaz et repartit.

«À fond les manettes!»

Sanna lui cria d'arrêter, ils allaient s'écraser contre les arbres du cimetière.

«On a de la marge», beugla-t-il.

Mais soudain la pinède clairsemée des rives de la Harlière surgit du rideau de pluie et la clôture grise du cimetière fut devant eux. Sanna hurla, cette fois Jalmari était allé trop loin — littéralement. Pour éviter le crash, l'inspecteur principal tira brusquement le manche, la gouverne de profondeur se releva, la queue de l'appareil s'abaissa tandis que son nez se cabrait. Le Cessna bondit dans les airs comme propulsé par une catapulte. Le cimetière passa sous son ventre, trop vite pour pouvoir lire les inscriptions des croix. L'avion s'élança pleins gaz dans le ciel pluvieux.

«On vole!» mugit Jalmari Jyllänketo.

Quel sentiment grandiose! Il avait réussi, tout seul, à décoller. Dans un puissant grondement, l'appareil montait en flèche. Sanna pleurait et gémissait, morte de peur, insensible au plaisir de prendre de l'altitude. Ailes vibrantes, ils s'enfoncèrent dans les nuages, le monde devint d'un blanc laiteux, le sol disparut. C'était leur premier vol.

Il semblait bien que ce serait aussi leur dernier, car Jalmari Jyllänketo ne savait pas piloter, les conditions météo étaient mauvaises et ils ignoraient où ils allaient. L'inspecteur principal avait lui aussi maintenant le visage crayeux. Il était conscient d'avoir fait la plus grosse bêtise de sa vie en accélérant comme un fou sur la piste. Ils étaient dans les airs, pour l'instant tout allait bien, mais comment réussiraient-ils à se poser sans casse ? Telle était la question. Il lui en vint une autre.

« Sanna, si on meurt, est-ce que tu m'aimes ?
— Oui. »

Le trafic aérien de l'aéroport de l'Étang aux Rennes, ce matin-là, fut plus intense qu'à l'ordinaire. Peu après que Jalmari Jyllänketo et Sanna Saarinen eurent disparu dans la pluie et les nuages, on entendit en provenance du sud le bruit d'un autre avion. Ce n'était pas un petit moucheron comme le Cessna, mais le gros Fokker que l'aviateur Pekka Kasurinen avait acheté. Il surgit de la grisaille, parfaitement positionné dans l'axe de la piste, perdit peu à peu de l'altitude et se posa dans un rugissement. Ses pneus hurlèrent au contact des gravillons salés. Il roula jusqu'au bord de la Harlière, fit dignement demi-tour et prit la direction de la tour de contrôle.

C'était un beau bimoteur à aile haute, dont on avait entendu le grondement jusqu'à la maison des kolkhoziens. Un quatre-quatre apparut, conduit par Juuso Hihna-aapa, et vint se garer devant l'aérogare. Un comité d'accueil en descendit : il y avait là, en plus du chauffeur, Ilona

Kärmeskallio, monseigneur Henrik Röpelinen, l'ex-député Kauno Riipinen et la professeure de savolais Emma Oikarinen. Elle déchiffra les lettres noires collées sur le flanc de l'appareil :

« O... H... deûs... quat'... trwas. »

Elle n'était donc pas si aveugle que ça, quand elle voulait.

L'avion s'arrêta au pied de la tour de contrôle. Une porte s'ouvrit sous son aile, un rouquin râblé sauta à terre, puis on déchargea une moto. C'était celle sur laquelle Pekka Kasurinen était parti faire le tour de l'Europe, bien des semaines plus tôt. Une fois la BMW au sol, un second rouquin surgit de l'appareil, et pour finir l'aviateur en personne. Il présenta au comité d'accueil le commandant de bord et l'ingénieur de vol. C'étaient des pilotes professionnels irlandais, âgés respectivement de cinquante et quarante ans. Ils serrèrent la main de leurs nouveaux employeurs et firent remarquer qu'il faisait un sale temps, exactement comme chez eux en Irlande, où il pleuvait toujours. D'un autre côté, ils n'avaient guère l'occasion d'y retourner, ils volaient dans le monde entier. On visita la splendide acquisition de Kasurinen. Le Fokker comptait quarante sièges, disposés par deux de chaque côté de l'allée centrale. L'intérieur était propre et élégant. Le commandant de bord sortit de son sac une bouteille de whisky et l'ingénieur de vol se chargea de remplir des gobelets en plastique. Emma réclama elle aussi sa part, vida son verre d'un trait et en redemanda. On lui en donna.

«Vint'Djou! c'eût dë bon», déclara-t-elle.

L'aviateur Pekka Kasurinen fit avec enthousiasme les honneurs de l'avion. C'était un Fokker Friendship mixte, pouvant embarquer de la marchandise ou des passagers, comme il l'avait indiqué dans son fax. Il avait une vingtaine d'années, mais semblait comme neuf. Il était peint en bleu et blanc. Kasurinen expliqua que son précédent propriétaire était une compagnie de charters établie en Tunisie, pays où l'on utilisait beaucoup ces deux couleurs convenant à merveille à un transporteur aérien finlandais.

Il ajouta que le Fokker avait été immatriculé par l'Agence nationale de l'aviation civile, au nom de la société en cours de constitution, sous le numéro OH 243. Les grands chiffres autocollants correspondants avaient été apposés la veille sur ses flancs à l'aéroport de Malmi, à Helsinki.

Dans le cockpit, il y avait une paire de sièges pour les pilotes, derrière lesquels le navigateur prenait place perpendiculairement. Un équipage de deux personnes pouvait suffire, mais il en fallait une troisième pour les vols d'une certaine longueur. Kasurinen déclara fièrement:

«C'est de la belle bête, avec sous les ailes deux turbopropulseurs Rolls-Royce d'une puissance totale de mille chevaux! Les réservoirs ont une capacité de plus de cinq mille litres et le rayon d'action à pleine charge est de deux mille six cents kilomètres.»

Les toilettes, l'office et la cabine du steward se trouvaient à l'avant. Tout était en bon état.

Kasurinen proclama qu'il était un homme heureux, maintenant qu'il avait son propre avion — qui appartenait bien sûr en réalité au domaine de l'Étang aux Rennes, mais qu'il considérait en pratique comme le sien. Il expliqua que dès qu'il aurait obtenu sa qualification de type pour le Fokker, il en prendrait le commandement. Le pilote irlandais pourrait rentrer chez lui. L'ingénieur de vol, en revanche, avait un contrat de longue durée.

« J'ai déjà tenu les commandes... la qualification de type est une simple formalité. C'est moi qui viens de poser l'appareil et, comme vous avez pu le voir, ça s'est très bien passé. »

Kasurinen souligna encore que l'avion avait été entièrement révisé et était prêt à s'envoler pour n'importe quelle destination. Les autorisations étaient en règle, tout avait été organisé au mieux. Il y avait deux pilotes expérimentés, le plein de carburant était fait, le Fokker était immatriculé en Finlande, et les dépenses avaient même été maintenues dans des limites raisonnables.

Ilona Kärmeskallio remarqua soudain la Harley-Davidson qui étincelait sous la pluie au pied de la tour de contrôle. Quelque chose clochait. Où était Sanna, où était Jyllänketo, où était le vieux Cessna ?

Tous trois avaient disparu. Les regards, affolés et impuissants, se tournèrent vers le ciel bouché. Ilona Kärmeskallio laissa en silence couler ses larmes. Juuso Hihna-aapa la soutint jusqu'au quatre-quatre. Monseigneur Henrik Röpelinen joignit les mains et s'agenouilla sur la piste, levant les yeux vers les nuages. Il pria. L'aviateur Pekka Kasurinen enfourcha sa moto et prit la tête des opérations de secours.

27

L'éprouvant baptême de l'air
de Jalmari et de Sanna

Sanna Saarinen et Jalmari Jyllänketo volaient à bord du Cessna, perdus dans les nuages. L'inspecteur principal tenta de se raisonner. Pour l'instant, ils étaient dans les airs, ils avaient d'importantes réserves de carburant et se dirigeaient sans doute vers le sud. À en croire l'altimètre, ils volaient à mille cinq cents pieds. Il calcula ce que ça faisait : un pied correspondait à trente centimètres, ils se trouvaient donc à environ cinq cents mètres du sol. Il essaya de se rappeler ce que Kasurinen lui avait appris sur le fonctionnement des commandes. Il réduisit les gaz, l'appareil se stabilisa. Mieux valait manier avec précaution le volant servant de manche. Il le poussa, pour voir, et le nez sembla s'abaisser. L'altimètre confirma que l'avion descendait. Jyllänketo tira le volant vers lui et constata bientôt qu'il reprenait de l'altitude.

« Ne crains rien, Sanna. J'ai le temps d'apprendre, nous avons assez de kérosène. »

Lorsqu'on tournait le volant, l'avion s'inclinait. Ça semblait logique. Et à quoi servait le palonnier ? L'inspecteur principal fit un essai : les pédales actionnaient la gouverne de direction et, en maniant en même temps le manche, il parvint à faire virer comme il le voulait le bon vieux biplan. Il effectua avec la même facilité la manœuvre inverse. C'était presque comme conduire une voiture.

Jyllänketo essuya la sueur de son front. L'épreuve était rude. À quelle hauteur fallait-il voler ? Il décida de monter à deux mille pieds, pour plus de sécurité. Il poussa le moteur et tira le volant. L'altimètre indiqua qu'on s'élevait. Quand crèverait-on la couche de nuages ? Quelle épaisseur pouvait-elle atteindre par temps de pluie en cette saison ? Il serait bon de sortir de cette ouate, histoire d'y voir plus clair.

Sanna s'était un peu calmée. Elle demanda à Jalmari de voler plus lentement afin d'économiser le carburant. Il réduisit les gaz, mais l'avion poursuivit sa montée.

«Je me rappelle avoir appris à l'école qu'il pouvait y avoir des nuages jusqu'à près de mille mètres d'altitude, fit remarquer l'horticultrice.

— On ne peut pas monter si haut avec un aussi petit avion, l'oxygène manquerait.»

Sanna entreprit de fouiller l'appareil à la recherche d'un manuel de pilotage. Après tout, il y avait dans les voitures des livrets d'entretien, pourquoi pas dans les avions. Elle trouva d'ailleurs, dans un casier sous le tableau de bord, deux brochures contenant des informations techniques en anglais. Elles n'étaient d'aucun secours.

« Ah! il y a encore quelque chose », se réjouit-elle en découvrant un petit manuel à la couverture bleue usée, intitulé *L'aviateur et la météo*. Elle chercha en hâte dans l'index le chapitre sur les nuages et se mit à lire :

« Les nuages d'altitude… cirrus, cirrocumulus, cirrostratus… ah! voilà, écoute bien : les véritables nuages de pluie, ou nimbo-stratus, sont une couche nuageuse sombre sans forme définie, donnant des précipitations de pluie ou de neige… ils masquent le soleil… les nimbo-stratus sont formés de petites gouttes de pluie qui peuvent être surfondues et… oh mon Dieu! leur base se situe à moins de deux mille cinq cent mètres de la surface du sol. »

Jyllänketo en conclut que le sommet des nuages ne devait pas se trouver très loin. Il décida d'essayer d'en sortir. Il ouvrit les gaz et tira le manche. L'altimètre afficha de nouveaux chiffres : deux mille cinq cents pieds, trois mille, trois mille cinq cents, quatre mille… l'atmosphère se fit plus lumineuse, comme si les nuages commençaient à se déchirer, et soudain l'avion creva leurs derniers lambeaux pour jaillir dans le bleu du ciel, sous un soleil éblouissant. C'était comme une naissance. Le Cessna volait maintenant dans l'azur, au-dessus d'un joli matelas cotonneux. Le pare-brise fut bientôt sec et la visibilité excellente, dans toutes les directions sauf le bas.

La panique et le chaos régnaient à l'Étang aux Rennes. Ilona Kärmeskallio était totalement hystérique, incapable de rien faire d'autre que pleurer et gémir que son unique enfant encore en vie lui avait été enlevée par la voie des airs. Monseigneur Henrik Röpelinen tenta de la consoler, Juuso Hihna-aapa lui ordonna de se calmer. Elle sécha ses larmes et exigea des mesures.

Pekka Kasurinen discutait avec les Irlandais. D'un air serein, ils expliquèrent que rien n'était perdu. Le commandant de bord se rappelait un incident étonnant survenu quelque temps plus tôt aux États-Unis. Un petit appareil de tourisme avait volé tout seul. Son pilote avait mis le moteur en route en lançant l'hélice à la main, comme d'habitude, mais à peine l'avion avait-il démarré qu'il lui avait échappé. Les gaz s'étaient sans doute bloqués. L'homme était resté planté sur la piste à regarder son coucou évoluer seul dans le ciel. L'avion fantôme avait tranquillement volé pendant plusieurs heures. Une fois son carburant épuisé, il était tombé dans un champ de maïs, mais il n'avait eu qu'une pale d'hélice tordue et le bout de l'aile cassé.

«Le plus important est d'entrer en contact avec Jyllänketo», conclut Kasurinen.

Ilona Kärmeskallio était redevenue elle-même. Elle ordonna à l'aviateur de retourner à l'aéroport et de partir avec le Fokker à la recherche des disparus. Il n'y avait pas de temps à perdre. Il fut difficile de la convaincre que ce ne serait d'aucune utilité. On ne pouvait pas trouver un avion dans les nuages, et même si c'était le cas, que ferait-on? On ne pouvait pas lancer une corde au Cessna et le remorquer jusqu'à l'Étang aux Rennes.

Kasurinen essaya de joindre Jyllänketo, mais la radio du biplan était éteinte. Il demanda si le contrôleur bio avait son téléphone portable sur lui. Forcément! il ne serait pas parti sans pour le Danemark. On pouvait donc espérer contacter par ce moyen les disparus. Quelqu'un appela les renseignements, qui répondirent que le numéro était sur liste rouge. Ilona Kärmeskallio s'empara du combiné et cria que la vie de deux personnes était en jeu. Rien n'y fit, l'information ne pouvait être communiquée. Enfin Emma Oikarinen eut l'idée de chercher le numéro de téléphone de Jalmari dans ses papiers. Une troupe affolée se rua au premier étage de la maison des kolkhoziens pour fouiller dans les notes et les lettres personnelles du contrôleur bio. On y trouva le précieux renseignement, recopié avec soin sur une carte postale, jamais envoyée, adressée à une certaine Sinikka Renkonen, où figuraient un magnifique paysage de fjords et de bons baisers du port de pêche norvégien de Tromsø. Ilona Kärmeskallio retourna en courant dans la salle et composa le numéro. Elle attendit les mains tremblantes qu'on décroche, mais n'eut droit qu'à une voix indiquant que son correspondant était momentanément injoignable. «Si vous le

souhaitez, vous pouvez laisser un message...»
Désespérée, elle raccrocha brutalement.

Pekka Kasurinen ne se laissa pas abattre. Il refit aussitôt le numéro et parla dans le combiné :

«Ici Kasurinen, rappelle tout de suite le numéro de la maison des kolkhoziens de l'Étang aux Rennes, Jalmari, je vais t'apprendre à atterrir. Je répète, prends tout de suite contact avec l'Étang aux Rennes!»

Il décida d'appeler le contrôleur bio toutes les cinq minutes, avec son propre téléphone portable, pour ne pas occuper la ligne de l'Étang aux Rennes et laisser aux disparus la possibilité de se manifester quand ils s'aviseraient d'écouter leurs messages.

Dans l'avion, l'inquiétude grandissait à mesure que les réserves de kérosène baissaient. Jalmari s'entraînait à piloter et pensait pouvoir acquérir, avec le temps, les connaissances nécessaires pour atterrir. Sanna n'était pas aussi optimiste. Elle était terrorisée. Ils volaient depuis une heure, mais ne voyaient toujours rien du sol. Ils avaient consommé des quantités invraisemblables de carburant, le réservoir était à moitié vide. L'inspecteur principal était lui aussi préoccupé : le petit biplan était terriblement gourmand. Le pire était qu'ils ne savaient pas où ils allaient, car une épaisse couche de nuages s'étendait toujours sous eux.

Sanna songea soudain qu'ils feraient bien d'essayer de prendre contact avec des contrôleurs aériens afin de leur demander des conseils et des informations sur la météo. Il devait bien y avoir une radio dans le Cessna? Comme dans tous les avions.

Il y en avait effectivement une, mais l'inspecteur principal ne savait pas s'en servir. Il tenta d'en tirer quelque chose, mais n'osait pas trop toucher à des boutons dont il ignorait la fonction, de peur de faire des bêtises. Sanna Saarinen eut une nouvelle idée. Elle sortit le téléphone de Jalmari Jyllänketo. Ce dernier s'affola :

«Arrête! C'est dangereux d'utiliser un portable en avion!»

L'horticultrice déclara qu'on n'était plus à ça près. On avait déjà vu des ministres s'entretenir au téléphone de questions politiques à bord de grands avions de ligne, et il n'y avait donc pas de raison qu'elle ne brave pas elle aussi l'interdiction pour échapper à une mort certaine. Elle alluma le téléphone. Il ne se passa rien, ou du moins le Cessna ne s'écrasa-t-il pas aussitôt au sol.

Le portable délivra le message urgent de l'aviateur Pekka Kasurinen. Tétanisée d'angoisse, Sanna appela l'Étang aux Rennes, où Ilona Kärmeskallio lui répondit. La mère et la fille se seraient sûrement épanchées longtemps si Kasurinen n'avait pas arraché le combiné des mains de sa patronne pour donner d'une voix calme et sûre des instructions élémentaires au contrôleur bio qui volait Dieu sait où avec sa belle.

28

Cours de pilotage
par téléphone en plein ciel

Ce fut une formation pratique de haut vol. Kasurinen demanda d'abord à Jyllänketo s'il voyait la jauge de carburant. Qu'indiquait-elle ? Il calcula rapidement qu'il restait au Cessna quatre heures d'autonomie. Aucun danger immédiat, donc. On peut apprendre beaucoup de choses en une heure, quand sa vie et celle de sa bien-aimée sont en jeu.

Avec l'assurance d'un vétéran de l'aviation, Kasurinen rappela à Jyllänketo la fonction des principaux instruments. Puis il lui décrivit les différentes commandes et leurs effets et lui demanda de réaliser quelques expériences.

« J'ai déjà tout essayé, tu crois que ce coucou a décollé tout seul ? », grogna l'apprenti pilote tout en effectuant les manœuvres conseillées par son instructeur.

Peu à peu, dans le calme et sans hâte, l'enseignement progressait. Kasurinen s'enquit de l'altitude, du cap suivi et de l'endroit où Jyllänketo pensait se trouver. Ce dernier n'avait pas de réponse à cette question, et Sanna n'avait pas non plus la moindre idée de la distance qu'ils avaient pu parcourir.

«On a volé toute la matinée, on doit être assez loin», supputa-t-il.

Le temps s'était fait plus clair. Kasurinen décida qu'il était temps de retraverser les nuages et d'entrer en contact visuel avec le sol. En atterrissant sans visibilité ils risquaient un grave accident et une mort presque certaine.

Jyllänketo entama sa descente, suivant à la lettre les instructions de l'aviateur. Il fit remarquer qu'il avait lui-même envisagé de se rapprocher du plancher des vaches, car la jauge de carburant indiquait que le réservoir serait bientôt vide. En plongeant dans les nuages, l'appareil se mit à secouer. Kasurinen rassura le pilote, c'était normal, inutile de paniquer. Il fallait compenser tout tangage excessif par des mouvements inverses du volant, afin d'éviter que l'avion dévie de sa route ou penche dangereusement. Jyllänketo assura avoir compris. Il continua de descendre, mais la couche de nuages était toujours aussi dense. C'était assez terrifiant. Sanna, affolée, craignait que le Cessna ne percute une montagne, s'il se trouvait y en avoir dans le coin. Les nuages cachaient souvent les plus hauts sommets.

«C'est un risque qu'il faut prendre», déclara Kasurinen depuis l'Étang aux Rennes.

Il conseilla toutefois à Sanna et à Jalmari de regarder attentivement au-dessous d'eux. Les nuages pouvaient à tout moment s'écarter et laisser apparaître le sol. Il fallait se tenir prêt à relever immédiatement le nez de l'appareil en cas d'obstacle — en dehors du relief, il pouvait y avoir de grands arbres, des lignes électriques ou des immeubles. L'horticultrice demanda comment il aurait tout d'un coup pu y avoir des immeubles en Laponie, mais Kasurinen fit remarquer que l'avion pouvait aussi bien se trouver du côté de Jyväskylä, Umeå ou Mourmansk. Ils avaient volé toute la matinée.

«L'altitude n'est plus que de huit cents pieds, ce n'est pas trop risqué de descendre encore?»

La voix de Jalmari Jyllänketo trahissait une terrible angoisse.

«On n'a pas le choix. Vas-y en douceur. Gardez vos yeux ouverts et vos ceintures de sécurité bouclées.»

Sanna aperçut le sol la première. La région était inhabitée, de vastes tourbières s'étendaient à deux cents mètres à peine au-dessous d'eux. Ce ne serait pas une partie de plaisir de s'y poser, mais c'était toujours mieux que de la forêt.

Kasurinen leur donna pour consigne de voler aussi haut que les nuages le permettaient et d'observer le sol. Dès qu'ils verraient une route ou une rivière, il fallait la suivre. Vers l'aval si c'était un cours d'eau: il y avait souvent des aéroports à l'embouchure des fleuves, ou au moins des champs sur les rives. Conscients qu'il avait raison, Sanna et Jalmari scrutèrent avec attention le paysage. Cinq minutes plus tard, l'horticultrice repéra une petite rivière qui serpentait dans les tourbières. Jyllänketo vira dans sa direction. Kasurinen demanda ce qu'indiquait la rose des caps.

«Est-sud-est, répondit Sanna, qui avait pris sur elle de surveiller les nombreux instruments de bord.

— Est-ce que la rivière s'élargit? Je veux dire, est-ce que vous volez vers l'aval?

— Oui. Il y a de nombreux méandres, et maintenant des rapides, de l'écume blanche et de la brume», expliqua Sanna.

D'après le sens du courant, Kasurinen estima que Sanna et Jalmari pouvaient se trouver dans le Nord de la Suède, peut-être au-dessus de la Luleälven ou de la Skellefteälven. Ils ne pouvaient pas avoir atteint la Norvège, s'ils n'apercevaient pas l'océan Arctique à l'horizon.

«Vous pouvez aussi vous être égarés vers l'est, du côté des sources de la Lotta ou de la Tuntsa. Dans ce cas, vous êtes en Russie.»

Les rives étaient couvertes de forêts, mais, ici et là, surtout juste au bord de l'eau, il semblait y avoir des prairies naturelles, et peut-être même des prés. Kasurinen conseilla à Jyllänketo d'atterrir sur un terrain dégagé, exempt de grands arbres.

Le pilote amateur annonça d'une voix tendue que d'après la jauge il n'y avait plus une goutte de carburant. Kasurinen le tranquillisa, il restait toujours dans ce cas quelques minutes de vol. Avec de la chance, il trouverait dans ce laps de temps un endroit se prêtant plus ou moins à un atterrissage d'urgence.

Sanna tendit le doigt une petite prairie qui s'ouvrait devant eux. Jalmari décida d'essayer de s'y poser. Kasurinen le guida :

« Réduis les gaz. Pousse le manche en avant. Pas de gestes brusques. Si la prairie te paraît être trop loin, remet des gaz et tire le volant. Reste bien dans l'axe du terrain. Garde ton calme. Dès que les roues toucheront le sol, sors complètement les ailerons. Ne freine pas. Je suis là, si tu as des questions. »

Jyllänketo suivit les conseils de Kasurinen. Plus il descendait, moins le terrain semblait accueillant. Il était irrégulier et parsemé de buissons, mais il était trop tard pour en trouver un autre. Le pilote sortit les ailerons et remit un instant les gaz. Le nez de l'appareil se redressa et, au même moment, ses roues touchèrent le sol. Le Cessna tangua violemment, mais ne piqua pas du nez et continua de rouler en cahotant. Enfin il s'arrêta, à cent mètres à peine de l'endroit où le train d'atterrissage était entré en contact avec la prairie.

« Dieu merci, nous nous sommes posés sains et saufs, annonça Sanna. Nous éteignons maintenant le téléphone pour ne pas vider la batterie. Embrasse maman, Juuso et tous les autres ! »

À l'Étang aux Rennes, le succès de l'atterrissage forcé fit retomber la tension. Ilona Kärmeskallio se jeta dans les bras de Pekka Kasurinen, qui, radieux, essuyait la sueur de son front. Il

avait réussi, au-delà même de ses espoirs. Épui-
sée par toutes ces émotions, Ilona déclara qu'elle
allait se reposer quelques heures. Elle était si fati-
guée qu'elle n'aurait pas la force, sinon, de partir
ce soir-là à Helsinki kidnapper les conseillers aux
mines.

Kauno Riipinen fit remarquer avec un sourire
en coin qu'on dispensait à l'Étang aux Rennes
des formations assez particulières : on y apprenait le savolais sous la férule d'une pédagogue
née, on y inculquait de force les bonnes manières
aux gens et on y donnait des cours de pilotage
par téléphone.

La journée avait été chargée, mais pas question de négliger l'apprentissage du patois. Emma
Oikarinen donna son cours comme à l'accoutu-
mée. Elle prenait son travail au sérieux. On lui
avait attribué sa propre chambre, comme à tout
professeur, et elle s'était approprié la salle de
la maison des kolkhoziens pour y faire la classe
deux heures et demie par jour, après le déjeuner
et le dîner, quand les élèves étaient tous sur place.
Ilona Kärmeskallio l'avait chargée de veiller à ce
que personne ne fasse l'école buissonnière ou la
sieste après les repas. Tous devaient sortir leurs
livres et étudier le savolais. Emma aimait tout
particulièrement leur faire réciter des passages
des *Carabistouyes et parlotâjes*. En plus des
devoirs, on écoutait des cassettes de chansons
humoristiques d'Esa Pakarinen. On aurait pu
imaginer que les progrès seraient rapides, mais
l'accent savolais n'était pas facile à prendre. La

professeure commençait donc ses cours par des exercices de prononciation. Les élèves répétaient en chœur, sous sa direction, des mots pris au hasard dans le dictionnaire :

« Dites : abach'mét, alétâje, bisbrouye, bôdeut, burière[1]. »

Docilement, le groupe scandait les termes choisis par Emma et notait leur traduction.

Juuso Hihna-aapa était celui qui avait le plus de mal dans ce domaine. La sueur lui montait au front, mais, serrant les dents, il faisait de son mieux :

« Nwaroû ! Nwastcheu ! Nuwâje[2] ! »

Emma Oikarinen n'admettait ni l'irrespect ni la paresse, et appliquaient les méthodes pédagogiques qu'on lui avait inculquées dans sa jeunesse : discipline stricte et longs devoirs à la maison.

La leçon se terminait quand Ilona Kärmeskallio refit son apparition dans la salle, reposée et déterminée. Elle écouta un moment l'enseignement d'Emma, hochant la tête d'un air approbateur. Monseigneur Henrik Röpelinen en profita pour suggérer un bref moment de recueillement, au nom du succès de l'atterrissage de Sanna et de Jalmari. La patronne de l'Étang aux Rennes y consentit et Kauno Riipinen s'empressa de proposer que l'on dise la prière d'action de grâces en savolais. L'évêque choisit dans son bréviaire

1. Abaissement, allaitement, bisbille, baudet, beurrier.
2. Noiraud, noisetier, nuage.

un texte adapté à la circonstance et le chœur de l'Étang aux Rennes récita pieusement après Emma :

« Nos vous rmèrcions, Sègneûr, pour eùc'monde chi, c'grande têre chi, avèc sès énormes plines èt sès richèsses, èt pou tout l'vîe qui i palpite èt quë nos somes in ptit morciô. Nos vous louwanjons et rmèrcions pour eùl voûsse du cièl et lès véts doûs, lès nuwâjes qui vont ô galóp èt lès ètwales du firmamét. Épécheuz-nous d'kèi dès l'maleûr èt d'ète tant aveûgleus pâr nos anvîes égoïsses qu'nos passeu sans l'vîr d'vant in rosieu qui flori ô bôrd du k'min à l'glwâre dë Djeu. Âmèn ! »

Après la prière, on se prépara à s'envoler pour Helsinki.

29

Séquestration
du patronat finlandais
dans la mine du lac Sauvage

«Il en manque un», s'inquiéta l'aviateur Pekka Kasurinen en comptant les conseillers aux mines à l'aéroport de Malmi, tard dans la soirée. Quatorze hauts dirigeants finlandais, accompagnés de leurs épouses ou maîtresses et de leurs secrétaires, s'engouffrèrent dans le petit Fokker Friendship qui les attendait sur la piste.

Emma Oikarinen avait été habillée en hâte d'un uniforme bleu d'hôtesse de l'air. Elle distribua aux passagers de la documentation sur la conférence.

«Vlà chi lès dèrnieus fafióts.»

Ilona Kärmeskallio avait prévu au départ que l'équipage de l'avion ne compterait, en plus des pilotes, que Sanna Saarinen comme hôtesse de l'air et peut-être Jalmari Jyllänketo comme steward. Mais, en leur absence, elle avait dû au dernier moment modifier ses plans. Elle ne voulait pas se montrer en personne aux conseillers aux mines, ils auraient pu par la suite la reconnaître, et les employées de maison de l'Étang aux

Rennes ne maîtrisaient pas encore assez bien le savolais. Elle avait donc pris le risque de demander à Emma de s'occuper des passagers avec Kasurinen, qui ferait à la fois office d'ingénieur de vol et de steward.

L'aviateur avait revêtu un costume d'été bleu clair qui, à son avis, lui donnait l'air non seulement d'un mécanicien de bord compétent, mais aussi d'un membre stylé du personnel de cabine, à même d'apporter un concours efficace à l'hôtesse ridée. Il annonça dans le micro :

« Mesdames et messieurs, le commandant Brian O'Malley et son équipage vous souhaitent la bienvenue à bord de ce vol pour Amsterdam. Nous décollerons à 18 h 35 et nous atterrirons aux alentours de 22 h 30 heure locale. À Amsterdam, nous embarquerons à bord d'un jumbo-jet de la Spantax afin de poursuivre notre voyage à destination de la capitale uruguayenne. Nous arriverons à Montevideo tôt demain matin et nous serons immédiatement conduits à l'hôtel Livramento Inn. Des boissons et des confiseries vous seront servies pendant le vol. Le commandant de bord et son équipage vous souhaitent un agréable voyage et une fructueuse conférence. »

Le Fokker acheté par Kasurinen était capable de parcourir en une heure et demie la distance entre Helsinki et Turtola. Le crépuscule tombait quand il passa à la verticale d'Oulu. Kasurinen annonça :

« Nous survolons actuellement Lübeck, que vous pouvez apercevoir sur la gauche de l'appareil. Comme vous le savez, les chefs d'entreprise finlandais commercent depuis déjà près de mille ans avec cette vieille cité hanséatique.

— Nous avons déjà franchi la Baltique? Quelle rapidité! Et c'est incroyable, toute cette industrie lourde qui s'est développée autour du port depuis mon dernier passage», s'étonna le PDG d'Enso en regardant par le hublot les lumières et les fumées d'usine de la ville d'Oulu.

Il régnait dans l'appareil une atmosphère de détente feutrée. Les patrons fatigués par leur intense travail avaient desserré leur cravate et goûtaient aux boissons servies par Emma. Certains avaient pris des cocktails, d'autres demandé du thé; d'autres encore buvaient de la bière et quelques-uns somnolaient sur l'épaule bienveillante de leur secrétaire.

Ceux qui ne dormaient pas s'étonnaient un peu du grand âge de l'hôtesse de l'air, mais n'osaient pas aborder la question. Ils plaisantèrent néanmoins à ses dépens, d'un ton bon enfant: l'un d'eux lui demanda sa main, faisant valoir que les hommes d'affaires finlandais aimaient bien revenir de voyage au bras d'une hôtesse de l'air, alors pourquoi pas cette fois-ci aussi? Emma, refusant d'entrer dans le jeu, se réfugia en grommelant dans le poste de pilotage exigu et tira le rideau derrière elle.

On entra bientôt dans le secteur aérien de Rovaniemi et Kasurinen s'annonça aux aiguilleurs du ciel. Au-dessus de la ville, il déclara à l'intention

des passagers que l'on survolait les massifs fores-
tiers du Sud de l'Allemagne.

«Vous pouvez apercevoir la petite ville monta-
gneuse de Merseburg.»

Il faisait déjà si noir que la capitale de la Laponie pouvait passer sans mal pour une localité
allemande.

«En raison d'encombrements dans l'espace
aérien européen, nous venons d'apprendre que
nous ne nous poserons pas sur l'aéroport international d'Amsterdam mais sur l'aérodrome de
Bruxen, qui est situé à une vingtaine de kilomètres et accueille des vols privés. Le transfert
se fera ensuite par autocar.»

Un peu avant l'arrivée à l'Étang aux Rennes,
Emma Oikarinen vint chuchoter à Kasurinen
qu'elle connaissait le nom du PDG manquant.

«C'eùt l'patron dë l'socièteu Kajaani, in nou-
meu Laaksovirta, m'a raconteu sa sècrètêre.»

Mauno Laaksovirta n'avait pas pu se libérer à
temps pour prendre le même vol que les autres
pour Montevideo, mais il les rejoindrait le sur-
lendemain. Sa secrétaire, une dame élégante et
efficace qui se trouvait dans l'avion, avait expliqué qu'elle s'occuperait de tout organiser sur
place pour l'accueillir. Elle irait le chercher à
l'aéroport et prendrait tous les autres arrangements nécessaires.

L'atterrissage sur le terrain salé de l'Étang aux
Rennes se fit sans tour de piste préalable. À leur
descente d'avion, les passagers s'étonnèrent de
trouver un aéroport aussi petit et un paysage

aussi désolé. Kasurinen, qui avait repris son rôle de steward, expliqua qu'il s'agissait d'un terrain destiné aux avions de tourisme qui n'accueillait que rarement des vols d'affaires. Il les pressa de monter dans le bus qui les attendait pour les conduire à l'aéroport international d'Amsterdam.

Un autocar affrété pour l'occasion auprès d'un entrepreneur de transports de Turtola était garé en bordure de la piste. Le logo, sur ses flancs, avait été masqué par des autocollants arborant l'inscription «Reisen und Ruhrau». Le groupe monta dans le véhicule au volant duquel était assis l'agronome Juuso Hihna-aapa, coiffé d'une casquette, qui marmonna quelques mots de bienvenue en néerlandais.

«*Guten Tag, guten Tag*», répondirent les PDG en s'installant.

L'autocar prit aussitôt le chemin de la mine de fer du lac Sauvage.

Les passagers furent surpris de découvrir à quel point les Pays-Bas ressemblaient à la Finlande. On traversait à ce moment-là une vaste coupe à blanc dont les souches pointaient dans l'obscurité des deux côtés de la route.

«Ce ne sont pas les forêts rasées qui manquent, apparemment», ricanèrent les PDG en notant que c'étaient les mêmes imbéciles qui se mêlaient de protéger les ressources sylvicoles de la Finlande.

De l'avis général, les Allemands et les Hollandais n'avaient pas à fourrer leur nez dans les affaires des autres, quand on voyait comment ils abîmaient leurs propres forêts. Et les écologistes finlandais ne valaient pas mieux, toujours à se plaindre à l'étranger de l'état prétendument préoccupant des futaies de leur pays.

« Ce n'est pas chez nous qu'on verrait un tel gâchis. Nous savons au moins gérer notre industrie du bois. La Finlande a plus d'un siècle d'expérience de la sylviculture », affirma le grand patron d'UPM-Kymmene.

Quand ils arrivèrent au lac Sauvage, vers minuit, l'obscurité régnait. Juuso Hihna-aapa gara l'autocar à l'entrée du hall principal de la mine, sortit son pistolet et déclara en savolais :

« Si vos voleuz bieu quiteu vos plaches èt dèbarqueu ! »

Il guida les PDG sidérés vers l'atelier d'emballage, où on leur distribua des casques avant de leur ordonner de monter dans l'ascenseur, largement assez vaste pour les contenir tous, ainsi que leurs secrétaires et compagnes. Ce n'est qu'à ce moment qu'ils tentèrent de protester, mais leurs récriminations se perdirent dans le grondement de la cabine qui s'enfonçait dans les profondeurs de la roche du lac Sauvage.

Une fois tout le groupe enfermé sous terre, l'équipage exténué reprit l'autocar pour rentrer à l'Étang aux Rennes. À la maison des kolkhoziens, Ilona Kärmeskallio soupira que cette journée avait été la pire de sa vie. Si ça continuait comme ça, elle mourrait dans la semaine.

Pekka Kasurinen avait le même sentiment. Cela faisait près de vingt-quatre heures qu'il était sur les nerfs, il venait de ramener le Fokker des Pays-Bas, avait dirigé l'opération de sauvetage de Sanna et de Jalmari et enlevé pour clore la journée un plein chargement de conseillers aux mines. Emma Oikarinen, bien qu'elle fût la plus âgée, semblait en revanche fraîche comme une rose. Elle raconta enthousiasmée qu'elle avait rêvé toute sa vie de devenir enseignante, mais comment voulez-vous qu'une pauvre orpheline puisse faire l'école normale d'institutrices! Et elle n'aurait jamais imaginé s'élever à la position d'hôtesse de l'air, elle qui n'avait jamais connu que le plancher des vaches, au sens propre, dans l'étable de sa petite ferme, à traire et pelleter le fumier. Mais elle était maintenant aussi bien professeure qu'hôtesse, avec même un uniforme, et n'avait pas l'intention de renoncer à ces privilèges pour retrouver l'atmosphère étriquée de la maison de retraite de Sonkajärvi.

Ilona Kärmeskallio ordonna aux employées de maison d'apporter quelques bouteilles de vin du domaine, des galettes d'orge tièdes et des lavarets salés.

L'enlèvement s'était déroulé conformément au plan de Sanna. Le sommet des patrons finlandais avait été étonnamment facile à organiser, avec des frais minimes par rapport aux bénéfices. La participation atteignait presque cent pour cent — un chiffre stupéfiant, car les hauts dirigeants économiques ont en général un agenda rempli des mois à l'avance de toutes sortes de rencontres et de négociations. Ilona Kärmeskallio décida que Sanna se concentrerait dorénavant sur les conférences et ne s'occuperait plus d'horticulture que lorsqu'elle aurait des loisirs. À condition bien sûr qu'elle revienne saine et sauve de l'aventure aérienne de ce fou de Jyllänketo.

Monseigneur Henrik Röpelinen demanda de quels crimes les patrons finlandais s'étaient en fin de compte rendus coupables, pour mériter d'être enlevés et séquestrés dans les galeries de la mine de fer. La réussite économique n'était quand même pas un péché?

Ilona Kärmeskallio s'étonna de la naïveté de l'évêque. Les PDG emprisonnés représentaient à ses yeux l'essence même du capitalisme sauvage, d'une exploitation pure et simple visant à capter les faibles ressources économiques nationales et à exporter tous les bénéfices. Existait-il une seule personne, dans ce monde, qui vaille qu'on lui verse un salaire de centaines de milliers de marks? Grâce à leurs bonus, les patrons des grandes entreprises empochaient chaque année des millions, et tout ça pour jeter l'argent par les fenêtres et mener une politique qui avait conduit le pays entier au bord de la ruine.

Ilona Kärmeskallio, outrée, dressa la liste des terribles épreuves imposées au peuple finlandais par ces spéculateurs. Elle cita des études scientifiques montrant que le chômage de masse provoquait chaque année trente mille décès directs ou indirects[1] et infligeait à la moitié de la population d'incalculables souffrances humaines. Et là-dessus, le tout nouveau dirigeant d'une grande entreprise, porteur du titre de conseiller aux mines, publiait dans un journal économique cette grande vérité : l'argent n'a pas de patrie !

Pour Ilona Kärmeskallio, les financiers finlandais qui avaient trahi et vendu leur pays auraient mérité qu'on leur confisque leur passeport.

« La forfaiture économique est un crime terrible qui devrait être aussi sévèrement puni que la haute trahison. Quoi qu'il en soit, un épuisant travail physique, pendant une semaine ou deux, ne peut faire que du bien à ces messieurs. C'est un rappel bien indulgent des réalités de la vie. »

Röpelinen, sceptique, répliqua que les entreprises offraient quand même des emplois à des centaines de milliers de Finlandais. Et était-on obligé de jeter également dans la mine les secrétaires à bas salaires. Ou les innocentes compagnes des PDG ?

---

1. Ilona Kärmeskallio fait sans doute ici référence à un autre roman de l'auteur du présent ouvrage, *Tuomiopäivän aurinko nousee* (« Le jour du jugement dernier se lève », 1997, non encore traduit en français), dans lequel figure une analyse des décès imputables au chômage. D'après cette étude, le nombre de suicides a augmenté, de même que l'alcoolisme et les maladies mentales ; les affections et la mortalité dues à de mauvaises conditions sanitaires et à la baisse du niveau de vie se sont également accrues ; en y ajoutant la diminution de l'espérance de vie imputable au chômage, on parvient au total au chiffre de trente mille morts.

« Ça ne leur fera pas de mal non plus de tenir un outil dans leurs blanches mains. »

Après avoir réfléchi un instant, Ilona Kärmeskallio admit que l'on pourrait, au bout de quelques jours d'emprisonnement au lac Sauvage, affecter ces dames au sarclage des potagers de l'Étang aux Rennes.

L'opération avait toutefois manqué une de ses cibles. Le conseiller aux mines Mauno Laaksovirta avait échappé aux griffes d'Ilona Kärmeskallio.

« Ce type va prendre l'avion pour Montevideo, se plaignit-elle. Il n'y aurait pas moyen de l'en empêcher ? »

Cela paraissait difficile. La secrétaire de Laaksovirta avait expliqué dans l'avion qu'il n'avait pu se joindre au groupe car il devait se rendre à une réunion quelque part en Europe, via Stockholm, puis rallier Montevideo par ses propres moyens, quelques jours après les autres. Il était hors d'atteinte.

Après y avoir réfléchi, Ilona Kärmeskallio conclut qu'il n'y avait pas trop à s'en faire. Ce ne serait pas la première fois qu'un homme d'affaires finlandais perdrait les pédales et volerait sans but autour du monde. Elle se rappelait d'ailleurs que le PDG en question n'était pas l'un des pires affameurs, il était même presque civilisé et on pouvait bien lui accorder quelques jours de vacances en Uruguay pendant que ses collègues trimaient dans les entrailles de la mine du lac Sauvage.

«Il aura le temps de se détendre, pour une fois», déclara-t-elle.

L'ex-député Kauno Riipinen s'insurgea contre cette insouciance. Selon lui, le conseiller aux mines ne manquerait pas de faire du foin, à son retour de ce voyage stérile, et de porter plainte en exigeant une enquête. La police finlandaise était très douée pour tirer de genre d'affaires au clair.

Ilona Kärmeskallio balaya d'un geste les craintes de Riipinen et Röpelinen. Elle rappela que l'on avait murmuré tout l'été que l'Étang aux Rennes se trouvait sous la surveillance de la police. On avait même, paraît-il, envoyé un inspecteur de la Sécurité nationale espionner le domaine, mais on n'en avait pas vu la couleur.

Il était malgré tout possible, protesta l'ex-député, que des agents de renseignements surveillent discrètement les activités clandestines de l'Étang aux Rennes, c'était bien leur style.

L'aviateur Pekka Kasurinen se mêla à la conversation. Il déclara s'y connaître, car il avait eu affaire dans sa vie aux services secrets de différents pays. Il n'y avait aucune inquiétude à avoir. Les policiers, surtout finlandais, étaient des âmes simples et l'on ne courait aucun danger de ce côté.

Tard dans la nuit, enfin, tous allèrent se coucher. Juuso Hihna-aapa rappela qu'il faudrait dès l'aube téléphoner à Jalmari et à Sanna.

«Au fond de quelles affreuses forêts la pauvre

petite campe-t-elle cette nuit?» soupira Ilona. Monseigneur Röpelinen lui assura que le Seigneur veillait sur ses brebis.

30

L'heure de vérité du pouvoir économique finlandais

Jalmari Jyllänketo coupa le moteur de l'avion, Sanna Saarinen le téléphone portable. Le silence les enveloppa. Ils éprouvaient un sentiment étrange, leur bonheur d'être en vie semblait si fragile qu'aucun d'eux n'osait parler. Ils avaient l'impression, pour une fois, d'avoir l'éternité devant eux. Il n'y avait plus ni hâte ni urgence.

Le Cessna avait atterri dans une prairie naturelle parsemée de buissons de saule et de bouleaux nains. Une sombre sapinière arctique aux colonnades bleu nuit évoquant des cyprès se dressait un peu plus loin. Un moutonnement de hautes collines gris clair barrait l'horizon. Tout près de l'avion coulait une large rivière encaissée qui décrivait à cet endroit un pittoresque méandre. Il n'y avait en vue aucune habitation ni aucun autre signe de présence humaine.

Au bout d'un long moment, Jalmari ouvrit la porte du cockpit et sauta à terre. Il aida Sanna à le rejoindre. Il lui aurait bien demandé pardon pour son coup de folie infantile, mais ce qui était fait était fait. La jeune femme lui posa la main sur le bras et le regarda dans les yeux comme une mère fâchée tançant un enfant turbulent, mais ne dit rien.

«La pluie a cessé, on dirait», fit-il.

Sanna tendit la main à l'horizontale et hocha la tête. Il ne bruinait même plus.

«Où sommes-nous?

— Peut-être en Finlande, le paysage a l'air lapon.»

La jeune femme fit remarquer que la Laponie s'étendait sur quatre États. Jalmari admit que la région était supranationale.

Ils se dirigèrent vers le bord de la rivière. Celle-ci mesurait une trentaine de mètres de large — dimension plus qu'honorable. Le courant était si vif que l'eau, entre les rives escarpées, tournoyait même dans les planiols et, vers l'amont, on entendait gronder des rapides. Près de la berge opposée, un gros poisson sauta. Sanna affirma l'avoir vu, il mesurait au moins cinquante centimètres.

Il y avait au bord de l'eau un cercle de pierres où l'on avait fait du feu. Jalmari fouilla dans les cendres et les bouts de bois calcinés, mais ne trouva rien qui puisse indiquer dans quel pays ils se trouvaient. Les randonneurs s'étaient hélas montrés soigneux. Une vieille boîte de conserve ayant contenu de la soupe aux pois finlandaise ou un paquet de cigarettes russes en auraient plus appris à Sanna et à Jalmari sur leur lieu de séjour que le compas de l'avion.

Ils retournèrent à l'appareil. Ils tentèrent de tirer quelque chose de sa radio, mais il n'en sortait que des sifflements agaçants. Elle ne captait sans doute aucune fréquence si près du sol. Sanna alluma le téléphone portable, qui sonna aussitôt. Le signal était faible, mais il y avait quelque part une antenne-relais — finlandaise ou non, impossible à savoir.

Jyllänketo regarda l'écran. Merde! Jaakko Kylmäsaari tentait de le contacter d'Uruguay! Il dut connecter le téléphone à son ordinateur. Un texte apparut sur l'écran:

«Salut, Jyllä! Bref rapport. À l'arrivée c'était la canicule à l'aéroport international de Montevideo. J'ai failli me trouver mal tellement il faisait chaud dans la file d'attente de la douane. Comment est-ce qu'il pouvait y avoir autant de monde! Je ne m'en suis quand même pas trop mal sorti, dans les embouteillages et le vacarme des langues étrangères et de la samba qui vrille les oreilles à tous les coins de rue. Je ne suis pas habitué à autant de bruit.»

Jaakko Kylmäsaari indiquait pour finir, plutôt embêté, qu'il n'avait pas réussi malgré tous ses efforts à mettre la main sur les conseillers aux mines finlandais. L'inspecteur principal accusa réception du rapport.

Sanna lui demanda ce qu'était ce message et de qui il provenait. Il répondit que c'était un type à moitié cinglé qui s'amusait à envoyer des comptes rendus soi-disant humoristiques des quatre coins du monde, il ne fallait pas faire attention. Dommage qu'on ne puisse pas garder le téléphone coupé, vu la nécessité de communiquer avec l'Étang aux Rennes.

Sanna appela sa mère et convint que l'on prendrait dorénavant contact une fois par jour, vers midi, afin de ne pas décharger trop vite la batterie du téléphone. Avant d'éteindre l'appareil, Jyllänketo envoya un fax à l'agence de voyages de Helsinki afin d'annuler son billet d'avion pour Montevideo. Il demanda que la confirmation soit envoyée à son adresse personnelle.

« J'ai décommandé mon vol pour le Danemark, expliqua-t-il à Sanna.

— Tu as bien fait… on a assez volé comme ça. »

À la mine de fer du lac Sauvage, la confusion régnait dans les esprits. L'ascenseur plongeait dans les entrailles de la terre, emportant les plus hauts dirigeants de la vie économique finlandaise et leurs compagnes. Tous se demandaient, incrédules, si ce traitement brutal n'était pas malgré tout une plaisanterie : dans quel cerveau malade cette blague avait-elle germé ? Au lieu d'être confortablement installés à survoler les nuages en première classe dans un jumbo-jet, ils se retrouvaient dans une cage à minerai pleine de poussière de fer.

Au palier des sept cents mètres, la cabine s'arrêta soudain en grinçant, les portes s'ouvrirent brutalement et on ordonna au groupe désemparé de s'avancer dans une grande salle creusée dans le roc d'où partaient dans plusieurs directions des galeries malodorantes. Plusieurs femmes furent prises d'hystérie, et même quelques conseillers aux mines. Certains exigèrent d'un ton sec des explications. Les membres du comité d'accueil, cinq ou six hommes solides, à l'air cruel, vêtus de combinaisons noires de suie, ne prirent pas la peine de s'étendre sur la situation. Dans un parler grossier mêlé de savolais, ils enjoignirent au groupe de se déshabiller et d'enfiler les combinaisons qui attendaient accrochées au mur. Les femmes à droite, les hommes à gauche. Plusieurs tailles étaient disponibles, il y avait pour chacun une tenue de mineur faite sur mesure. Et des lampes frontales à fixer aux casques.

«Nous refusons de nous soumettre à cette humiliation», déclara d'un ton agressif un patron du secteur bancaire.

Il ne reçut en réponse qu'une bonne gifle. Les réclamations n'étaient pas admises.

On obligea tout le groupe à se dévêtir, femmes et hommes séparés. Triste spectacle! Les PDG finlandais invitent volontiers leurs partenaires commerciaux au sauna, pendant leurs négociations, et se mettent alors nus. Mais ici, terrorisés et tremblants, ils n'étaient guère à leur avantage. Les corps blancs à la peau fine, maigres ou ventripotents, noueux ou amollis, à la poitrine creuse ou entretenus par la musculation et les massages, avaient tous l'air pitoyablement désarmés, dépouillés qu'ils étaient de leurs bonus et du prestige conféré par l'argent.

Et du côté de leurs compagnes? Le spectacle

n'était pas plus réjouissant. Il n'y a pas lieu de vanter ici le charme des femmes du monde et des assistantes de direction des grandes entreprises finlandaises. Il serait tout aussi malvenu de décrire les seins pendants, les cuisses marquées par la cellulite, les visages déformés dont le minutieux maquillage commençait à couler sous l'effet des larmes sur les cous tendineux, mêlé à la poussière de fer brute de la mine.

On leur distribua à tous des sacs en plastique pour y ranger leurs vêtements et autres effets personnels. Ils durent abandonner leurs portefeuilles, sacs à main, trousses de beauté, passeports, billets d'avion... tout. On ne les autorisa même pas à conserver dans les poches de leur combinaison leurs rasoirs ou leurs crèmes hydratantes. On collecta à part dans une grande boîte les médicaments pour le cœur, la tension et autres dont les patients ne pouvaient se passer et on inscrivit les noms de ces derniers sur les flacons. On leur prit aussi leurs stylos et on leur confia à la place de petites pelles, des sarcloirs et des houes.

Un conseiller aux mines de chez Nokia tenta de sauver son portable, dans l'espoir de prendre contact avec le monde extérieur. Il appela en hâte un numéro d'urgence, mais n'obtint pour toute réponse sur son écran qu'un laconique « PAS DE COUVERTURE RÉSEAU ». À plusieurs kilomètres sous terre, il n'y a aucun relais primaire de téléphonie mobile. Ils étaient au fond du trou, littéralement.

On attacha aux sacs en plastique des étiquettes sur lesquelles chacun inscrivit son nom et celui de son entreprise. Un chariot élévateur emporta le tout dans l'ascenseur, les portes se refermèrent avec fracas et les biens terrestres des prisonniers partirent vers la surface. Le pouvoir tient à peu de chose. Puis on leur ordonna d'allumer leurs lampes frontales et de se regrouper par équipes de cinq. Une fois la troupe désorientée plus ou moins alignée en rangs, on lui intima le silence et on l'emmena dans les galeries. Toute résistance était vaine, il fallait obéir. La moindre rébellion vous valait une claque, administrée d'un gant de mineur huileux.

Les galeries puaient le minerai et le champignon moisi. Les yeux habitués aux lustres de cristal des hautes sphères économiques mirent un moment à s'accoutumer à l'obscurité des cavités aux parois de roche noire. Le sol irrégulier des souterrains était parsemé de flaques huileuses et de leur voûte basse tombaient de froides gouttes couleur de suie. Ce n'était pas un lieu de travail bien accueillant pour des gens habitués à de confortables bureaux. Le baromètre de la conjoncture était soudain tombé au plus bas.

31

Fiançailles au bord
d'une rivière inconnue

Sanna et Jalmari partirent en exploration vers
l'aval de la rivière. Bien qu'il n'eût presque pas plu
de tout l'été, le flot était puissant. Au moment de
la débâcle des glaces et des crues de printemps,
le spectacle devait être grandiose ! Des poissons
sautaient ici et là, en quête de nourriture après
l'averse. Sur les berges sablonneuses poussaient
des sapins et des bouleaux qui, en plusieurs
endroits, penchaient vers l'eau ou y étaient
même tombés. Les arbres étaient nombreux et
les rives parfois envahies de broussailles impéné-
trables. On n'y avait pas manié la hache depuis
des décennies. Il n'y avait aucun signe d'habitation humaine. Au bout de quelques kilomètres,
Sanna et Jalmari firent demi-tour pour retourner à l'avion, puis poursuivirent vers l'amont,
où l'on entendait un grondement de rapides
qui enfla bientôt en un rugissement. On voyait
par endroits, creusés dans le sable, des dizaines
de nids d'hirondelles de rivage. Elles volaient
en troupes au-dessus de l'eau, l'effleurant de

leurs ailes. Sanna expliqua qu'elles gardaient le bec écarté pour le remplir d'insectes, comme les baleines, dans la mer, qui nagent la bouche ouverte et filtrent le plancton et les crustacés à travers leurs fanons pour se remplir l'estomac.

Quelques méandres plus loin, ils découvrirent un paysage enchanteur : des rapides bouillonnants déversaient leur écume blanche dans un vaste planiol. Un contre-courant tournoyait dans une brume vaporeuse. Des dizaines d'énormes grumes avaient été empilées sur les rives du bief et attachées aux arbres de la rive par des câbles rouillés. Elles avaient sans doute été utilisées comme estacade pour délimiter un chenal de flottage, avança Jalmari, afin d'éviter, dans les gorges et les méandres, que le bois descendant le cours d'eau ne s'amoncelle sur les berges et ne forme un embâcle.

La boucle de la rivière enserrait un lobe rocheux recouvert de lichen où se dressaient de grands pins gris morts sur pied. Sanna et Jalmari s'assirent sur le tronc d'un arbre tombé pour admirer la merveilleuse vue qui s'ouvrait sur le planiol, les rapides et, au-delà, la lointaine ligne des monts.

« C'est ici que je vais construire notre campement, si nous devons passer la nuit dans la nature, décida l'inspecteur principal.

— Écoute, Jalmari, il faut que je t'avoue quelque chose. »

Sanna, embarrassée, expliqua qu'Ilona lui avait ordonné de se montrer particulièrement aimable envers le contrôleur bio venu du Sud. Elle était la fille de la patronne de l'Étang aux Rennes, comme il le savait sans doute déjà. Elle avait été chargée de découvrir qui il était réellement, et ce qu'il était venu espionner. Elle avait fait ce qu'on lui avait demandé, lui avait royalement apporté d'appétissants petits déjeuners au lit et s'était promenée bras dessus, bras dessous avec lui à travers champs jusqu'à la Harlière, malgré les moustiques et les tâches plus urgentes qui l'attendaient. Elle était même allée jusqu'à se maquiller et se parfumer légèrement, mais uniquement pour obéir à sa mère.

« Tiens donc », grogna Jyllänketo en s'écartant un peu.

Sa dangereuse aventure aux commandes du Cessna lui semblait soudain stupide, tout comme sa participation zélée aux activités de l'Étang aux Rennes. Il avait passé tout l'été à y travailler à titre bénévole, à commettre de graves délits et à rêver de la belle horticultrice, alors qu'il avait été en réalité sournoisement manipulé.

« Ne te fâche pas. C'était l'idée de maman, et c'est aussi elle qui m'a soufflé de te parler de Helsinki et de la rue de la Voie-Ferrée, tu te rappelles ?

— Oui.

— C'est insensé, on te soupçonnait d'être un espion, un agent secret ou je ne sais quoi. C'est pour ça que j'ai parlé de la Sécurité nationale, pour te démasquer.

— Mais pourquoi ? Qu'est-ce que j'ai fait ?

marmonna l'inspecteur principal d'un air bougon.

— Pardonne-moi, Jalmari! J'ai toute confiance en toi depuis le premier jour, mais maman se méfiait et elle ne m'a pas laissé le choix. Il n'y a pas d'homme plus honnête que toi. Je t'aime réellement, tu le sais bien.

— C'est vrai? s'exclama Jyllänketo en se rapprochant aussitôt de la jeune femme. Ce n'est pas un nouveau coup d'Ilona?

— N'essaie pas de la mener en bateau. Tu es vraiment idiot, par moments. Je trouve ça comique de voir un type jaloux poser un micro dans le grenier d'une fille.»

Sanna avait découvert son bricolage par hasard. Dire que le contrôleur bio avait écouté en secret celle dont il était amoureux, et toute sa famille, comme si elle avait pu avoir d'autres hommes dans sa vie!

«Heureusement que j'ai trouvé ce câble dans ta chambre, en battant les tapis, et que je l'ai vite rangé. Si maman l'apprenait, quelle histoire! Elle aurait de nouveau les pires soupçons à ton sujet.»

Sanna tenait à en dire plus sur sa mère. Kärmeskallio était son nom de jeune fille, elle l'avait repris après son divorce.

«Il y a des gens qui prétendent que maman aurait… tué papa, qu'elle l'aurait, dans un accès de colère, poussé dans les rapides d'un fleuve en crue.

— Tu n'as pas besoin de tout me raconter.»

Sanna poursuivit néanmoins. Sa mère avait été dans sa jeunesse une femme tendre et timide, qui avait fait l'école normale d'institutrices, mais les dures épreuves de la vie et surtout son mari violent l'avaient durcie. Au fond, elle avait toujours un cœur d'or. Le projet d'Ilona Kärmeskallio et de Juuso Hihna-aapa de créer une ferme modèle à l'Étang aux Rennes était l'expression d'un idéal moral fondé sur une exigence absolue de justice. Le mal devait être extirpé des hommes de leur vivant, sans rester à attendre, comme les chrétiens, une éventuelle punition dans les flammes de l'enfer. Ilona était convaincue que le mal ne faisait que croître si on le laissait prospérer sans frein. La société était incapable de le combattre par des moyens licites, alors que tant de pauvres gens souffraient de terribles injustices. L'Étang aux Rennes et la mine de fer abandonnée dont le domaine avait obtenu la concession offraient une possibilité de mettre cet idéal en pratique.

Sanna souligna que l'on n'emprisonnait pas les scélérats dans les galeries du lac Sauvage uniquement par vengeance ou pour disposer de main-d'œuvre gratuite. Le but était de leur donner l'occasion de s'amender. C'était pour ça qu'on laissait en sortir pour travailler dans les potagers ceux qui manifestaient du repentir et qu'on les libérait une fois qu'ils avaient payé pour leurs crimes.

«*Arbeit macht frei*, comme dans les camps de concentration allemands.»

Sanna n'apprécia pas la remarque. On travaillait certes dur dans la mine, mais il n'y avait pas de quoi comparer la gestion de l'Étang aux Rennes à un barbare régime totalitaire.

Jalmari Jyllänketo déclara qu'il avait parfaitement compris et l'esprit et la lettre de la loi du lac Sauvage. C'était une règle arbitraire dictée par une femme aigrie, mais il ne la trouvait pas si mauvaise. Il y avait dans le monde tellement d'iniquités qu'il était bon de les combattre, quitte à se salir les mains. Monseigneur Henrik Röpelinen ne s'était-il d'ailleurs pas vanté un jour d'avoir la particularité, rare chez un évêque luthérien, de soutenir en pratique des méthodes de jésuite?

Sanna Saarinen refusa d'admettre que sa mère soit jésuite, et encore moins fasciste : elle faisait régner à l'Étang aux Rennes un absolu principe d'équité qui n'admettait aucun compromis, quelles que soient les circonstances. La jeune femme s'était montrée franche envers Jalmari afin que celui-ci comprenne la différence entre le bien et le mal, et les préceptes selon lesquels il fallait se conduire dans ce monde. Il n'y avait pas de place, dans l'idéologie d'Ilona Kärmeskallio, pour un respect vétilleux d'une législation obsolète. Surtout dans ces rudes contrées arctiques, il fallait s'adapter à la dureté de la vie.

«Les herbes aromatiques ne poussent pas sous la neige», admit Jalmari.

Ilona Kärmeskallio avait beaucoup voyagé tout au long de l'été. Elle avait mené des négociations difficiles, aussi bien aux États-Unis qu'en

Russie. Son but était de transformer la mine du lac Sauvage en une véritable prison secrète à l'intention de condamnés à la peine capitale. Il y avait dans le couloir de la mort, rien qu'aux États-Unis, plus de trois mille personnes, et plusieurs centaines en Russie. Il n'était pas question de les tuer, mais de les garder enfermées jusqu'à ce qu'elles meurent de mort naturelle.

Sanna ajouta ne s'être confessée à Jalmari et ne lui avoir révélé le passé et les projets secrets de l'Étang aux Rennes, si terribles qu'ils puissent paraître, qu'afin que tout soit clair entre elle et lui. Il devait comprendre que quand bien même il se méfierait de la réputation et de l'éthique du domaine, elle n'irait pour rien au monde vivre ailleurs. Il était important que ces choses soient dites maintenant, avant le mariage.

«Le mariage?» laissa échapper Jalmari Jyllänketo.

Sanna Saarinen le fixa droit dans les yeux. Il y avait dans son regard un âpre reflet de la vision du monde d'Ilona Kärmeskallio. Elle lui rappela d'une voix glacée que c'était bien ce dont ils étaient convenus dans l'avion lorsqu'ils avaient cru leur dernière heure venue, non? Il lui avait demandé si elle l'aimait et elle avait répondu oui. Il fallut un moment à Jyllänketo pour saisir de quoi il retournait.

«Nous sommes fiancés!» comprit-il enfin.

32

Les fiancés découvrent un crâne
et une demi-douzaine de haches

Ils donnèrent au merveilleux endroit où ils se trouvaient le nom de Berge des Fiançailles. Jalmari décida d'y dresser un camp. Avec son couteau suisse, il commença par détacher un morceau d'écorce du tronc d'un bouleau, en fit un cône, y fixa un manche taillé dans un rameau et tendit l'objet à sa fiancée. Celle-ci se pencha pour puiser de l'eau dans la rivière. Ils burent à leur futur mariage. L'inspecteur principal aurait bien aussi confectionné des anneaux en écorce, s'il avait su comment s'y prendre.

Ils restèrent longtemps assis enlacés sur le vieux tronc gris. Jalmari songea que si tout s'était déroulé comme prévu, il aurait dû se trouver à Montevideo en célibataire. Ce n'aurait pas non plus été une mauvaise solution, mais tenir la main de la belle horticultrice sur la Berge des Fiançailles était mille fois plus merveilleux. Ils pourraient passer là le restant de leur vie, abattre des arbres pour bâtir une maison, construire une barque, pêcher… L'hiver ils chasseraient, à l'automne ils cueilleraient des baies et des champignons et, quand naîtraient des enfants, il pourrait leur fabriquer un berceau en pin rouge de Laponie.

«Heureusement que j'ai mes bottes en caoutchouc», se réjouit Sanna.

Jalmari était chaussé de bottes de motard, mais avait troqué sa combinaison de cuir contre un blouson léger et un pantalon droit. Tous deux étaient donc équipés pour la randonnée et ils délaissèrent le bord de l'eau pour aller voir s'il y avait des mûres jaunes dans la grande tourbière qui s'étendait au-dessus des rapides. Mais la saison était trop avancée. Ils trouvèrent malgré tout ce qu'ils cherchaient sous les arbres bordant les marais. Les baies étaient si juteuses et délicieuses qu'ils s'en gavèrent. Le ventre plein, ils retournèrent à la rivière. À cet endroit, elle était plus étroite, ils se trouvaient déjà assez haut vers l'amont. Des rennes avaient tracé sur la berge un sentier sinueux sur lequel il faisait bon marcher. Le grondement familier des rapides s'entendait de loin. En y arrivant, ils découvrirent une petite cabane en madriers gris. Son toit s'était écroulé et sa porte gisait par terre. Il n'y avait pas de fenêtre. On apercevait dans la rivière, juste à côté, un vieux barrage de flottage à un seul pertuis. Jalmari expliqua à Sanna que l'on avait dû transporter du bois sur ce cours d'eau, des dizaines d'années plus tôt, et beaucoup, puisqu'on y avait construit cet ouvrage et cette baraque. L'ouverture du barrage était à l'époque équipée d'une écluse et d'une passe à bois par laquelle on précipitait les grumes dans les rapides — mais vers où?

Sanna avait l'impression qu'ils ne pouvaient être ni en Suède ni en Norvège. Dans ces pays, la cabane aurait été habitée et les deux rives couvertes de villas.

«Nous sommes en Finlande ou en Russie, il n'y a nulle part ailleurs dans le monde d'aussi grandes étendues inhabitées», conclut-elle.

Jalmari étudia les madriers gris et leurs assemblages pour tenter de déterminer d'après les traces de hache par quelle peuplade ils avaient été taillés, mais il n'en tira rien. Il retourna les planches vermoulues de la porte dans l'espoir de trouver des initiales gravées au couteau.

Des nuages obscurcissaient le ciel et le soir tombait. Le couple abandonna la cabane pour redescendre vers l'aval. Ils s'arrêtèrent au bord des rapides pour admirer leurs puissants tourbillons et leurs crêtes d'écume. Tout près de l'eau, là où la brume vous mouillait le visage, leur rugissement couvrait la conversation, il fallait crier. Sanna et Jalmari restèrent là longtemps, captivés par les vagues galopantes. La danse des flots invitait à y sauter, tel un sortilège auquel on n'échappe qu'en se secouant.

Sur la Berge des Fiançailles, ils burent de l'eau dans leur louchette avant de retourner à l'avion. Il faisait trop sombre pour construire un campement. Sanna et Jalmari grimpèrent dans le cockpit et s'endormirent sur les sièges. Quand ils se réveillèrent, le soleil brillait déjà haut. Il faisait beau, et le monde avait l'air encore plus merveilleux que la veille. Ils avaient dormi plus de douze heures, il était près de midi. Sanna alluma le téléphone et attendit. À midi pile, il sonna. Ilona Kärmeskallio demanda aussitôt comment allait sa fille. Où devait-on envoyer l'équipe de secours?

Jyllänketo lui fit dire par Sanna que l'on n'était en tout cas ni en Suède ni en Norvège, et qu'il ne restait donc que deux possibilités: la Finlande et la Russie. Ils n'avaient pas pour l'instant d'adresse plus précise à lui donner. Il éprouva une certaine satisfaction à faire cette déclaration. Ilona Kärmeskallio serait bientôt sa belle-mère, ses manières l'auguraient. Elle savait sûrement déjà que sa fille avait l'intention d'épouser le contrôleur bio. Les femmes sont les premières averties de ce genre de choses, avant même les futurs maris.

Sanna ne bavarda pas longtemps, il fallait économiser la batterie. Jalmari prit le téléphone et vérifia s'il y avait des messages pour lui. Heureusement non.

L'horticultrice souleva ensuite le couvercle de l'ordinateur portable, mais l'inspecteur principal le referma. Il lui fit remarquer que son courrier, sur l'écran, était aussi personnel qu'une lettre et qu'il n'autorisait personne, pas même sa fiancée, à le lire. Le secret de la correspondance devait être respecté, y compris entre époux. Sanna lui jeta un regard furieux mais ne fit aucun commentaire. Elle rassembla toutes les cartes de navigation qu'elle trouva dans l'avion ainsi que la trousse de secours, l'ordinateur et le téléphone et descendit en s'aidant de l'aile. Jalmari sauta à terre de son côté avec sa valise. Ils avaient les membres raides après la nuit passée dans le cockpit exigu. Ils se débarbouillèrent à la rivière et partirent dresser un camp sur la Berge des Fiançailles. Sous le soleil, les arbres de la rive opposée jetaient des ombres noires sur l'eau de nouveau troublée par les sauts des poissons. Les hirondelles de rivage tournoyaient dans les vertigineuses hauteurs du ciel bleu.

Sanna et Jalmari laissèrent leurs affaires à l'emplacement de leur campement. Dans ces régions inhabitées, ils ne risquaient pas de se les faire voler. Pour le petit déjeuner, ils ramassèrent des mûres jaunes dans le même bois que la veille. Puis ils se rendirent à la cabane du barrage. Ils voulaient l'étudier de plus près, maintenant qu'il faisait jour. D'un œil expert, l'inspecteur principal examina les lieux. Il retourna encore une fois les planches de la porte et tenta de deviner d'après le modèle des gonds dans quel pays et à quelle date ils avaient été forgés. Ils n'étaient pas de fabrication industrielle, pas plus que les quelques clous encore présents dans les débris du vantail. Puis Jalmari Jyllänketo entreprit de fouiller l'intérieur de la baraque. Un bouleau de l'épaisseur de la cuisse poussait au milieu. On pouvait en déduire que l'affaissement du plafond datait de plusieurs décennies — il fallait à un arbre plus de quelques années pour atteindre cette taille. Dans un coin, une cheminée de schiste soutenait encore le toit. Celui-ci avait été recouvert d'écorce de bouleau et de terre. Les pannes étaient depuis longtemps tombées en poussière. Les hommes qui avaient construit la cabane étaient des professionnels, ça se voyait à leur travail. Jalmari en conclut que c'était l'œuvre de charpentiers expérimentés, peut-être des Finlandais, tout compte fait. Mais après tout, il ne savait pas grand-chose des talents des bâtisseurs russes. Sanna se rappelait avoir lu que l'église de l'île de Kiji, sur le lac Onega, était en tout cas le plus bel édifice en bois du monde.

Jalmari Jyllänketo trouva dans un autre coin un tas de ferraille rouillée. Il y avait là six fers de hache. Enfin quelque chose de précieux ! Il sortit de la vieille cabane avec son butin et gratta le plus gros de la rouille. Il y avait encore dans les œils des outils quelques débris de manche. Malgré de minutieuses recherches, ils ne découvrirent rien d'autre d'intéressant.

« Tu ne vas quand même pas emporter ce tas de rouille », s'exclama Sanna.

Jalmari répliqua que la hache était un outil indispensable, en pleine nature, et qu'un homme qui en possédait six pouvait survivre seul des années.

« Mais il ne reste que les fers, et ils sont complètement émoussés.

— On va les aiguiser et tailler des manches. »

Il lava les haches dans la rivière, près du

barrage de flottage. Le modèle ne permettait pas de conclure avec certitude si elles étaient russes ou finlandaises. Les fers étaient larges, ils pouvaient servir à doler des madriers. Peut-être les charpentiers avaient-ils laissé ou oublié leurs haches dans la cabane déjà avant la Seconde Guerre mondiale. Elles ne portaient en tout cas pas la marque des forges de Fiskars. L'inspecteur principal sélectionna les trois les moins rouillées et jeta les autres dans les broussailles. Elles atterrirent dans un fracas métallique qui couvrit un instant le grondement des rapides. Sanna courut voir ce qu'elles avaient heurté. Jalmari lui interdit de poser le pied sur quelque objet que ce soit, ce pouvait être une mine datant de la guerre. Il alla lui-même examiner l'endroit. Les fers n'étaient pas tombés sur un engin explosif, mais sur un casque militaire. Il avait été traversé par une balle. Jalmari le vida du sable et des herbes qui s'y étaient accumulés et le rinça dans la rivière. C'était un modèle de l'Armée rouge.

«Nous sommes en Russie, déclara-t-il.

— Il y a aussi le soldat», annonça Sanna effrayée, un crâne gris clair entre les mains.

33

Construction du campement
de la Berge des Fiançailles

Le Finlandais est sujet à des coups de folie insensés qui le mettent souvent lui et ses proches dans le pétrin, comme cette fois Jalmari Jyllänketo, mais il réagit en homme et, plutôt que de rester à gémir sur son sort, s'emploie à redresser la situation. Dans le cas présent, cela signifiait en premier lieu construire un campement, car la nuit passée dans l'avion avait été inconfortable.

Jyllänketo commença par aiguiser les haches en les frottant les unes contre les autres, puis entreprit de façonner un manche. Avec l'un des fers, il abattit un bouleau de l'épaisseur du poignet dont la forme offrait naturellement une bonne prise. Une fois ce manche rudimentaire écorcé et enfoncé dans l'œil d'un premier fer, il en fabriqua un deuxième, cette fois en le taillant à la hache et en affinant le travail avec son couteau suisse, puis, quand il fut fixé à son fer, il en façonna encore un troisième, le plus réussi.

Cette remise en état des haches lui prit toute l'après-midi. Pendant ce temps, Sanna avait étudié les cartes de navigation aérienne du Cessna, coupé des branches de sapin pour construire un abri sur la Berge des Fiançailles, cueilli dans des cassots d'écorce de bouleau au moins deux kilos de mûres jaunes et préparé à manger — sa mère avait heureusement ordonné de garnir la valise du contrôleur bio, pour son voyage au Danemark, de nombreux échantillons de produits alimentaires. Pour le dîner, ils se régalèrent d'agarics en conserve, enroulés dans de fines galettes d'orge et grillés au feu de bois. Avec des baies en dessert.

Une fois les haches munies de manches, Jalmari abattit un grand pin et le tronçonna en longues grumes qui brûleraient à petit feu toute la nuit. Il coupa aussi de jeunes bouleaux qu'il assembla pour constituer l'ossature de l'abri, avec pour toit et murs les branches de sapin coupées par Sanna. Il disposa deux grumes l'une sur l'autre devant le côté resté ouvert. Le feu allumé entre elles les réchaufferait jusqu'au matin s'il faisait froid dehors. Jalmari Jyllänketo n'était pas né pour rien dans une ferme de Carélie du Nord, il savait encore se débrouiller en pleine nature, même après avoir vécu plusieurs dizaines d'années à Helsinki. De la cahute, la vue s'ouvrait sur les rapides bouillonnants et, plus loin, sur la ligne des monts barrant l'horizon.

Avant la tombée de la nuit, Sanna et Jalmari commencèrent à réfléchir sérieusement à l'endroit où ils pouvaient se trouver. Ils avaient des cartes de navigation aérienne de la Laponie finlandaise et d'une partie de la Russie, jusqu'à Mourmansk et Kandalakcha, mais elles n'étaient pas assez précises pour permettre de se repérer au sol. Les rivières n'étaient indiquées que grossièrement, et sans leur nom. Jyllänketo tenta de se rappeler, dans la liste des cours d'eau finlandais qu'il avait jadis apprise à l'école, ceux qui coulaient vers l'est et franchissaient la frontière russe.

«Canal de Saimaa, Vuoksi... quoi d'autre... Oulanka, Tuntsa, Nuortti, Nota, Lotta, Paats, Näätämö, Teno. Il y en a d'autres, mais je ne m'en souviens pas.»

Jalmari regarda la carte. La rivière ne pouvait pas être le Teno, ses rives étaient habitées, de même que celles du Näätämö et du Paats. La Lotta longeait la grande route conduisant de Raja-Jooseppi à Mourmansk, alors qu'on n'entendait ici aucun bruit de voiture. Il restait le Nuortti, la Nota, la Tuntsa et l'Oulanka, mais cette dernière coulait trop au sud, du côté de Kuusamo. Elle sinuait en outre au fond de profondes gorges, en tout cas du côté finlandais, et n'était pas aussi large que le cours d'eau au bord duquel ils campaient. Restaient la Tuntsa, la Nota et le Nuortti.

«Demain, nous pourrons annoncer à Ilona que nous avons atterri près du cours supérieur d'une' de ces trois rivières. Si c'est bien le cas, nous sommes dans l'ancien district de Petchenga, où on a effectivement pu flotter du bois avant-guerre.»

Sanna ne pensait pas que le transport de bois ait pu se faire dans ce sens à l'époque où Petchenga appartenait à la Finlande. Tous ces cours d'eau coulaient vers l'est, à cheval sur la frontière. Jalmari pensait-il vraiment que les Russes aient jamais acheté du bois brut à leurs voisins ? Il poussait chez eux plus de forêts de résineux que nulle part ailleurs sur la planète.

« Les femmes sont sacrément douées pour démolir même les meilleures théories, grogna Jyllänketo en repoussant les cartes.

— Ne te fâche pas, mon chéri, prend une galette. »

Afin de garnir le sol de l'abri d'une épaisse couche de feuillage, ils allèrent couper des branches de bouleau dont émanait un subtil parfum évoquant la Saint-Jean. Ils enterrèrent par la même occasion le soldat russe inconnu : après avoir recouvert son squelette de mousse, ils déposèrent son casque sur le tertre. Sanna aurait aimé dresser une croix, mais, d'après Jalmari, les soldats de l'Armée rouge étaient athées, comme tous les Russes pendant la guerre.

Avant qu'il ne fasse nuit noire, l'inspecteur principal s'occupa d'abattre et d'écorcer des sapins de cinq, six mètres de haut, qu'il alla déposer près des piles de grumes de l'ancienne estacade. Il ramassa tous les filins d'acier rouillés qu'il put trouver sur la berge. Il y avait, éparpillés sous la mousse et les buissons, des dizaines de mètres de câble, épais comme le doigt. Il réussit à le couper en le frappant contre une pierre avec le manche de sa hache ; en deux minutes, il chauffait et cassait quand on le pliait. Sanna vint lui demander s'il avait l'intention de bâtir une maison sur la Berge des Fiançailles. Le lieu avait beau être enchanteur, elle ne voulait pas passer le restant de ses jours dans les lointaines forêts inhabitées d'un État étranger. Ce serait bien sûr merveilleux de vivre ensemble en pleine nature, mais l'Étang aux Rennes lui manquait.

Jalmari Jyllänketo s'interrompit un instant pour expliquer qu'il n'avait pas l'intention de s'installer là, même s'il était parfaitement capable de bâtir une maison, surtout maintenant qu'il avait des haches. L'idée était de construire avec le bois de l'estacade un gigantesque radeau sur lequel ils pourraient descendre la rivière jusqu'à des régions habitées. Il avait abattu des arbres pour faire des traverses et coupait des câbles afin d'assembler les grumes en une plate-forme de cinq mètres de large sur dix de long. Le travail avait déjà bien avancé.

Sanna applaudit le projet. Quel fiancé intelligent et efficace elle avait ! Mais pourquoi voulait-il construire un radeau aussi grand, ils n'étaient que deux, ne pouvaient-ils pas se contenter de moins ?

« Je pensais embarquer le Cessna. Là-dessus, ce sera possible. Ce serait dommage de laisser rouiller dans les tourbières un appareil de ce prix. On a toujours besoin d'un avion chez soi. »

Sanna admit que Jalmari, en tout cas, avait toujours besoin de toutes sortes d'appareils.

Jusque tard dans la soirée, l'inspecteur principal fit rouler des grumes dans le planiol de la rivière pour les amener, au fil de l'eau, jusqu'à la plage où il avait l'intention d'assembler le radeau. Là, il les attacha aux bouleaux de la berge avec des câbles, afin que le courant ne les emporte pas. C'était un dur travail et, malgré l'aide de Sanna, l'obscurité se fit avant qu'il n'ait fini. Épuisé, il se dévêtit et alla se baigner. Une fois rhabillé, il alluma pour la nuit le feu qu'il avait préparé et rejoignit Sanna pour dîner. Puis ils se couchèrent sur l'odorante couche de feuilles. De petites flammes rougeoyaient entre les deux troncs de pin, les réchauffant assez pour qu'ils ne regrettent pas d'être démunis de sacs de couchage ou autres couvertures.

Malgré les fatigues de la journée, le sommeil tardait à venir. Les fiancés restèrent là à regarder danser le feu, bercés par le grondement des rapides. La lointaine silhouette des monts s'estompait dans l'obscurité, des étoiles s'allumèrent dans le ciel d'un noir de plus en plus profond.

«Ce squelette de soldat me fait peur», murmura Sanna.

Jalmari lui assura qu'il n'y avait rien à craindre de Russes morts. Même vivants, ils n'avaient pas réussi à coller la frousse aux Finlandais, pendant la guerre, alors qu'ils étaient des millions, et bien décidés à leur tomber dessus à bras raccourcis pour les trucider. L'inspecteur principal était conscient de s'exprimer crûment, mais il avait parfois envie de parler comme un homme, sans compter qu'il n'était réellement pas peureux de nature, il le savait et en était satisfait.

Inspirée par le bruit des rapides, Sanna voulut soudain savoir, s'ils réussissaient à rentrer à l'Étang aux Rennes, si Jalmari aimerait qu'ils construisent leur logis au bord de la Harlière ou ailleurs. Le domaine avait aussi des droits sur la rivière toute proche. Ce serait merveilleux de vivre dans une maison en bois dont les fenêtres donneraient d'un côté sur les rapides du Muonio et de l'autre sur les hauts sommets de l'Ylläs et du Pallas qui se dressaient à l'horizon, encore plus majestueux que les monts visibles à l'est de la Berge des Fiançailles. Jyllänketo fut pris au dépourvu, il n'avait pas encore réfléchi à la manière dont il organiserait sa vie professionnelle dans la police, ni à la possibilité de vendre son studio pour s'installer dans le Nord.

«Je veux un immense séjour, une vraie salle de ferme, avec dans un coin une grande cheminée et un four à pain. Deux ou trois chambres, il faut bien prévoir de la place pour les enfants, et dans la nôtre de jolis rideaux bleus dans un lourd tissu de lin, mais surtout pas de motifs à fleurs criards.»

Jalmari commença lui aussi à faire des projets pour leur vie au bord des rapides du Muonio. Il pourrait participer au chantier, comme grouillot, et veiller en même temps à ce que tout soit fait dans les règles de l'art. La compétence des charpentiers était essentielle. On construirait dans la cour un hangar à machines, et une petite serre, pour rester dans l'horticulture. L'hiver, on irait travailler à l'Étang aux Rennes en motoneige, et l'été en barque ou en Harley-Davidson. Quand des enfants naîtraient, il faudrait ajouter un side-car à la moto.

34

Les conseillers aux mines emprisonnés dans la roche

Ilona Kärmeskallio gérait à sa manière les champignonnières du lac Sauvage. Cela faisait deux jours que les conseillers aux mines avaient été capturés. Les effets personnels des condamnés aux travaux forcés avaient été triés et lavés, et les principaux objets qu'ils possédaient inventoriés. La patronne de l'Étang aux Rennes décida qu'il était temps de libérer les femmes. Elles furent emmenées en camion à la maison des kolkhoziens. De tristes créatures au visage noirci, engoncées dans d'inconfortables combinaisons, sautèrent de la bétaillère conduite par Hihna-aapa. Sans maquillage et habillée de vêtements de travail masculins, même la femme la plus racée n'est guère séduisante. Moralement, les malheureuses étaient anéanties. Elles pensaient déjà devoir moisir toute leur vie dans les entrailles de la mine et n'arrivaient pas à croire qu'elles avaient retrouvé l'air libre. Un emprisonnement dont on ne sait pas combien de temps il doit durer, ni même s'il prendra fin un jour, est terriblement difficile à supporter. Il brise en un rien de temps les caractères les mieux trempés.

Les secrétaires, épouses et maîtresses furent envoyées au sauna, puis on leur rendit leurs propres vêtements. On les installa dans des logements collectifs situés en bordure de l'aéroport de l'Étang aux Rennes, entourés d'une haute clôture de barbelés et gardés par quelques sentinelles. Le lendemain matin, on les envoya, munies de serfouettes et de herses à main, arracher les mauvaises herbes dans les cultures maraîchères. Afin qu'elles se croient dans le Savo, on affecta à leur surveillance rapprochée la professeure et hôtesse de l'air Emma Oikarinen. Celle-ci s'acquitta volontiers de la tâche. On lui avait confié un fusil à deux canons, mais quand même pas de munitions.

«À ch'te eûre, mès bèlès dames èt dëmwasèles, j'vous consèye d'vous mète à sarcleu l'têre dë l'patrîe!» leur intima-t-elle, l'arme fermement pointée, de toute évidence ravie des humiliations imposées à ces privilégiées.

Mais le soleil brillait et un doux vent de fin d'été caressait le visage des pauvres femmes durement éprouvées, que les propos malsonnants de la vieille Savolaise ne blessèrent pas outre mesure. L'essentiel était que leur terrifiant emprisonnement dans la mine soit terminé, au moins pour l'instant. Leur seul souci était de savoir comment leurs patrons, dans les sinistres galeries de la champignonnière, se débrouilleraient sans leur consolante présence.

Au fond de la mine, les hauts dirigeants économiques trimaient comme des bagnards. On les avait répartis en trois équipes, selon les variétés de champignons : les PDG de Nokia, Metra, Rautaruukki, Kemira et Merita cultivaient des agarics, ceux d'UPM-Kymmene, Pohjola, Orion, Sampo et Enso des shiitakes et ceux d'Outokumpu, Valmet, Neste et Raisio des pleurotes. Chaque groupe avait son propre gardien, qui remplissait aussi les fonctions de tuteur et de contremaître. C'étaient de grands costauds taciturnes aux méthodes d'enseignement brutales : lorsqu'un conseiller aux mines ne comprenait pas tout de suite comment sarcler le fumier, il se faisait abreuver d'insultes en savolais et donner un cours de rattrapage à coups de poing. Ramasser et emballer les champignons exigeait une certaine dextérité, et rares étaient les PDG habitués à faire preuve dans leur travail d'autant de minutie et d'attention. Il fallait savoir choisir des spécimens de la bonne grosseur, les cueillir avec précaution, couper avec soin la base du pied et les disposer joliment, chapeau vers le haut, dans des caisses en carton. Il fallait tout particulièrement veiller à éliminer toute saleté — terre, filaments de mycélium ou boues de la mine. Les contremaîtres vérifiaient le résultat et, d'innombrables fois, renversaient sur le sol de l'atelier les shiitakes et les pleurotes emballés à grand-peine, obligeant les conseillers aux mines à les ramasser et à tout recommencer. C'était humiliant, mais ils devaient ravaler leur colère et obéir tels des esclaves.

Les patrons de Nokia, Merita et Valmet devinrent vite des coupeurs et trieurs compétents, ils possédaient une dextérité innée et s'appliquaient à la tâche. Ils étaient à juste titre fiers de leurs performances. La plupart des prisonniers s'habituèrent au fil du temps à leur exigeante besogne, mais pas tous. Les dirigeants de Pohjola et d'Enso, surtout, avaient des difficultés : leurs gestes étaient malhabiles et, au début, ils jetaient les champignons en vrac dans les cartons, où l'on retrouvait de la terre et d'autres saletés. La qualité de leur travail ne répondait pas aux normes. Encore et encore, ils replaçaient les shiitakes dans leurs caisses. La sueur au front, les mains tremblantes de fureur, les lèvres pincées, ils faisaient de leur mieux, mais l'apprentissage était terriblement lent. À force d'efforts, pourtant, ils finirent par maîtriser cette tâche délicate entre toutes.

Un patron reste un patron, même en enfer : les conseillers aux mines avaient droit à plus de nourriture que les criminels enfermés à d'autres niveaux, Ilona Kärmeskallio en avait pris soin. Une fois par jour, ils étaient autorisés à se défaire de leur combinaison et à prendre une douche chaude dans une galerie réservée à cet effet, à l'extrémité de laquelle se trouvait un dortoir avec des lits superposés en acier tubulaire, équipés de matelas et de couvertures. Les journées de travail duraient seize heures et n'étaient interrompues que par deux pauses pour les repas. Si un for-çat se plaignait d'être malade, on le condamnait à rester alité à l'infirmerie, seul, à regarder les parois rocheuses, déprimé et impuissant, sans qu'aucun médecin vienne soulager ses maux, ni aucune infirmière en blouse blanche prendre sa température. Se sentant vite guéri, le patient reprenait sans tarder sa place parmi les autres.

Le petit déjeuner se composait de pain et de tisane : des herbes aromatiques infusées dans un seau d'eau avec une livre de sucre, accompagnées de galettes de seigle séchées, disponibles à volonté.

Aucune nouvelle du monde extérieur ne parvenait au fond de la mine. Pas de journaux éco-nomiques, pas de radio, pas de télévision, pas de téléphone. En un sens, le travail dans les champi-gnonnières constituait un antidote à la pression des décisions prises sans relâche pendant des années par les PDG. Ici, on ne voyait aucune différence entre le jour et la nuit, il n'y avait ni lever ni coucher du soleil. Les fluctuations de la bourse ne se faisaient pas sentir sous la pierre, leur violence n'ébranlait pas la roche mère.

Les difficultés d'adaptation étaient nom-breuses. Certains conseillers aux mines éprou-vaient de telles angoisses qu'ils avaient la peau gercée et couverte d'hématomes à force de se gratter. D'autres parlaient de se suicider, beau-coup rédigeaient leur testament, qu'ils lisaient parfois à leurs camarades en demandant que leurs dernières volontés soient transmises oralement aux juristes de leur entreprise afin qu'ils les transcrivent, si quelqu'un revoyait un jour la surface. Personne ne souffrait d'insomnie, le travail était épuisant et le temps libre si rare qu'on l'utilisait de préférence pour se reposer. Malgré les circonstances, les PDG dormaient bien et avaient bon appétit. Ils songeaient également que les ouvriers menaient peut-être toujours une existence aussi difficile. Ils avaient certes tous entendu parler des conditions de vie du prolétariat et des exclus de la société, et lu des ouvrages sur la question, l'un d'eux avait même pendant ses études tâté d'un travail physique en ratissant pendant ses vacances les allées d'un cimetière, mais ils avaient maintenant l'occasion de ressentir dans leur chair ce à quoi ressemblait une telle existence. Une précieuse expérience, en un sens, mais rares étaient ceux qui souhaitaient la poursuivre plus longtemps qu'ils n'y seraient contraints.

On a souvent constaté que les condamnés à mort, dans leur cellule, entreprennent dans les derniers jours de leur vie les activités les plus étranges : certains écrivent des lettres qui ne seront jamais postées, d'autres font de la gymnastique, alors qu'il importe peu, à ce stade, que leur corps soit musclé ou pas, d'autres encore se mettent à rédiger des études scientifiques dont une seule chose est sûre, c'est qu'elles ne seront pas publiées du vivant de leur auteur.

Les hauts dirigeants finlandais décidèrent de tenir la conférence prévue à Montevideo. Dès que leur journée de travail était terminée et qu'ils étaient autorisés à regagner leur dortoir après un passage sous la douche, ils tentaient de se rappeler le détail du programme du sommet. Ils élurent un président et un secrétaire de séance et se mirent à l'œuvre. Chacun son tour, ils exposèrent leurs vues sur les problèmes de la Finlande et de l'économie mondiale. Ils s'aidaient pour cela des discours qui avaient réellement été rédigés à leur intention au siège de leur entreprise en vue de cette réunion uruguayenne, dont un nombre étonnamment élevé d'entre eux se rappelaient le contenu. Ils parlaient sans notes. Leur esprit n'avait jamais été plus lucide. Ils avaient maintenant le temps de réfléchir, et les problèmes économiques, vus des profondeurs de la roche, semblaient en un sens extrêmement simples et secondaires.

35

Message de Montevideo
au constructeur de radeau

Sur la Berge des Fiançailles, les campeurs se réveillèrent tôt. Malgré la brume qui flottait au-dessus de la rivière, ils allèrent se baigner. Jalmari remarqua que Sanna portait autour du cou un pendentif d'un noir brillant. C'était une lourde pierre ovale percée d'un trou dans lequel on avait passé un fin lacet de cuir. Le sombre caillou, entre ses seins blancs, ressemblait à un talisman. D'où provenait ce grossier bijou ? Sanna l'ôta et le glissa dans la poche de son pantalon. Elle n'avait pas l'intention de lui en raconter l'histoire.

Après un petit déjeuner de galettes d'orge et de lavarets salés, avec de l'eau pour boisson, l'inspecteur principal retourna plein d'énergie à son chantier. Il fit rouler les dernières grumes dans le planiol et commença à assembler le radeau. Il fallait par moments, pour cela, se tenir dans l'eau jusqu'à la ceinture, mais la rivière n'était pas encore trop froide. Sanna vint aider son fiancé et, ensemble, ils disposèrent côte à côte les plus

grandes pièces de bois. Puis Jalmari plaça dessus des traverses. Il en glissa d'autres, identiques,
sous le radeau. Leurs extrémités dépassaient de
la rangée de grumes et il put ainsi les brêler solidement à l'aide de câbles, donnant à la plate-
forme tenue et rigidité.

Sanna trouvait le travail épuisant et le résultat
surdimensionné. Ne serait-il pas plus prudent de
suivre simplement la rive à pied? Jalmari déclara
que pour lui il n'en était pas question, on risquait
de se heurter par endroits à une végétation inex-
tricable, et comment franchirait-on les affluents,
avec les bagages?

«Et si on partait vers l'amont? C'est bien par
là qu'est la Finlande, non?»

Cette solution avait ses avantages, mais plus
on approcherait des sources de la rivière, plus les
berges seraient broussailleuses et le cours d'eau
sinueux, jusqu'à disparaître dans les marécages
de la ligne de partage des eaux. Et ensuite? Si on
se dirigeait droit vers l'ouest en s'orientant grâce
au soleil, on se trouverait vite dans le no man's
land où patrouillaient les gardes-frontières russes
— si on ne finissait pas avant perdu dans la forêt
ou noyé dans un marais sans fond. Et si l'on se
heurtait à eux, on risquait de prendre une balle
dans la tête ou pour le moins de se faire déchi-
queter les fesses par leurs féroces chiens-loups.

Vers midi, alors qu'ils déjeunaient sur la Berge
des Fiançailles, ils reçurent un appel de l'Étang
aux Rennes. Jalmari interdit à Sanna de rien
dire de précis sur l'endroit où ils se trouvaient,

afin de ne pas déclencher d'inutiles opérations de secours. La jeune femme indiqua à sa mère qu'ils avaient sans doute atterri du côté du cours supérieur de la Nota, de la Tuntsa ou du Nuortti. Ils avaient dressé un camp et construisaient un gigantesque radeau sur lequel ils avaient l'intention de descendre la rivière vers des régions habitées.

«Tout va bien, vous avez le bonjour de Jalmari!»

L'inspecteur principal brancha le téléphone sur son ordinateur et le laissa allumé. Il reçut presque aussitôt un message de Jaakko Kylmäsaari, en provenance de Montevideo : seul un PDG finlandais était arrivé en Uruguay. L'enquêteur se demandait où étaient passés les autres. On attendait au total une trentaine de Finlandais, mais il n'avait pu entrer en contact qu'avec un seul.

Kylmäsaari se désolait de ce maigre résultat, qu'il n'avait d'ailleurs pas obtenu sans mal. Il avait attendu dans la touffeur de l'aéroport tous les vols en provenance de Francfort, mais en vain. Les jours avaient passé et pas un Finlandais n'avait débarqué d'Europe.

«Je voulais t'envoyer un fax pour te demander ce qui coinçait. Mais je n'ai pas réussi à te joindre, et on m'a dit à Helsinki que des grands patrons étaient bien partis de là-bas pour assister à une conférence. J'ai lu les journaux et écouté la radio pour savoir si des avions s'étaient écrasés, mais non. Ou j'ai raté quelque chose ? Je dois quand même dormir de temps en temps, et puis les gens commençaient à se demander ce que je faisais à l'aéroport. On me tenait à l'œil et j'ai eu peur qu'ils me jettent en taule. J'ai été obligé d'embaucher deux lascars pour surveiller les passagers en provenance d'Europe, et finalement ils m'ont appelé à mon hôtel pour me dire qu'un type était arrivé. Il s'appelle Laaksovirta et il est PDG de la société Kajaani.»

Kylmäsaari avait pris contact avec Laaksovirta, qui était descendu au Sheraton. Il l'avait abordé dans le hall et s'était présenté comme un espérantiste finlandais en préretraite qui faisait le tour du monde et avait fait escale à Montevideo pour y faire la connaissance d'Uruguayens partageant la même passion. Il en avait d'ailleurs réellement rencontré et avait visité la ville en leur compagnie.

Le rapport se poursuivait par une description dithyrambique de Montevideo. Kylmäsaari avait promené sa caméra sur la Plaza de la Constitución, dans le centre de la vieille ville; il avait vu d'innombrables statues équestres, des touristes japonais occupés à la même chose que lui — ils s'étaient filmés les uns les autres en riant aux éclats —, de longues avenues rectilignes et des gratte-ciel, des installations portuaires, de hautes montagnes gris-bleu et des ruelles étroites grouillant d'autant de monde qu'un bazar oriental. L'enquêteur avait été charmé par le Rio de la Plata et les belles femmes aux cheveux noirs qui se promenaient en jupes courtes en ondulant des hanches. De la musique au rythme sauvage résonnait partout et à toute heure. Il y avait aussi un quartier neuf centré autour de l'artère principale de la ville, l'Avenida del 18 Julio, dont la limite était marquée par le magnifique Palacio Salvo. Le Sheraton de seize étages où logeait Laaksovirta se trouvait dans le quartier des grands hôtels, en bord de mer, non loin de la Rambla Sur. Kylmäsaari y avait bien entendu suivi le conseiller aux mines et avait vérifié le numéro de sa chambre et d'autres renseignements utiles.

«Il a l'air nerveux et perdu comme le Petit Poucet dans la forêt. Pour le reste, tout va très bien! J'ai pris deux kilos et filmé toute la ville. Je te montrerai mes prises de vues quand on se verra.»

Le message était long mais ne contenait pratiquement rien d'intéressant. L'inspecteur principal, en revanche, envoya un rapport concis au directeur adjoint de la Sécurité nationale:

«Jyllänketo d'Uruguay. Les conseillers aux mines sont arrivés. Il y a eu un changement d'hôtel. Kylmäsaari reste dans la capitale, je pars avec les PDG dans la pampa.»

Après avoir vérifié l'accusé de réception de la rue de la Voie-Ferrée, il retourna à son chantier sur les bords du planiol de la rivière inconnue.

Le soir, quand le radeau fut prêt, Sanna lui demanda comment il avait l'intention d'embarquer l'avion contraint de se poser dans la tourbière. Comptait-il le démonter et le charger en pièces détachées? Les ailes l'une après l'autre, le fuselage, le train d'atterrissage et ainsi de suite, mais le moteur ne pesait-il pas trop lourd, et où pensait-il trouver des outils pour dévisser les milliers de vis et de boulons? Avait-il l'intention de débiter le biplan en morceaux à la hache? Ou se proposait-il de le hisser directement sur le radeau quand il passerait à sa hauteur?

À ces questions ironiques, Jalmari Jyllänketo répondit qu'il chargerait le Cessna sur le radeau de la manière la plus naturelle pour un avion:

«Par la voie des airs.»

36

Embarquement de l'abri
et de l'avion sur le radeau

Le lendemain matin, Jalmari Jyllänketo termina l'assemblage du radeau : il serra les brêlages de l'extrémité des traverses supérieures et inférieures et vérifia les câbles qui les maintenaient solidement attachées aux grumes. Le bois de ces dernières était sec et l'ensemble flottait comme un bouchon. Sanna démonta l'abri, porta les montants et les branches de sapin sur le radeau, cueillit plusieurs brassées de feuillage frais pour le matelas. Puis ils chargèrent les bagages : valise, ordinateur, haches, cassots de mûres jaunes et autres provisions.

Il était temps de partir à l'aventure. À l'aide de solides perches en bouleau, ils manœuvrèrent pour s'écarter de la rive et se laisser porter par les flots. Le radeau tourna majestueusement pour se placer dans le fil du courant, tel un lourd bateau fluvial. Il vogua d'abord lentement, mais prit bientôt de la vitesse. Arrivés sur les lieux de l'atterrissage forcé, Jalmari et Sanna guidèrent l'embarcation vers la berge. Ils durent déployer toutes leurs forces, la solide plate-forme de dix mètres de long sur six de large pesait plusieurs tonnes, et le courant était rapide.

Une fois le radeau amarré, Jyllänketo entreprit de fabriquer une pelle en bois. Il abattit un gros pin et coupa du côté du pied un billon d'un bon mètre de long qu'il débita en planches. Dans la plus large, il tailla un outil pouvant servir de bêche qu'il utilisa pour enlever les mottes qui gênaient le passage des roues de l'avion. Il dégagea un chemin devant chacune d'elles puis monta dans le cockpit, démarra et roula doucement vers la rivière. La berge était sablonneuse, à cet endroit, et il fut facile d'y creuser pour le train d'atterrissage des sillons menant droit au radeau. Jyllänketo utilisa la terre qu'il avait enlevée pour combler l'intervalle entre les rochers de la rive et le radeau. Il y ajouta de la tourbe et des branchages pour consolider l'ensemble. Il combla aussi avec de la tourbe les interstices entre les grumes et recouvrit le tout de sable et de graviers. La surface devait être plane, sinon les roues de l'appareil risquaient de se coincer entre les grandes billes de bois.

Sanna regardait travailler son fiancé tout en cueillant des champignons au bord du sentier tracé par les rennes. Quel homme agréable et énergique ! Elle ne risquait pas de s'ennuyer avec lui. Il était fou, bien sûr, comme la plupart des mâles, mais sa folie était saine. Elle avait des frissons dans le bas-ventre en pensant aux aventures dans lesquelles il l'avait entraînée, et ce n'était pas fini !

Au bout du compte, l'embarquement de l'avion se déroula avec une facilité déconcertante. Une fois les préparatifs terminés, Jyllänketo retourna dans le cockpit, lança le moteur et roula au pas, sur la piste en pente douce aménagée dans le sable de la berge, vers le radeau qui attendait sur l'eau. Le Cessna dodelinait et tremblait tandis qu'il descendait, l'avant pointé vers le sol, mais, arrivé au bas du talus, sa queue s'abaissa, il releva le nez et monta à bord avec l'agilité d'une poule grimpant sur son perchoir. Le pilote coupa le moteur et sortit de la carlingue. Il attacha solidement le train d'atterrissage aux grumes, tirant des câbles dans plusieurs directions. Le biplan reposait maintenant sur la plateforme de bois comme si elle avait été faite pour lui — transformé en hydravion, aurait-on pu dire, même si le flotteur était un peu lourd.

Pour fêter ce succès, Jyllänketo s'accorda une cigarette. Puis il installa leur abri à l'autre bout du radeau. Sanna le garnit d'un lit de feuillage. Tout était prêt pour le départ, mais il valait mieux attendre midi, car on ne pouvait pas être certain que le téléphone fonctionnerait encore par la suite. L'inspecteur principal en profita pour débiter en bûches le pin qu'il avait abattu pour se fabriquer une pelle et en porta plusieurs brassées sur le radeau. À l'extrémité de ce dernier, il disposa un mètre carré de tourbe qu'il recouvrit d'une couche de sable de cinq centimètres d'épaisseur, afin de pouvoir y faire du feu. Sanna prépara des sandwiches à la viande de renne, puis le téléphone sonna : il était midi.

L'horticultrice apprit à sa mère que le radeau était prêt et l'avion chargé à bord. Il flottait parfaitement, Jalmari était vigoureux et habile. Ilona répondit sans doute par un commentaire critique, car Sanna se fâcha :

« Ne dis pas ça, maman. D'ailleurs je voulais te dire que nous sommes fiancés, pour ta gouverne. »

Elle raccrocha et jeta le téléphone, heureusement pas dans les flots, mais dans le sable de la berge. Jalmari alla le récupérer et le ralluma. Il sonna aussitôt, et Ilona Kärmeskallio s'excusa de ses propos. Son futur gendre lui annonça qu'ils allaient maintenant descendre la rivière au fil de l'eau, et qu'il espérait que son mariage serait comme leur voyage, impétueux et sans écueils. Inutile de téléphoner avant au moins une semaine, ils se dirigeaient vers l'est, hors de portée des antennes-relais finlandaises.

Il passa l'appareil à Sanna, qui se réconcilia avec sa mère. Après de tendres adieux, elle coupa la communication. Ils larguèrent les amarres et poussèrent le radeau dans le courant. Il vogua bientôt majestueusement au fil de l'eau, à égale distance des deux berges. Le spectacle était à coup sûr curieux, vu de la rive : une massive embarcation de plus de dix mètres de long, avec d'un côté un abri recouvert de branches de sapin et de l'autre un biplan, et un couple pour équipage. L'homme était couché dans la cahute, seuls ses pieds dépassaient, tandis que la femme, assise sur l'aile de l'avion, regardait défiler le paysage.

Ils naviguaient depuis à peine une demi-heure quand le téléphone sonna. C'était d'ailleurs ce qu'attendait l'inspecteur principal. C'était à nouveau un interminable rapport de Jaakko Kylmäsaari, qui avait fait plus amplement connaissance avec le conseiller aux mines qu'il avait trouvé. Ce dernier lui avait raconté avoir parcouru la moitié du globe pour participer à une conférence, mais avoir perdu tout contact avec le reste des participants et errer maintenant seul, à attendre que les organisateurs lui fassent signe. Sa secrétaire avait elle aussi disparu et en Finlande personne ne savait rien sur rien. Laaksovirta était donc heureux de pouvoir bavarder avec un compatriote. Ils avaient passé la soirée dans un agréable recoin de la salle à manger climatisée, autour d'un dîner offert par le PDG. Celui-ci se demandait où les autres dirigeants économiques avaient bien pu passer. Il avait envoyé un fax à la Fédération du commerce extérieur de Finlande pour demander de leurs nouvelles, mais personne n'avait pu le renseigner, on lui avait juste conseillé d'attendre tranquillement.

L'inspecteur Jaakko Kylmäsaari avait cru comprendre que les participants au sommet avaient décidé de changer d'hôtel — il n'avait d'ailleurs pas trouvé celui prévu dans l'annuaire, ce devait être un nouvel établissement — et s'étaient retirés dans un lieu inconnu où ils seraient sûrs de ne pas être dérangés dans leurs travaux. Laaksovirta s'était déclaré soulagé, dans un sens, de ne pas avoir à perdre son temps à bavarder avec ses collègues. Il en avait plus qu'assez, depuis le temps, de ses concurrents et amis. À Montevideo, il devait être possible de trouver plus intéressant à faire que de rester assis dans une salle de réunion à rabâcher des évidences.

Laaksovirta en était venu à suggérer de louer un bateau, le lendemain matin, pour se détendre et admirer le paysage sur le Rio de la Plata. Ils avaient ainsi fait une promenade fluviale. L'espérantiste et le conseiller aux mines s'étaient prélassés dans un gros hors-bord cabossé conduit par un docker uruguayen. La journée était belle mais, caressés par un doux vent marin, ils n'avaient pas souffert de la chaleur. Leur pilote leur avait servi des bières tenues au frais dans une glacière et avait commenté la visite : le port, la ville qui se dressait plus loin, les montagnes gris-bleu à l'horizon.

Dans la soirée, ils étaient allés manger de gros steaks et boire de la bière dans un café du bord de mer. Vers minuit, le conseiller aux mines avait remercié son compatriote pour cette agréable journée et était rentré à son hôtel. Il pensait prendre contact avec la Chambre de commerce d'Uruguay et la succursale de Montevideo de la Banque interaméricaine de développement. Il pouvait être intéressant de discuter d'une éventuelle coopération de l'industrie finlandaise du bois avec des partenaires uruguayens. Il y avait sûrement ici d'immenses forêts tropicales qui n'attendaient que d'être abattues. Avant de se retirer, Laaksovirta avait payé la note. Ils s'étaient promis de rester en contact, de se téléphoner.

« Ce que je me demande, c'est si on m'a envoyé en Amérique latine pour protéger cet unique PDG. Ça va revenir cher à l'État, cette surveillance individuelle à l'autre bout du monde. »

L'inspecteur principal Jalmari Jyllänketo tapa une réponse : « Continue à tenir Laaksovirta à l'œil et ne reviens pas en Finlande avant lui. Tu peux oublier les autres gros pontes. »

Il envoya aussi un bref message à la Sécurité nationale : « La conférence d'Uruguay se déroule comme prévu, sans aucun problème. Les PDG sont en bonne santé et en sécurité. Rapport final dans une semaine. »

37

Aventures heureuses
sur la rivière indomptée

Manœuvrer le grand radeau lourdement chargé dans le courant impétueux exigeait une certaine technique. Il fallait apprendre à prédire les effets des remous engendrés par les méandres de la rivière et le maintenir à la perche au centre du courant, en prenant appui sur le fond ou sur les berges, afin qu'il ne les heurte pas et que les ailes de l'avion ne s'accrochent pas dans les arbres des rives. Sanna et Jalmari apprirent vite à connaître les caprices de l'eau. L'un se plaçait à l'avant, l'autre à l'arrière. À deux, diriger l'embarcation n'exigeait pas d'efforts surhumains. Leurs fiançailles semblaient placées sous d'heureux auspices. Embarqués sur le même bateau, ils se complétaient avec naturel.

Le signal du réseau cellulaire faiblit avant de disparaître, trois heures après leur départ. En se basant sur la vitesse estimée du courant, Jyllänketo calcula qu'ils avaient dû parcourir environ quinze kilomètres depuis la Berge des Fiançailles. Ils étaient maintenant à coup sûr en Russie. Le téléphone s'était tu, mais pas les fiancés. Ils s'embrassaient, plaisantaient, se racontaient leur vie. Jalmari évoqua son enfance en Carélie du Nord, son travail de stagiaire dans un journal à Joensuu, ses études et ses jobs d'été dans un bureau, mais laissa la parole à Sanna avant d'en arriver à sa carrière professionnelle. Un agent de renseignements ne ment pas, il passe sous silence les questions secondaires et ne souffle jamais mot des plus importantes, sur lesquelles il constitue en revanche des dossiers. Avec l'ordinateur, c'est devenu facile. Les listes d'arrestations, même interminables, s'impriment en quelques minutes. En des temps troublés, c'est un grand avantage.

Sanna parla de son vrai père, l'entrepreneur en bâtiments Rauno Saarinen, qui avait construit la laiterie de Kemijärvi, l'internat pour jeunes adultes d'Ylitornio et la tribune principale de l'hippodrome de trot de Käpylä, à Helsinki. C'était un homme violent et cruel, véritablement effrayant, et la jeune femme ne voyait rien d'étonnant à ce que sa mère l'ait tué. Il était d'une jalousie si morbide qu'il tenait parfois sa femme enfermée à la maison pendant des semaines. Quand Ilona, à l'époque où elle était institutrice, faisait cours à ses élèves, il lui arrivait de faire irruption dans la classe comme s'il était inspecteur d'académie, de s'asseoir pour écouter et d'exiger pendant la récréation qu'elle s'explique sur ses moindres gestes. C'était de toute évidence un malade mental qui avait besoin d'être soigné, mais personne n'avait osé emmener de force à l'hôpital cet homme de haute taille à l'air sinistre et brutal que tous craignaient dans la région. Sanna préférait ne pas penser à ces épouvantables moments. Rauno Saarinen avait aussi quelques bons côtés, c'était un excellent skieur et un haltérophile de talent.

«Tu trouveras peut-être ça bizarre, mais j'aimerais aller un jour sur sa tombe, pour lui pardonner, à défaut d'autre chose. C'était quand même mon père.»

La rivière était maintenant plus large et plus calme. Les monts que l'on apercevait plus tôt avaient disparu, de nouveaux sommets gris-bleu se dessinaient au nord-est. Le radeau voguait paisiblement au fil du courant. Il n'y avait pas un souffle de vent, le ciel était voilé et plus aucune hirondelle de rivage ne voletait dans les parages, tandis que les premières mouettes avaient fait leur apparition. On ne voyait toujours pas d'habitations, juste d'anciennes prairies naturelles et quelques granges presque effondrées, ou parfois la trace d'un feu de camp sur la berge, quelques perches plantées pour faire sécher des filets.

Quand vint la nuit, un mince croissant de lune monta dans le ciel. Un brouillard froid se forma au-dessus de la rivière. L'inspecteur principal alluma à l'avant du radeau un feu dont les étincelles tombaient joliment en gerbe dans l'eau. Les ailes du biplan projetaient de gigantesques ombres dansantes sur l'onde transparente, on voyait sur le sable du fond passer de gros poissons. Sanna et Jalmari dînèrent, puis s'étendirent sous l'abri comme sur la Berge des Fiançailles. Ils s'endormirent, heureux, à la lueur du feu crépitant, pour ne se réveiller qu'au petit matin, quand le radeau heurta un banc de gravier. L'avion tressaillit et tous deux sursautèrent, soudain aux aguets. Le feu s'était éteint, l'aube jetait ses premières lueurs sur le paysage. Ils se trouvaient dans un vaste planiol, échoués au confluent de deux cours d'eau. Leur rivière en avait rejoint une autre. Jalmari raviva les flammes et Sanna prépara le petit déjeuner : elle fit griller du renne fumé sur une pique et tartina quelques galettes d'un mélange de champignons. Ils étaient engravés, mais pas inquiets. Ils se sentaient en confiance, comme une famille ayant vécu de nombreuses aventures.

Jalmari tenta de remettre le radeau à flot en poussant sur une perche mais, malgré l'aide de Sanna, ses forces n'y suffirent pas. Ils restèrent à attendre le lever du jour. Peut-être le vent se mettrait-il à souffler et les déséchouerait-il ? Mais le temps était calme. Le soleil monta dans le ciel, le fuselage et les ailes en aluminium de l'avion émettaient de petits bruits métalliques en se réchauffant sous ses rayons. Les fiancés essayèrent leur téléphone. Il resta muet, bien que la charge de la batterie fût encore suffisante. Ils se baignèrent dans la rivière. Quelle sensation merveilleuse !

Une fois rhabillé, Jalmari monta dans le cockpit du Cessna et mit le moteur en marche. Il ordonna à Sanna de venir se mettre à l'abri à ses côtés, afin d'éviter tout accident. Le puissant souffle de l'hélice fit trembler l'assemblage de grumes et secoua l'abri, les câbles se tendirent tels les nerfs d'un conseiller aux mines. Le pilote augmenta les gaz et d'un coup le radeau se détacha du banc de sable, fut repris par le courant, vira d'un mouvement majestueux et passa devant l'embouchure de l'affluent pour voguer vers l'aval. Jalmari éteignit le moteur et alla s'asseoir avec Sanna sur les ailes supérieures du Cessna. Ils se prirent la main, par-dessus le fuselage, et éclatèrent de rire, soulagés. Il est toujours bon d'avoir un avion pour se désengraver, surtout sur les rivières arctiques.

Dans le silence du matin, on entendit soudain le grondement de rapides. Reprenant aussitôt leur sérieux, les fiancés se saisirent de leurs perches pour tenter de diriger le radeau vers la berge, mais le cours d'eau était maintenant si large que rien ne pouvait dévier la lourde embarcation de sa course obstinée vers le gouffre avide.

«Prions, Jalmari chéri!

— Prie si tu veux, je n'ai pas le temps, je dois assurer les câbles de l'avion!»

Comme les malheurs vous tombent vite dessus, et comme les instants de bonheur se font désespérément attendre! La rugissante gueule noire des rapides était déjà là, béante, et en moins de temps qu'il n'en faut pour le dire elle avala le radeau, le biplan, la cahute et l'équipage. Ils furent ballottés dans le fracas des remous comme sur une balançoire démoniaque, des vagues balayèrent le pont, le feu siffla et crépita, les ailes de l'avion tanguèrent et sa carlingue vacilla. Jalmari hurla à sa fiancée de s'accrocher aux traverses de l'avant et de ne lâcher prise sous aucun prétexte. Puis les flots desserrèrent leur furieuse emprise, les griffes du diable se refermèrent sur le vide. Ils avaient atteint le planiol, où les contre-courants charriaient des paquets d'écume de la taille d'une tête et où un brouillard froid montait de l'eau noire. Mais le cauchemar était terminé, le grondement des rapides s'atténua, le soleil ouvrit à nouveau les bras au radeau et à ses occupants. À l'abri du danger, ils reprirent leur descente de la rivière, maintenant deux fois plus large, vers une destination toujours inconnue.

Vers midi, ils débouchèrent dans un lac aux allures de fjord dont les eaux calmes semblaient s'étendre à l'infini vers le nord-nord-est. Ce n'était pas la mer, l'eau n'était pas salée. Jalmari alluma du feu et fit le ménage sur le radeau malmené par les rapides, tandis que Sanna préparait à déjeuner. Elle disposa sur des planches de pin un assortiment des meilleurs produits de l'Étang aux Rennes : viande de renne assaisonnée aux herbes aromatiques, lavarets, rillettes de saumon, salades de champignons, bouteille de Cordial aux Herbettes de l'Étang aux Rennes, galettes d'orge maintenant sèches et craquantes. Avant le repas, ils se déshabillèrent pour plonger dans les profondes eaux claires. Ils se lavèrent, nagèrent, remontèrent un moment sur la solide plate-forme de bois où Jalmari, les doigts humides, fuma une cigarette tandis que Sanna tisonnait le feu dont les flammes montaient droit dans l'air calme. Puis ils retournèrent s'ébattre dans les flots, avant d'en ressortir pour grimper dans le cockpit de l'avion, qui bientôt se mit à secouer et à tanguer comme s'il se préparait à décoller.

Enfin les fiancés s'assagirent, se baignèrent une dernière fois pour se rafraîchir et se rhabillèrent. Ils firent un repas comme ce lac en avait rarement vu. Ils étaient affamés, mais ils avaient de quoi se rassasier! Ils savourèrent leur festin pendant une heure, voire deux, puis se laissèrent tomber sur le lit de feuillage ombreux de leur abri et s'endormirent dans la chaleur des derniers jours de beau temps du merveilleux été arctique.

38

L'inspecteur principal jaloux
s'introduit dans les galeries
du lac Sauvage

Le calvaire d'Ilona Kärmeskallio prit fin quand sa fille l'appela de Mourmansk pour lui annoncer que sa malheureuse aventure aérienne conclue par un atterrissage forcé s'était bien terminée. Jalmari et elle avaient descendu la Nota jusqu'au lac réservoir de la Touloma supérieure, où ils avaient été pris en remorque par un équipage de pêche de Mourmansk. À l'autre bout de ce lac de près de cent kilomètres de long, dans la ville de Verkhnetoulomski, l'avion avait été débarqué et transporté en tracteur jusqu'à l'aéroport. Ils étaient maintenant à l'hôtel et attendaient un visa pour rentrer. Toutes les formalités avaient été réglées au consulat.

L'aviateur Pekka Kasurinen se rendit à Mourmansk par la route, sur une moto avec laquelle le couple revint à l'Étang aux Rennes tandis que lui-même y ramenait le Cessna. Le voyage était terminé. Jalmari Jyllänketo acheta des anneaux de fiançailles à l'horlogerie-bijouterie de Turtola et Ilona Kärmeskallio offrit une réception pour l'occasion.

L'inspecteur principal, contrôleur bio et aviateur Jalmari Jyllänketo, assis avec Sanna Saarinen dans la grande salle de la maison des kolkhoziens du domaine de l'Étang aux Rennes, feuilletait le quotidien régional *Lapin kansa*, dans lequel il y avait un article sur le sommet économique de Montevideo. Les participants se félicitaient de l'efficacité de l'organisation mais émettaient des doutes sur l'utilité de poursuivre l'expérience. L'horticultrice accueillit le compliment avec fierté. Les préparatifs de la conférence avaient été épuisants, mais le résultat l'avait largement récompensée de ses efforts.

Les accompagnatrices des conseillers aux mines avaient été libérées depuis déjà un moment. Elles avaient été conduites en pleine nuit à Iisalmi, dans un autocar de location, et relâchées là-bas. Les compagnes de ces messieurs étaient rentrées chez elles et leurs secrétaires étaient retournées à leur bureau pour y attendre le retour des participants au sommet de «Montevideo». Le matin du départ des PDG, Ilona Kärmeskallio avait fait jouer *Finlandia* dans les haut-parleurs de la mine et prononcé un sévère discours en patois savolais. Elle leur avait promis que cette expérience ne serait qu'un début s'ils n'en prenaient pas de la graine. Elle aurait une suite s'ils ne s'amendaient pas et ne créaient pas de nouveaux emplois. On leur avait ensuite rendu leurs vêtements et ils avaient pu prendre une douche chaude, se raser et déguster des produits de la ferme tels que galettes d'orge, poisson salé et bien sûr salades de champignons variées.

Ils avaient été transportés en avion de l'Étang aux Rennes à l'aéroport de Malmi, eux aussi de nuit. Au retour, Pekka Kasurinen et Juuso Hihna-aapa avaient ramené une dizaine de tagueurs qu'ils avaient raflés à la gare de triage de Pasila où ils peinturluraient des trains de banlieue. Ils avaient dû courir vite pour les rattraper tous, les embarquer dans un taxi monospace et les conduire à l'aéroport. Pendant quelques jours, ces jeunes gens avaient travaillé à enduire de chaux les parois rocheuses de la mine de fer.

L'automne était là et les vacances de Jalmari Jyllänketo étaient en principe terminées. Ses chefs, rue de la Voie-Ferrée, le pressaient de reprendre le travail. On aurait eu besoin de lui pour tenir à l'œil les écologistes qui s'en prenaient aux élevages de renards et autres animaux à fourrure. L'inspecteur principal avait promis de revenir au bureau dès la fin de la saison de la chasse à l'élan. Il avait été sollicité pour participer comme rabatteur aux battues des Giboyeurs du lac Sauvage.

Il s'était rendu la veille à la poste de Turtola, où il avait envoyé quelques lettres, payé des factures et adressé à l'inspecteur principal Veli-Pekka Yrjänäinen une procuration l'autorisant à pénétrer dans son appartement et à s'occuper des affaires courantes les plus urgentes. Par la même occasion, il avait rapporté plusieurs colis postaux destinés à l'Étang aux Rennes, dont un petit paquet en provenance de Suède à l'intention de Sanna. Il pesait étonnamment lourd, et tintait d'un bruit métallique.

Il est inélégant et illégal d'ouvrir le courrier de sa fiancée, mais en bon agent de renseignements, Jyllänketo ne put résister à la tentation et défit discrètement le paquet. Il contenait une demi-douzaine de bouchons de réservoir de moto. Sur chacun étaient gravés en lettres argentées des remerciements et d'affectueuses salutations à Sanna Saarinen. Jaloux, l'inspecteur principal referma le colis et le remit à la jeune femme. Elle ne fit aucun commentaire sur cet envoi. Il y avait anguille sous roche. Jylländeto se rappela la pierre noire que l'horticultrice portait autour du cou et qui l'avait intrigué lorsqu'ils se baignaient dans la rivière russe. Une fois qu'elle fut partie à son travail, il se glissa dans son appartement et le fouilla. Il trouva le pendentif, mais il n'avait rien de particulier, si ce n'est qu'il était orné d'un cœur et d'initiales. Il le renifla, le porta à son oreille, le secoua. C'était du métal noir, peut-être du minerai de fer, poli à la main. En l'examinant de plus près, il distingua sur l'envers l'inscription «lac Sauvage».

Jalmari Jylländeto était capable de tirer de ce grossier bijou les conclusions jalouses qui s'imposaient. C'était un cadeau d'un prisonnier de la mine, et les bouchons de réservoir étaient de toute évidence des souvenirs envoyés par des Hells à Sanna. Il devait descendre dans la mine pour découvrir quelle double vie sa fiancée menait en réalité et quelles étaient ses relations avec les forçats de la prison souterraine.

Le contrôleur bio et inspecteur principal Jalmari Jyllänketo demanda à Ilona Kärmeskallio s'il pouvait aller jeter un coup d'œil aux champignonnières du lac Sauvage.

«Pourquoi? Tu les as déjà visitées.

— J'aimerais voir comment se portent les gens qui y travaillent.»

La demande n'eut pas l'heur de plaire à la patronne de l'Étang aux Rennes. Elle déclara froidement qu'il n'y avait rien d'exaltant ni d'intéressant au lac Sauvage. C'était une simple mine de fer abandonnée, il le savait aussi bien qu'elle.

«J'aimerais vraiment y descendre», insista-t-il.

Ilona Kärmeskallio coupa court à la conversation en déclarant que personne n'avait le droit de pénétrer sans raison particulière dans les galeries. L'accès était rigoureusement interdit aux personnes extérieures au service, était-ce si difficile à comprendre? C'était un endroit dangereux pour ceux qui ne le connaissaient pas. Et l'hygiène exigeait que les tiers soient tenus à l'écart des cultures de champignons.

Jalmari Jyllänketo ne pouvait ouvertement braver l'oukase d'Ilona Kärmeskallio. Il était malgré tout décidé à découvrir ce qui se passait réellement sous terre. Dès la nuit suivante, il emprunta une des motos des Hells pour se rendre au lac Sauvage. La plupart d'entre eux avaient été libérés depuis longtemps, il ne restait que les cinq plus récalcitrants, et donc cinq motos. L'inspecteur principal cacha l'engin près d'un éboulis, sur les pentes du mont Rouillé, et s'approcha du chevalement de la mine. Il faisait déjà nuit et, avec la bruine qui tombait, il lui fut facile de se faufiler jusqu'à la porte principale sans éveiller l'attention du gardien, de l'ouvrir et de courir à l'ascenseur.

Il appuya sur le bouton, la cabine plongea dans les profondeurs. Le premier arrêt se trouvait à six cents mètres. On y cultivait des agarics, comme il l'avait appris lors de sa première visite à la mine, au printemps. Il n'y avait là aucun grand secret. Jyllänketo passa au bouton suivant, qui le conduisit à sept cents mètres. Il sortit de l'ascenseur et examina les lieux. Le palier était plongé dans la pénombre et il ne semblait y avoir personne, ni gardiens, ni prisonniers. L'inspecteur principal sortit son arme de service et partit explorer les galeries. Des ampoules nues pendaient à un câble électrique, espacées de quelques mètres. Dans leur lumière blafarde, il pénétra plus avant dans le labyrinthe rocheux, où l'on apercevait à une certaine distance une clarté plus vive. Une centaine de mètres plus loin, le couloir s'élargissait. Des néons aveuglants, fixés au plafond, éclairaient d'interminables rangées de bacs de culture, superposés sur plusieurs étages le long des parois. Les champignons avaient bien sûr besoin de lumière pour pousser, songea le policier, d'où les tubes fluorescents, même s'il devait sans doute exister des espèces capables de se plaire dans une totale obscurité.

À l'heure qu'il était, la main-d'œuvre — autrement dit les criminels — dormait sûrement, conclut Jyllänketo en retournant à l'ascenseur. Il en ressortit deux cents mètres plus bas, plutôt fier de lui : les agents de la Sécurité nationale étaient capables de s'introduire seuls dans n'importe quel souterrain, et un inspecteur principal n'avait pas besoin de la permission de la propriétaire pour visiter une mine.

Il explora au total quatre niveaux. À mesure qu'il s'enfonçait dans les entrailles de la roche, l'air était de plus en plus vicié. Les compresseurs qui assuraient la ventilation sur les paliers ne fonctionnaient pas, on ne les utilisait sans doute que quand les prisonniers étaient au travail. L'immense mine dormait et seul l'ascenseur faisait un boucan du diable chaque fois qu'il descendait d'un étage, toujours plus bas, vers les abîmes de l'enfer.

Enfin Jyllänketo parvint au fond de la mine, à plus d'un kilomètre sous terre. Il descendit de la cabine, et au même moment cette dernière repartit vers la surface. Le gardien l'avait-elle appelée ? Quoi qu'il en soit, il se trouvait maintenant au niveau le plus bas. Il n'y avait pas d'autre sortie que le puits d'ascenseur. La paroi rocheuse badigeonnée de chaux s'ornait d'une sinistre maxime en lettres capitales : « LE CRIME NE PAIE PAS. »

Dans le chevalement de la mine, derrière l'atelier d'emballage des champignons, il y avait une salle de contrôle meublée d'une grande table et de six écrans de télévision, un pour chaque niveau, surveillés jour et nuit par un vigile. C'était de là que l'on dirigeait les activités de la prison hermétiquement close. Les contremaîtres faisant office de gardien étaient eux-mêmes d'anciens détenus qui habitaient dans les galeries. La nourriture et les autres produits de première nécessité étaient expédiés dans la mine par l'ascenseur, d'où les champignons remontaient par la même voie. Il y avait trois contremaîtres par niveau, parfois même quatre ou cinq. Ils pouvaient, lorsqu'ils le souhaitaient, sortir de la mine pour aller au sauna ou régler des affaires à Turtola. Leur salaire était calculé en fonction de l'abondance de la récolte. Ils avaient à l'origine été enlevés et séquestrés dans les galeries, mais, après avoir purgé la peine infligée par Ilona Kärmeskallio, ils étaient restés à y travailler, attirés par le montant de la paie. Le métier exigeait de la poigne, si l'on voulait obtenir un bon rendement des prisonniers.

Poussé par la curiosité, Jyllänketo partit explorer les galeries. Il alluma sa torche et pénétra dans la plus grande des salles qui s'ouvraient devant lui. À son plafond pendaient des ampoules électriques dépolies dans la faible clarté desquelles des ombres anguleuses se dessinaient sur la roche irrégulière du sol et des parois. L'endroit était sinistre.

En haut, dans la salle de contrôle, le vigile de permanence remarqua que l'ascenseur se promenait sans raison au milieu de la nuit d'un niveau à un autre. Il regarda l'heure et nota dans le journal de bord : « 0 h 45. Circulation erratique de l'ascenseur. Sans doute un problème électrique. Verrouillage automatique des portes de toutes les galeries actionné par précaution. »

Un ronronnement bizarre se fit soudain entendre dans la mine et une grille d'acier mue par un moteur électrique descendit à toute allure du plafond pour fermer la galerie où se trouvait Jylländketo, dans un fracas à réveiller tous les échos de la roche. L'inspecteur principal resta du mauvais côté des barreaux.

Il fut pris de panique. Un terrifiant sentiment de claustrophobie lui paralysa le corps et l'esprit. Flageolant, il s'appuya à la roche humide, conscient qu'il était en enfer, et qu'il y était venu seul sans en aviser personne. Il lui fallut plusieurs minutes pour se ressaisir, remettre de l'ordre dans ses pensées et reprendre sur la pointe des pieds son exploration de la prison souterraine, le pistolet à la main, prêt à tomber sur les pires criminels qui soient.

À ce niveau aussi, on cultivait des champignons. Au détour de la galerie, Jylländketo trouva un gros tas de rondins de bouleau dans lesquels on avait foré de tous côtés des trous de dix millimètres de diamètre. On aurait dit du bois de chauffage attendant d'être refendu, mais les bûches étaient destinées à servir de substrat pour la culture des shiitakes, une fois que des spores y auraient été introduites et que le mycélium se serait développé. Les champignons poussent en symbiose avec d'autres plantes, en général des arbres, dont ils pourrissent le tronc afin de puiser dans les cellules du bois les éléments minéraux nécessaires à leur croissance. Il n'y avait bien sûr pas d'arbres au fond de la mine et il fallait donc utiliser des supports de culture artificiels. Il y avait là plusieurs stères de rondins de bouleau et de tremble, prêts à être ensemencés de spores de mycélium. Des criminels endurcis les planteraient le moment venu dans les bacs installés de part et d'autre des galeries rocheuses et veilleraient tendrement sur la croissance des champignons jusqu'à ce que ceux-ci aient atteint une taille suffisante pour être cueillis et commercialisés.

Et voilà que, par un coup du sort, songea Jalmari Jyllänketo, il se trouverait peut-être lui aussi forcé contre son gré de faire ce travail monotone, de cultiver des champignons malodorants pour la table de riches Européens. Heureusement, un inspecteur principal n'est pas un malfrat! Dès le lendemain matin, il remonterait bien sûr à la surface par l'ascenseur. Mais il allait devoir passer cette triste nuit prisonnier de la mine.

Il poursuivit sa promenade dans les galeries. Il y faisait froid et humide, on ne cultivait apparemment pas pour l'instant de champignons à ce niveau, la récolte devait avoir été faite et la suivante n'était qu'en préparation. C'était pour cela qu'il y avait autant de rondins en stock, et que l'éclairage était si faible, avec ici ou là une misérable ampoule suspendue à un câble. Jyllänketo tenait sa torche d'une main et son pistolet prêt à tirer de l'autre. Il risquait à tout moment de tomber dans la pénombre sur un dortoir de criminels et ne voulait pas être pris au dépourvu.

Alors qu'il tournait le coude d'une galerie, des ronflements réguliers lui parvinrent. S'approchant à pas de loup, il découvrit un groupe de forçats dormant du sommeil des travailleurs fatigués. Il y avait là au moins vingt hommes. Discrètement, Jyllänketo balaya les parois et le plafond rocheux de sa torche, puis déplaça lentement son faisceau vers les lits, dont les occupants se tournèrent instinctivement pour échapper à la lumière. Aucun ne se réveilla. Le sommeil du criminel est profond.

L'inspecteur principal repéra des types d'allure méditerranéenne, peut-être des Italiens, quelques crapules à l'air finlandais et deux ou trois Hells qu'il connaissait de vue. C'était donc ici que les bikers avaient été relégués pour purger leur peine… il y avait de quoi mater les plus coriaces, songea Jyllänketo. Les sommiers des lits de fer superposés deux par deux étaient faits de planches largement espacées. Les couvertures étaient en feutre. Des bottes de mineur étaient posées au pied de chaque lit occupé. Chacun des détenus avait à son chevet un coffret en contre-plaqué dans lequel il pouvait conserver de menus objets personnels. Des combinaisons séchaient accrochées au plafond. Le dortoir puait la sueur rance et les champignons moisis, à l'odeur desquels se mêlait une lourde senteur de minerai.

Jalmari Jyllänketo mit la main sur quelques couvertures qu'il étala sur le sol de pierre irrégulier pour y dormir le reste de cette horrible nuit. Il se laissa dériver dans le sommeil en rêvant, plein d'espoir, de retrouver dès le lendemain le lit douillet de Sanna Saarinen.

Mais au matin, la liberté n'était pas au rendez-vous, car seul l'ascenseur livra aux prisonniers de la plus basse caste un seau de tisane tiède et un carton plein de petits pains aux herbes, avant de se refermer avec fracas tandis qu'une nouvelle journée de travaux forcés commençait. Personne ne vint prêter l'oreille aux soucis de Jyllänketo, et encore moins le délivrer et l'emmener vers la surface.

L'inspecteur principal tenta d'éveiller l'attention en tirant quelques coups de feu sur le palier d'ascenseur. Les balles ricochèrent sur la roche des parois et du plafond et l'une s'écrasa sur la porte d'acier. De formidables échos roulèrent dans la mine comme sur un champ de bataille, mais la fusillade resta sans effet. Jyllänketo jugea plus sage d'économiser le reste de ses munitions, au cas où ses sinistres codétenus lui chercheraient noise.

L'affaire prouvait une fois de plus à quel point il était facile de se retrouver en prison : même le pire des incapables peut réussir à se faire mettre sous les verrous. Sortir de l'enfer est une autre paire de manches, et bien des malheureux n'y parviennent jamais.

39

La roche du lac Sauvage
sépare les amants

La disparition du contrôleur bio fut constatée dès le lendemain matin. Sanna Saarinen avait dormi seule, et mal. Elle ne comprenait pas où son fiancé avait pu aller.

Comme ce dernier ne s'était toujours pas manifesté à l'heure du déjeuner, on se mit à sa recherche. Ce n'était pas une mince affaire, ratisser tout le domaine de l'Étang aux Rennes prit du temps. Sanna Saarinen, Pekka Kasurinen et Juuso Hihna-aapa sillonnèrent les terres en long et en large à bord du quatre-quatre, fouillèrent les bâtiments agricoles, les ateliers et les entrepôts, allèrent à l'aéroport et firent même un saut au lac Sauvage. Là-bas, le vigile leur assura que tout était normal et tranquille, à part quelques détonations dans une galerie au petit matin, mais c'était le genre de choses qui arrivait de temps à autre, surtout à l'automne, comme maintenant, quand le temps était pluvieux et que les basses pressions pesaient sur l'atmosphère de la mine.

Ilona Kärmeskallio était furieuse que l'un de

ses plus adroits kidnappeurs ait décampé. On avait besoin de lui, l'avion-cargo et ses pilotes l'attendaient à l'aéroport avec un chargement d'herbes aromatiques. Les gardes qui surveillaient les portails, interrogés, jurèrent n'avoir pas vu passer le contrôleur bio. On vérifia aussi les dizaines de kilomètres de clôture, sans trouver une seule brèche, ce qui n'empêchait certes pas, en théorie, qu'un homme agile puisse les escalader pour prendre la poudre d'escampette. Mais pourquoi le contrôleur bio aurait-il pris la fuite? Quels motifs auraient pu le pousser à quitter le paradis de l'Étang aux Rennes? Sanna Saarinen, en particulier, ne comprenait pas — ils venaient de se fiancer et préparaient leur mariage.

L'aviateur Pekka Kasurinen ne pouvait pas s'attarder plus longtemps. Il enrôla Juuso Hihna-aapa et décolla avec sa cargaison d'herbes.

Dix jours après la disparition de Jalmari Jyllänketo, quand on libéra les derniers Hells, on s'aperçut qu'il manquait une moto. On fit aussitôt le lien entre sa disparition et l'absence du contrôleur bio: il avait bien sûr volé la machine pour s'enfuir avec. On se rappela à quel point il aimait les gros cubes. Mais on ne comprenait toujours pas comment il avait pu quitter le domaine sans qu'aucun garde le voie.

Cet automne-là, Pekka Kasurinen et Juuso Hihna-aapa, à bord du Fokker, amenèrent à l'Étang aux Rennes et à la mine du lac Sauvage de gros contingents de main-d'œuvre supplémentaire. Les meilleurs jours, ils faisaient jusqu'à deux voyages. Les récoltes de la saison furent livrées à des détaillants, à Helsinki, mais aussi expédiées à l'étranger : le domaine exportait des herbes et des champignons au Danemark, en Allemagne et même dans quelques pays méditerranéens. Le cours des shiitakes et des pleurotes était particulièrement élevé en Italie. C'était sans doute dû au fait que l'on avait organisé à Milan une campagne gastronomique nationale de promotion des champignons, dans le cadre de laquelle les spécialités scandinaves avaient fait une remarquable percée sur le marché.

Sanna Saarinen était désespérée d'avoir perdu son fiancé. Elle ne parvenait pas à comprendre qu'il l'ait ainsi abandonnée, sans un mot, s'enfuyant comme un lâche et la laissant seule, en proie à de cruelles incertitudes. Emma Oikarinen tentait de la consoler. Selon elle, Jyllänketo n'était pas du genre à filer à l'anglaise et à voler par la même occasion une coûteuse moto. Elle assura s'y connaître en hommes et avoir au cours de sa vie rencontré non seulement un nombre incalculable de bons à rien, mais également quelques types bien, et elle était certaine que Jalmari n'avait pas définitivement abandonné sa fiancée. Il avait non seulement laissé à l'Étang aux Rennes une jeune femme aimante, mais aussi sa voiture, son téléphone portable, son ordinateur, ses affaires personnelles et jusqu'à ses caleçons.

« Évouyeuz-li ène dèpéche et dites-li de rabouleu tout d'swite, sinon vos li mèteuz l'police ô cu, lui conseilla Emma Oikarinen. Ëj'va vous dicteu quô ècrîre.»

Sans tenir compte de ces recommandations de style, Sanna écrivit une belle lettre à Jalmari. Elle l'envoya en express à son adresse à Helsinki et resta avec angoisse à attendre quel en serait l'effet.

Les jours et les semaines passèrent sans apporter de réponse. Malgré la sollicitude d'Emma, Sanna maigrissait à vue d'œil et sa peau prenait une teinte grisâtre.

«Crèyeuz-më, ç'sâcreu vôrieu-là èrvéra, la réconforta la vieille Savolaise mal embouchée.

— S'il te plaît, Emma, ne traite pas Jalmari de vaurien, je suis sûre qu'il lui est arrivé un accident.»

Les forçats du plus profond niveau de la mine du lac Sauvage suivaient leurs propres règles, il régnait dans la prison souterraine une stricte division en classes sociales, comme en général parmi les hommes. Le grand patron était un tueur, un Serbe à la mine patibulaire. C'était lui qui commandait et, chaque fois que l'on jetait de nouveaux détenus hors de l'ascenseur, il leur expliquait clairement ce qu'on attendait d'eux. Ce n'était pas compliqué : seize heures de travail par jour, de l'obéissance et de l'humilité. Tout était inversé, comme toujours en enfer : la pire ordure avait le rang de chef, le plus grand criminel était prince des ténèbres. Tout de suite après venait malgré tout l'inspecteur principal Jalmari

Jyllänketo, qui était certes un homme à poigne, mais dont le pouvoir reposait aussi sur celui de son pistolet, qu'il gardait la nuit sous son oreiller, et sur sa vigilance sans faille à l'encontre de ses codétenus. Il avait l'habitude de surveiller les gens.

Il tentait par tous les moyens de contacter la surface, mais il avait beau écrire d'innombrables messages secrets sur des feuilles de papier hygiénique et les glisser dans des gamelles vides, il ne recevait jamais de réponse. Il criait au secours dans les cheminées d'aération, qui restaient sourdes à ses appels. Il essaya même d'entrer en relation avec Sanna Saarinen par la prière, en vain. Les dieux l'avaient abandonné. Dans son désespoir, il s'était rappelé l'alphabet morse et avait tapé des SOS sur les parois rocheuses et les structures métalliques, avec pour seul déplorable résultat que les autres prisonniers, énervés par le bruit, lui avaient sauté dessus. Il n'avait réussi à s'en tirer qu'à l'issue d'un sévère échange de coups de poing et de quelques coups de feu. Il n'avait pu établir aucune communication avec l'extérieur. Pas étonnant, car il n'y a en général pas de ligne directe entre l'enfer et le ciel.

Jyllänketo fut obligé de renoncer à son rêve de recouvrer rapidement la liberté. Il se remémorait, désespéré, les jours heureux passés sur la Berge des Fiançailles, le puissant rugissement des rapides, les sauts des poissons dans la rivière aux eaux claires, le gazouillis des hirondelles dans les hauteurs du ciel et les merveilleuses nuits sous le ciel étoilé, à la lueur d'un feu, mais repenser sans cesse au doux visage de la belle Sanna Saarinen n'allégeait guère son chagrin.

La nourriture servie aux prisonniers lui était familière, c'était la même tambouille qu'il avait préparée avec l'aviateur Pekka Kasurinen dans la cantine roulante, l'été précédent, à l'ombre du chevalement de la mine. En repensant au prix de ces repas collectifs, il regretta que les dépenses alimentaires du lac Sauvage aient été limitées à dix marks par forçat. Il rêvait d'un bon steak et de sauce à la crème, mais devait se contenter d'une maigre soupe et de sempiternelles herbes aromatiques au goût de plus en plus amer.

Jalmari Jyllänketo était en bien mauvaise posture. Le travail était dur et monotone. L'air était vicié et mauvais pour la santé. Il n'y avait aucune distraction, pas de livres, pas de journaux, rien. Ses codétenus étaient d'exécrables criminels dangereux et, dans la plupart des cas, des étrangers dont il ne comprenait même pas la langue. En tant que policier, il n'avait de toute façon aucun goût pour leurs histoires de truands. Sa terrible solitude, ajoutée à la nécessité de se tenir à chaque instant sur ses gardes, l'épuisait nerveusement. Le pire, après avoir été emprisonné par accident, était la crainte qui le rongeait de ne jamais revoir la lumière du jour. C'était pire qu'une condamnation à mort. Pourrir vivant en enfer était une peine que n'auraient méritée que des crimes plus odieux encore que l'assassinat.

Dans ce climat pesant, Jyllänketo avait peur de devenir fou.

Les seuls instants sortant un peu de l'ordinaire étaient ceux où l'ascenseur crachait de nouveaux prisonniers dans les entrailles de la terre. Pekka Kasurinen était de plus en plus efficace, constata Jyllänketo, plein de fiel, en regardant les malheureux que l'on précipitait, l'air ahuri, dans les noires galeries de pierre.

Il y avait là toutes sortes de bandits. Des mafieux italiens, estoniens et russes, des tueurs à gages de tout poil, des usuriers, des tortionnaires bulgares de l'ère stalinienne, des proxénètes ukrainiens, des mercenaires serbes, des violeurs d'enfants belges et néerlandais, des trafiquants d'organes mexicains… et bien sûr tout un tas de spéculateurs et de banquiers finlandais de la pire espèce. On murmurait que l'on attendait aussi un chargement de féministes enragées venues de toute l'Europe. La rumeur se révéla hélas fausse — à moins que les intéressées n'aient été envoyées sarcler les potagers de l'Étang aux Rennes —, car en faire trop en matière de droits de la femme n'est pas un délit. Cette vaine lueur d'espoir accrut encore l'amertume des forçats car même si en temps normal les militantes acharnées de la cause féminine n'éveillaient guère de désirs érotiques, personne n'aurait cette fois craché dessus.

40

La Sécurité nationale
attend en vain le retour de son agent

Les noms et les pays d'origine des prisonniers exotiques jetés au fond de la mine permettaient de suivre les voyages autour de la planète de Kasurinen et compagnie. Le Fokker avait apparemment été jusqu'en Jamaïque car, une nuit, on vit surgir de l'ascenseur une demi-douzaine de sombres danseurs vaudou, avec dans leurs bagages une cliquetante collection de têtes réduites. Jyllänketo imaginait sans mal la belle vie aventureuse que l'aviateur et ses aides kidnappeurs menaient à travers le monde.

Les premières neiges tombèrent et l'Étang aux Rennes se couvrit d'un manteau blanc de dix centimètres d'épaisseur. C'est alors que vint frapper au portail un type à la solide carrure, un certain Oskari Hannula, qui était en réalité l'inspecteur Jaakko Kylmäsaari de la Sécurité nationale. On l'avait chargé de retrouver l'inspecteur principal Jalmari Jyllänketo, qui n'avait pas repris son travail à la date prévue. Kylmäsaari avait pris connaissance des rapports de son collègue sur le domaine maraîcher, visité son appartement, à Helsinki, lu l'émouvante lettre de Sanna Saarinen et pris la direction du Nord sous le pseudonyme d'Oskari Hannula. Il se présenta comme un cousin du contrôleur bio Jalmari Jyllänketo. Il était habillé de vêtements de sport et portait autour du cou une coûteuse caméra vidéo. On le conduisit à Ilona Kärmeskallio.

« Je suis venu voir si mon cousin était encore là. Jyllä a passé l'été chez vous à arracher des mauvaises herbes, paraît-il. »

Le visiteur reçut un accueil distant mais poli. On lui offrit une infusion d'herbe et des sablés. La patronne de l'Étang aux Rennes déclara qu'elle se souvenait effectivement de Jyllänketo, qui avait effectué au début de l'été un contrôle officiel des cultures biologiques du domaine et était ensuite resté un certain temps dans la région, mais était reparti depuis. Il ne résidait plus là depuis longtemps. Il avait d'ailleurs laissé sa voiture dans le hangar à machines, mais elle était vieille et se trouvait maintenant en réparation.

« Nous avons signalé sa disparition à la police », ajouta Ilona Kärmeskallio. Sanna Saarinen, qui avait apporté le thé, fit remarquer que l'évanouissement dans la nature d'un homme adulte ne semblait pas intéresser la police.

« C'est vrai qu'elle a mieux à faire, ces temps-ci, que de surveiller toutes sortes de types, concéda le cousin du contrôleur bio. Ç'aurait juste été sympathique de bavarder avec ce bon vieux Jyllä.

Toujours à courir par monts et par vaux, je me demande où il peut être.»

Le visiteur se leva pour examiner la carte de l'Étang aux Rennes punaisée au mur. Les terres du domaine semblaient beaucoup l'intéresser. Rapidement, il alluma sa caméra vidéo et filma la carte, puis zooma sur la table où était servie la collation. Ilona Kärmeskallio n'apprécia guère son geste, mais ne se mêla pas de le lui interdire.

Oskari Hannula expliqua qu'il pratiquait l'enregistrement numérique d'images, il avait un projet pour lequel il filmait les villages arctiques et leurs habitants.

«Un peu comme le célèbre folkloriste Samuli Paulaharju. Il était instituteur à Oulu. Il parcourait la région à pied et posait des questions aux gens. Je m'intéresse comme lui à tout ce qui est ancien et banal.»

Il demanda s'il pouvait filmer les paysages du domaine maraîcher, car avec la neige fraîchement tombée la nature était d'une beauté féerique. Il ajouta que Jyllä lui avait raconté, cet été, qu'on logeait à l'Étang aux Rennes des personnes intéressées par l'agriculture biologique, contre un modeste paiement et une participation aux travaux de l'exploitation. Il aurait lui aussi aimé passer quelques jours sur place.

«Par chance, je touche depuis un mois une pension de chômage!»

Ilona Kärmeskallio déclara qu'il n'y avait pas de travail en cette saison et qu'on ne prenait donc hélas pas de pensionnaires pour l'instant.

On avait d'ailleurs l'intention de profiter de l'hiver pour rénover les chambres. Mais peut-être au printemps prochain.

«Je comprends… Mais qui ne risque rien n'a rien.»

L'horticultrice Sanna Saarinen emmena Oskari Hannula faire un tour en quatre-quatre afin qu'il puisse filmer les paysages enneigés. Ils se rendirent à la Harlière, où nageaient quelques cygnes. Le vidéaste zooma sur le sauna en rondins qui se dressait au bord de l'eau, tandis que Sanna expliquait qu'on y tenait parfois des réunions du personnel ou des veillées au coin du feu. Puis ils firent le tour des champs d'herbes aromatiques et, pour finir, Sanna ramena le visiteur au portail par lequel il était arrivé.

«Vous avez des clôtures bien solides, ici, pourquoi?»

L'horticultrice expliqua que c'était pour protéger les cultures contre l'appétit des élans. Puis elle demanda:

«Euh… vous qui êtes un cousin de Jalmari, vous ne savez pas où on pourrait le trouver?»

Oskari Hannula ne savait que répondre, si ce n'est que Jyllä, qui vivait seul, n'avait pas de contacts très suivis avec sa famille, et qu'il aurait bien aimé lui aussi savoir où il était.

«Au revoir, et merci d'avoir bien voulu me servir de guide. C'est vraiment beau, par ici, je suis heureux d'avoir pu tout filmer. Il en restera une trace, comme ça.»

Le visiteur reprit sa voiture et s'en fut. Au

motel de Turtola, il regarda les images qu'il avait réalisées de l'Étang aux Rennes. Elles étaient réussies et la femme qui l'avait accompagné était belle, malgré son air terriblement triste. Mais il comprenait qu'elle ait du chagrin, si son fiancé l'avait plaquée. Difficile à croire de Jyllä, songea Kylmäsaari. Un type si réglo et si sympathique. Il utilisa son téléphone portable pour informer la Sécurité nationale que l'inspecteur principal restait introuvable — il n'y avait que sa bagnole, abandonnée dans un hangar à machines du domaine. De Helsinki, on lui ordonna d'abandonner les recherches.

41

41

L'avenir de la prison hermétique du lac Sauvage

Jalmari Jyllänketo et ses codétenus terminaient leur travail de la journée. Ils avaient de nouveau trimballé des milliers de rondins jusqu'aux bacs de culture. Les mains gonflées, ils se dirigèrent en silence vers les douches, se débarrassèrent de la poussière de minerai qui leur collait à la peau et s'assirent pour dîner. L'inspecteur principal remarqua que les membres du clan des meurtriers, au lieu d'accrocher leurs combinaisons à sécher au plafond, les avaient cette fois réenfilées. Qu'est-ce que ça voulait dire? Les malfaiteurs ayant échappé à la pendaison avaient-ils l'intention de se coucher dans leurs tenues huileuses? Se préparaient-ils à une sinistre guerre en pyjama?

Tout au long de ce désespérant automne, il avait été de temps à autre question d'évasion. Dans les cellules des condamnés à mort aussi, on caresse ce genre de rêves insensés, mais combien ont réussi? Trois détenus au total, sans doute, s'étaient évadés en un siècle de la prison de l'île d'Alcatraz, dans la baie de San Francisco, dont deux avaient été abattus alors qu'ils nageaient vers la côte et le troisième appréhendé après s'être vanté d'avoir pris la clef des champs. La prison souterraine du lac Sauvage était une geôle encore plus hermétique.

Jyllänketo avait lui-même au début songé à se faire la belle, mais après en avoir constaté l'impossibilité, il avait décidé de se résigner et de se repentir. Tous les hommes, policiers compris, sont en fin de compte des pécheurs qui méritent leur sort. L'inspecteur principal avait lui aussi quelques squelettes dans son placard, à quoi bon le nier. Il n'aimait pas y repenser. Dans son enfance, il avait martyrisé le chat de sa grand-mère, qui était mort d'une inflammation de la prostate après qu'il lui avait passé les couilles au goudron. C'était horrible, et il le payait maintenant.

C'était Ilona Kärmeskallio qui aurait dû moisir ici, songea-t-il amèrement. Et Juuso Hihnaaapa? Avec sa mine farouche, il n'était pas exclu qu'il ait un ou deux meurtres sur la conscience. Monseigneur Henrik Röpelinen avait purgé sa peine, de même que l'ex-député Kauno Riipinen, mais Pekka Kasurinen, qui se promenait en avion à travers le monde, aurait mérité de regarder autre chose, pour changer, que la blancheur de vaporeux nuages d'altitude ; souffrir au moins quelques semaines enfermé sous terre lui aurait fait le plus grand bien.

L'inspecteur principal était en un sens le plus

malheureux de cette bande de criminels endurcis. Il était le seul à ne même pas avoir de matri-
cule de condamné. Il ne faisait pas partie du
groupe, il n'avait rien. La situation était encore
pire que dans le plus horrible des cauchemars
de Kafka. Une vie sans identité, une détention
sans jugement, et des péchés minimes, comparés
à ceux des autres. Il était au bas de l'échelle de la
plus basse caste possible.

Mais il possédait malgré tout un pistolet et
des munitions pour protéger sa misérable vie,
quelques cigarettes moisies conservées pour Noël
ainsi que des allumettes et une montre-bracelet.

Le chef du clan des meurtriers et des violeurs
multirécidivistes vint discrètement lui parler. Ce
n'était jamais arrivé auparavant. L'homme lui
demanda l'heure.

«La mutinerie commencera à tous les étages
à vingt heures tapantes, temps légal finlandais»,
révéla-t-il.

Une mutinerie! L'idée semblait insensée. La
mine du lac Sauvage était plus étanche qu'un
réservoir métallique soudé, noyé dans le roc et
gardé jour et nuit.

«Donne-moi ta montre. Et ton pistolet.

— Pas question.»

Jalmari Jyllänketo songea qu'en tant que
défenseur de l'ordre public, il ne pouvait pas se
joindre aux mutins sans autre forme de procès. Il
était quand même policier, inspecteur principal
de la Sécurité nationale. Son statut lui imposait

des obligations, si difficiles et exceptionnelles que soient les circonstances.

Il jeta un coup d'œil à sa montre : 19 h 32. L'idée que le carnage commencerait dans moins d'une demi-heure le chatouillait quand même agréablement.

C'était un banal samedi soir d'hiver. Les premiers baigneurs commençaient à se rassembler au sauna du domaine maraîcher, au bord de la Harlière. Ilona Kärmeskallio y avait invité son équipe, elle avait à leur parler de la gestion de l'exploitation. Il était bon, de temps à autre, de se détendre après une dure journée de travail, avait-elle déclaré. Des pirojkis, des salades, des champignons marinés aux herbes, du poisson salé et du renne fumé étaient servis dans la pièce attenante à l'étuve. Il y avait également des vins et des eaux-de-vie du domaine.

Les premiers arrivés furent monseigneur Henrik Röpelinen et l'ex-député Kauno Riipinen, qui ajoutèrent du bois dans le poêle et s'installèrent pour attendre les autres. L'aviateur Pekka Kasurinen et l'agronome Juuso Hihna-aapa les rejoignirent bientôt. Puis ce fut le tour de Sanna Saarinen et d'Emma Oikarinen. Cette dernière déclara que les femmes iraient au sauna en premier, elle ne supportait pas les bains mixtes. Ça valait aussi pour l'évêque.

Les hommes ouvrirent quelques bouteilles et levèrent leurs verres. On constata que le vin de groseille à maquereau était cette année d'une qualité exceptionnelle, mais que la groseille blanche n'était pas mauvaise non plus. Peut-être un peu trop jeune, mais les crus de l'Étang aux Rennes avaient incontestablement un arôme séduisant. Un bouquet insaisissable, le goût sauvage du Grand Nord, proclama monseigneur Röpelinen.

Ce n'est que vers huit heures, après que tous eurent longuement profité du bain de vapeur, qu'Ilona Kärmeskallio fit son apparition. Elle portait une sacoche dont elle sortit des documents qu'elle posa sur le plancher, car il n'y avait pas de place sur la table parmi les plats et les bouteilles. Emma Oikarinen lui servit un verre de vin de groseille. Après s'être baignée et rhabillée, Ilona Kärmeskallio déclara à ses subordonnés qu'elle avait des informations confidentielles à leur donner sur les affaires de l'Étang aux Rennes et du lac Sauvage.

Elle les invita à se pencher sur les papiers étalés sur le sol. Il y avait parmi eux de nombreuses listes et des graphiques en langues étrangères, une carte de l'Étang aux Rennes ainsi qu'un grand dessin en coupe des champignonnières du lac Sauvage.

«J'ai beaucoup voyagé, cette année», rappela-t-elle.

L'assistance en convint sans barguigner.

L'aviateur Pekka Kasurinen déclara qu'il avait lui aussi parcouru le monde, qui plus est en avion, ces derniers temps, grâce à la générosité d'Ilona Kärmeskallio.

Celle-ci se lança dans une véritable confé-rence. Elle expliqua, cartes et documents à l'appui, que les cultures maraîchères de l'Étang aux Rennes commençaient à produire de réels bénéfices, maintenant que l'on avait, depuis la fin de l'été, assez de main-d'œuvre. La récolte avait été excellente et les prix élevés sur les mar-chés européens.

«Le climat arctique permet d'obtenir des herbes aromatiques d'une qualité exceptionnelle, renchérit avec satisfaction Juuso Hihna-aapa, légèrement ivre. Nous pouvons en remercier notre charmante Sanna.»

On but à la santé de l'horticultrice, puis Ilona poursuivit son exposé et détailla la production de champignons du lac Sauvage. On y avait cultivé au cours de l'année écoulée, sur six niveaux au total, des shiitakes, des agarics, des pleurotes et, à titre expérimental, quelques espèces de clavaires. On avait obtenu de bons résultats et conquis de nouveaux marchés, surtout en Italie, et dans une moindre mesure en Espagne. Il était maintenant facile de livrer jusque dans les pays méditerra-néens, grâce à l'avion-cargo qui permettait en outre au retour de débarquer sur l'aéroport du domaine la main-d'œuvre nécessaire.

«Je suis très contente de vous. Le seul évé-nement regrettable, cette année, a été la mys-térieuse disparition du contrôleur bio Jalmari Jyllänketo.»

Sanna Saarinen, les yeux humides, regarda par la fenêtre le froid crépuscule bleuté.

Ilona Kärmeskallio passa ensuite en revue, niveau par niveau, les galeries de la mine du lac Sauvage servant de prison et de champignonnière. Elle annonça que l'ensemble serait rénové l'été suivant, mais on y reviendrait. Pour l'instant, à six cents mètres sous terre, il y avait en moyenne cinquante travailleurs. Ce niveau pouvait être qualifié de pension complète sécurisée : la nourriture était bonne, les champignons étaient cultivés selon des méthodes bio et les prisonniers, au bout de quelques jours de détention, pouvaient être transférés, selon leur comportement, plus bas ou plus haut, autrement dit à huit cents mètres de profondeur ou, s'ils le méritaient, dans les potagers de l'Étang aux Rennes.

« À cet étage, tout fonctionne à merveille, comme vous pouvez l'imaginer. À huit cents mètres, les détenus sont traités nettement plus sévèrement. Il y a aussi le niveau des PDG, à sept cents mètres, je crois... oui, c'est ça... il y règne une stricte discipline et des conditions de vie déjà plus spartiates. Les motards et autres trublions du même acabit sont emprisonnés cent mètres plus profond. Encore un étage plus bas, au niveau cinq, le régime pénitentiaire peut être qualifié de dur. On pourrait parler d'antichambre de l'enfer. L'enfer lui-même se trouve bien sûr au fond de la mine. »

Ilona Kärmeskallio expliqua un peu ennuyée qu'on constatait déjà à l'avant-dernier niveau un taux désolant de maladies mentales et de suicides, mais il fallait néanmoins s'efforcer de porter stoïquement la responsabilité de la mission carcérale bénévole de l'Étang aux Rennes, quelle que soit la noirceur des dévoiements de l'âme humaine.

Le plan en coupe de la mine circula de main en main. Ilona Kärmeskallio déclara qu'elle avait décidé de rénover les lieux afin de les mettre en conformité avec la réglementation américaine sur les établissements pénitentiaires. Pour répondre aux normes, il fallait améliorer l'aérage, chauler les murs, réduire l'humidité des dortoirs.

Au cours de ses voyages, tout au long de l'été et de l'automne, elle avait discuté avec ses interlocuteurs américains et européens des perspectives d'avenir de la prison hermétique du lac Sauvage. Il y avait dans le monde une pénurie criante d'établissements d'où il était en pratique impossible de s'évader. Pour la détention des condamnés à mort, on avait besoin de prisons étanches. On avait fait à la patronne de l'Étang aux Rennes plusieurs propositions alléchantes. Le marché était énorme : rien qu'en Chine, on avait l'année précédente exécuté 5 000 personnes, en Ukraine 167, en Russie 140 et même dans de petits pays tels que le Turkménistan et l'Iran, respectivement 123 et 110.

« Tu n'as quand même pas l'intention, ma chère Ilona, d'exécuter des condamnés au lac Sauvage ? s'inquiéta monseigneur Röpelinen.

— Bien sûr que non, au contraire, ces malheureux seraient transférés chez nous pour y purger une peine de prison à perpétuité, et auraient ainsi au moins la vie sauve. J'ai conclu deux marchés : nous accueillerons dès le début de l'année prochaine 280 condamnés à mort américains puis, au printemps, nous pourrons aller chercher avec notre avion un premier lot test de Russes, une vingtaine de tueurs en série. Mais ces contrats exigent, comme je l'ai dit, une remise en état de la mine, et pour ça j'ai besoin de votre aide.»

L'incroyable nouvelle laissa l'assemblée muette. Ilona Kärmeskallio entreprit de décrire les conditions économiques de cette activité carcérale. Elle prit pour exemple l'élevage de bétail de boucherie, citant les derniers calculs publiés par l'Union européenne sur son rendement. Par jour, un taureau coûtait plus cher à une exploitation agricole que la pension complète d'un condamné à mort au lac Sauvage. Les nuisances écologiques de l'engraissement de bovins étaient nettement supérieures à celles de l'entretien de détenus. Moralement, l'opération se justifiait : si le condamné consentait à un emprisonnement à perpétuité dans un pays étranger, sa peine était commuée. On épargnerait donc des vies.

«Cela ne nous oblige en rien à renoncer à nous procurer aussi de la main-d'œuvre par nos propres moyens. Nous continuerons comme d'habitude à enlever clandestinement des gens.»

Les offres qui avaient été faites à la patronne de l'Étang aux Rennes étaient économiquement satisfaisantes. Certains étaient apparemment prêts à débourser de fortes sommes pour l'entretien à vie de condamnés à mort. La société était prête à de gros sacrifices financiers pour se débarrasser de certains de ses membres qui s'étaient exclus de son sein et dressés contre elle. Lors des négociations, tous avaient néanmoins souligné que ces importantes ressources n'étaient pas destinées à dorloter les intéressés, mais uniquement à satisfaire leurs besoins vitaux : il ne fallait veiller qu'à leur habillement, à leur alimentation, et surtout à une surveillance étroite et à une stricte discipline.

« Aux États-Unis, on exécute maintenant aussi les femmes. C'est atroce. Il y a des limites à ne pas dépasser — même dans l'application de la loi, il faut savoir raison garder. »

Ilona Kärmeskallio souligna que les condamnés à la peine capitale pourraient vivre dans la mine des dizaines d'années. Il s'agissait d'une activité à long terme. C'est pourquoi elle avait voulu en parler à ses collaborateurs, car il fallait maintenant prendre une décision qui les engagerait jusque loin dans le siècle suivant. Les prisonniers mourraient bien sûr un jour de mort naturelle et seraient enterrés à l'Étang aux Rennes.

« Heureusement que nous avons notre propre cimetière, ainsi que la possibilité d'offrir un réconfort spirituel à ceux qui en ont besoin », opina monseigneur Röpelinen d'un ton qui se voulait empreint de charité chrétienne.

42

L'écrasement dans le sang
de la mutinerie des forçats

Telles des mouches bourdonnantes s'échappant du goulot d'une bouteille ouverte, plus de cent criminels surgirent des galeries de la mine du lac Sauvage, noircis par une épaisse fumée, mais vivants. Ils avaient réussi l'impossible : à vingt heures précises, à la faveur d'un court-circuit, l'ascenseur avait plongé en grondant jusqu'au fond de la mine et n'en était remonté qu'une fois les portes d'acier du palier fracturées et la cabine investie par une inimaginable horde de scélérats — dont l'inspecteur principal Jalmari Jyllänketo, le pistolet à la main. L'essaim se déversa dans le hall principal, où la bataille s'engagea tandis que l'ascenseur repartait sans attendre vers le bas et, niveau après niveau, ramenait avec constance la racaille à la surface.

Les vigiles somnolents furent estourbis, le gardien à la grille assassiné, et la meute de malfaiteurs se dispersa, la bave aux lèvres, dans les forêts enneigées du lac Sauvage. Joyeux Noël ! Le monde n'attendait que vous !

Les suicides étaient annulés! Plus besoin de médecin! Liberté! Une fois la mutinerie déclenchée, elle s'étendit à la vitesse du vent, et dans l'œil de la tempête se tenait Jalmari Jyllänketo.

Des coups de feu retentirent, les émeutiers s'étaient emparés du fusil du gardien. L'inspecteur principal tenta de mettre la main sur les malfrats les plus dangereux afin de les ramener de force dans leur prison de pierre, mais la mutinerie avait pris trop d'ampleur pour pouvoir être matée à l'aide d'un simple pistolet. À la lumière de sa lampe torche, Jyllänketo descendit en courant la pente caillouteuse du mont Rouillé, tentant de se rappeler où il avait caché sa moto, et visa juste: la Harley-Davidson enneigée attendait sous un sapin. D'un coup de kick, la machine démarra. L'inspecteur principal sauta en selle et gagna la route sur laquelle erraient quelques groupes de mutins en combinaison de travail hésitant dans la neige et l'obscurité sur la direction à prendre à travers bois. Il les écarta de son chemin à coups de pistolet et fila vers l'Étang aux Rennes. La chaussée était glissante, mais le moteur de sa moto tournait à plein régime, tout comme son cerveau.

À la maison des kolkhoziens, seul veillait Musti, qui accueillit l'arrivant par de furieux jappements, mais, en le reconnaissant, agita sa queue recourbée, apparemment sans rancune pour le traitement vermifuge qu'il lui devait. Alerte! Le chien aboya officiellement la nouvelle de la mutinerie des forçats, mais où étaient ses maîtres?

Jyllänketo le détacha et lui ordonna de les chercher. On ne peut qu'admirer la capacité du chien d'ours finlandais de retrouver une piste, même de nuit. Jyllänketo le suivit en moto, d'abord à l'aéroport, puis au bord de la Harlière, où il le mena au sauna. En entendant ses puissants aboiements couplés au grondement de la Harley-Davidson, les baigneurs comprirent qu'il s'était produit quelque chose d'inhabituel.

Il est rare, même dans les forêts arctiques, qu'une agréable soirée au sauna soit interrompue aussi brutalement. Pour la première fois de sa vie, sans doute, Ilona Kärmeskallio prit peur. Jyllänketo raconta brièvement ce qui s'était passé. Juuso Hihna-aapa fut le premier à reprendre ses esprits. Il sortit son pistolet et courut mettre en route le quatre-quatre garé derrière le sauna. Les autres s'y engouffrèrent à sa suite. Emma Oikarinen arriva la dernière, la respiration sifflante. Jalmari Jyllänketo enfourcha sa moto et mit le contact. Sanna Saarinen sauta derrière lui. Ils filèrent à la maison des kolkhoziens, Musti tout excité à l'avant-garde. Là, Kasurinen et Hihna-aapa se munirent de fusils et d'autres armes, et en route à toute vitesse pour le lac Sauvage ! Quand Emma monta dans la dernière voiture à démarrer, l'inspecteur principal remarqua qu'elle portait un fusil en bandoulière. Lui-même resta sur place avec Sanna. Il fallait appeler un médecin, les évadés ne couraient pas longtemps dans les forêts enneigées, par ce temps.

Il n'y avait pas âme qui vive au centre de santé

de Turtola, dont le répondeur téléphonique conseillait de s'adresser en cas d'urgence aux services médicaux de Rovaniemi. L'horticultrice téléphona directement chez lui au docteur Seppo Sorjonen. Ce dernier décrocha en personne, il sortait tout juste du sauna. D'ailleurs merci pour la bière aux herbes, quelle mousse fine et légère! Jalmari Jyllänketo lui expliqua qu'une véritable guerre se préparait au lac Sauvage. Malgré l'échelle réduite du conflit, il fallait des infrastructures sanitaires adaptées aux besoins d'un champ de bataille. De simples réserves de pansements ne suffiraient pas à faire face à la situation.

Sorjonen demanda combien de patients il aurait à gérer à l'Étang aux Rennes et au lac Sauvage. Jyllänketo estima qu'ils ne seraient pas très nombreux, quelques dizaines, au pire, et sûrement pas plus d'une centaine.

«Bien. Je m'en occupe.»

L'horticultrice téléphona dans la foulée au président des Giboyeurs du lac Sauvage, qui étaient eux aussi au sauna en ce samedi soir. Ils promirent de terminer cul sec les bières qu'ils sirotaient et de partir aussitôt en chasse, afin de pouvoir lancer dès les premières lueurs de l'aube une traque sans merci.

Ce n'est qu'ensuite que Sanna et Jalmari prirent le temps de s'embrasser. Tout à son bonheur, la jeune femme murmura à l'oreille de son fiancé qu'on l'avait cru mort ou, plus grave encore, considéré comme un escroc irresponsable ayant abandonné sa future épouse et pris sans un mot la poudre d'escampette.

Elle regarda énamourée le rescapé, dont les épreuves au fond de la mine du lac Sauvage avaient blanchi les cheveux.

«Te voilà devenu un vieillard à la tête chenue! Monseigneur Röpelinen a promis de nous donner la bénédiction nuptiale, si on survit!»

La nuit fut rude. Bon nombre des criminels les plus dangereux avaient réussi à s'enfuir, mais grâce aux rabatteurs de la société de chasse des Giboyeurs du lac Sauvage, on les prit comme des lièvres. Il fallut pour y parvenir trois jours d'âpres battues. Juuso Hihna-aapa dirigeait les opérations d'une main de fer, et même la vieille Emma Oikarinen suivait le mouvement, armée de son fusil de chasse — toute la contrée résonnait de ses tirs tandis qu'elle canardait les meurtriers glacés jusqu'aux os. Les évadés furent traqués sans pitié, telles des bêtes sauvages. Il ne fallait laisser aucun mutin s'échapper et dévoiler le secret de la prison hermétique du lac Sauvage. Enfin, tous sans exception furent capturés et remis sous les verrous dans les galeries de la mine de fer.

Le docteur Seppo Sorjonen, du centre de santé de Turtola, soigna les blessés et signa les constats de décès. Il n'eut pas trop de feuillets à remplir, à peine un demi-bloc. Dans sa hâte, il avait emporté à la place des formulaires réglementaires le carnet à souches du magasin de chaussures voisin que son propriétaire avait oublié dans la salle d'attente lorsqu'il était venu se plaindre de ses problèmes de vésicule biliaire. Sorjonen rédigea les certificats de décès sur ces reçus, à la main en trois exemplaires, faute de papier carbone. Ilona Kärmeskallio archiva comme il se devait ces actes officiels estampillés «Chaussures et galoches de Turtola».

Compte tenu de la violence et de la durée de la bataille, les pertes de l'Étang aux Rennes étaient minimes. Juuso Hihna-aapa avait reçu une balle dans l'omoplate et Pekka Kasurinen un coup de barre à mine dans le dos, le commandant de bord irlandais souffrait de gelures au pied gauche et Emma Oikarinen avait été blessée d'un coup de fusil à l'abdomen. Sorjonen l'opéra et en profita pour tendre comme un tambour la peau fripée de son ventre. Il était satisfait du résultat et certain que la vieille Savolaise en réchapperait, à condition de ne pas attraper de pneumonie. Quant à Hihna-aapa, ce n'était pas la première fois de sa vie qu'il était sérieusement amoché et son état n'inquiétait guère le médecin. Kasurinen resta alité quelques jours à cracher du sang mais fut vite sur pied, et il ne fallut amputer que deux orteils du pied de l'aviateur irlandais.

Les funérailles se firent en toute discrétion, comme souvent en Finlande.

43

Arrivée des condamnés à mort
dans leur dernière demeure

Après la bataille, Jalmari Jyllänketo et Sanna
Saarinen se retirèrent dans le sauna au bord de
la Harlière, où la jeune femme, apitoyée par le
terrible automne de son futur mari, lui prodigua
tous ses soins. Elle avait du mal à comprendre,
plus généralement, pourquoi les prisonniers du
lac Sauvage étaient soumis à d'aussi terribles
conditions de détention. Mais Ilona Kärmeskallio était adepte de la méthode forte et ne supportait pas l'indulgence envers les criminels. C'était
peut-être efficace, mais d'une horrible cruauté.

Jalmari ne put s'empêcher de s'étonner de
la sympathie de Sanna pour les malfrats. Il se
rappela la pierre noire qu'elle portait autour du
cou lors de leur baignade dans la Nota et les bouchons de réservoir qu'on lui envoyait de Suède en
cadeau. Il lui révéla qu'il la soupçonnait depuis
déjà longtemps de mener une double vie. Il avait
eu le temps d'y penser au fond de la mine du lac
Sauvage. Mais elle n'était pas venue le consoler.

La jeune femme admit qu'elle était depuis des

années, bénévolement, en contact avec de nombreux prisonniers. Elle prêtait l'oreille à leurs histoires et essayait de les comprendre. C'était une sorte d'écoute thérapeutique. Les mauvais sujets aussi ont leurs bons côtés, et ils souffrent souvent énormément de ne pouvoir se confier à personne. Elle n'avait rien fait d'autre qu'essayer de leur apporter une aide, et avait en général obtenu des résultats. L'évêque faisait la même chose, bien qu'à titre plus officiel, au nom de sa religion.

«Je l'ai fait en cachette de maman. Elle ne comprend pas qu'on puisse aider les gens rien qu'en les écoutant.»

Sanna avait parlé avec les détenus par l'intermédiaire du téléphone intérieur de la mine, en général de nuit et en secret. Les vigiles étaient bien sûr au courant, mais ils jugeaient cette thérapie utile et prenaient eux-mêmes souvent le combiné pour tenter de consoler les forçats. Mais personne n'avait osé étendre ces efforts jusqu'au dernier niveau des galeries, tellement ceux qui y étaient enfermés étaient abominables.

«Comme moi», grommela Jyllänketo.

Au fil des ans, la jeune femme avait reçu de petits cadeaux de la part d'anciens prisonniers ayant retrouvé le droit chemin, en remerciement de son écoute maternelle et de son soutien moral. Elle avait une assez importante collection de ces grossiers objets fabriqués à la main. Elle n'avait pas osé la montrer à sa mère, ni à Jalmari, qui était jaloux comme la plupart des hommes.

Sanna avait caché ces souvenirs dans la sciure du grenier du deuxième étage de la maison des kolkhoziens. Jyllänketo voulut absolument voir ces trésors secrets. Elle lui fit jurer de ne pas rire ou ricaner en voyant le résultat d'années d'efforts, parfois, de malheureux prisonniers. Ils y avaient mis tout leur cœur, même si certains étaient des meurtriers.

À la lumière d'une torche, ils tirèrent du grenier une vieille valise dont Sanna essuya les toiles d'araignée avant d'en soulever le couvercle. Elle contenait une émouvante collection d'objets divers, de souvenirs supposés pour la plupart être des bijoux. Il y avait des pendentifs et des broches en minerai poli à la main, décorés de motifs maladroits, quelques paires de boucles d'oreille, un collier fait de morceaux de verre collés à un lacet de cuir, une bonne vingtaine de bouchons de réservoir, des boîtes en carton fabriquées avec des emballages de champignons sur lesquelles étaient écrits des poèmes nostalgiques ou reconnaissants et un paquet de lettres rédigées sur toutes sortes de bouts de papier, avec pour encre du sang séché ou un mélange d'huile et de suie de la mine.

Jalmari songea méchamment que la collection de Sanna ressemblait aux réserves constituées par une pie ou par une souris en prévision des mauvais jours. Puis son cœur fondit et il regretta sa jalousie : mon Dieu ! ces pauvres petits objets prouvaient que l'homme pouvait s'améliorer, ils témoignaient de la victoire du bien et de la défaite du mal. La simple et modeste bonté de Sanna avait sauvé ceux qui les avaient fabriqués. Ne devait-on pas constater que l'inflexible dureté de sa mère n'y était pas parvenue? Ému, Jalmari jura que ni les expéditeurs ni la destinataire ne lui inspireraient jamais aucune moquerie ni aucun mépris.

«Celui-là, c'est Sven qui me l'a donné, regarde! Ce n'est pas joli?»

C'était un modèle réduit d'une église en bois norvégienne, entièrement fabriqué avec des coquillages de l'océan Arctique. On voyait que le maquettiste y avait consacré beaucoup de temps, les écailles de moule ébréchées étaient par endroits noircies de traces de doigts et de colle. Il y avait aussi une lettre dans laquelle l'ex-sataniste se portait volontaire comme aide chauffeur routier, l'été suivant, quand le semi-remorque de l'Étang aux Rennes reviendrait chercher de l'engrais à l'usine de farine de poisson de Tromsø.

«Sven est devenu quelqu'un de bien», se réjouit Sanna, et elle ajouta que le jeune Norvégien avait promis que si Jyllänketo conduisait le camion, il s'occuperait du chariot élévateur.

L'horticultrice était heureuse que Sven veuille travailler, surtout maintenant que ses activités aéronautiques ne laissaient plus à Pekka Kasurinen le temps de prendre le volant du semi-remorque.

Jalmari demanda si les conseillers aux mines avaient envoyé des cadeaux à Sanna, mais c'était impossible, car ils ne savaient pas où ils avaient été enfermés. Ils pensaient sûrement avoir emballé des champignons à Outokumpu ou dans une autre mine du Savo.

L'inspecteur principal Jalmari Jyllänketo expliqua à son supérieur, rue de la Voie-Ferrée, qu'il avait souffert d'un léger déséquilibre mental, après son voyage en Uruguay, et avait passé ces derniers temps dans un établissement fermé d'où il était un peu difficile de prendre contact avec le bureau. Il s'agissait de problèmes personnels, mais graves, et de ce fait il souhaitait présenter sa démission et prendre sa retraite de son poste d'agent de la Sécurité nationale.

«Ta démission est acceptée, mais tu n'auras pas de pension de retraite, tu es trop jeune. Alors comme ça, tu as l'intention de vivre aux crochets de ta femme? Il paraît que tu vas te marier.

— Exact. Je vais vendre mon studio et m'installer à la campagne, à l'Étang aux Rennes. Après tout, je suis un contrôleur bio qualifié.»

Le directeur adjoint félicita Jyllänketo pour sa longue et valeureuse carrière au service de la Sécurité nationale finlandaise. Il mentionna en particulier la réussite de sa mission de surveillance de la sécurité du sommet d'Uruguay des dirigeants économiques finlandais.

«Cette conférence s'est déroulée de notre point de vue bien mieux que je ne l'espérais. Tu as obtenu d'excellents résultats. Un dénommé Laaksovirta a certes fait un peu de foin, mais il s'est avéré qu'il n'avait même pas participé à la réunion. Il s'était probablement égaré dans un bar sans sa secrétaire, à Montevideo, et s'était mis à boire. C'est ce que laisse entendre le rapport de Kylmäsaari.»

Le directeur adjoint regretta que l'on ne puisse pas, pour des raisons de confidentialité, et par excès de modestie, nommer «Policier de l'année» des agents de la Sécurité nationale, mais si on étendait un jour cette pratique aux services secrets, il proposerait aussitôt Jalmari Jyllänketo pour cette distinction.

«C'est toi qui devrais être nommé Policier de l'année, répliqua l'inspecteur principal, personne ici n'a autant de cœur que toi.

— Assez de salamalecs! Puisque tu vas t'installer à Turtola, et même si tu es devenu fou — qui ne l'est pas —, pourrais-tu te charger de surveiller discrètement le domaine de l'Étang aux Rennes? Tu pourrais profiter de ton statut de gendre de la patronne. Je te propose un mi-temps, avec un rapport une fois par mois, à prendre ou à laisser.»

Jalmari Jyllänketo prit, et partit pour Turtola.

La nuit était sombre et glaciale. Le douanier Svante Kekäläinen, du poste frontière de Turtola, était assis à un guichet dans le hall du rez-de-chaussée de l'aérogare de l'Étang aux Rennes, aussi curieux que nerveux. Il contemplait le lion ornant le tampon officiel de l'État finlandais qu'il devrait bientôt apposer sur des centaines de passeports américains. Il avait entendu dire qu'on attendait près de trois cents citoyens des États-Unis. Pourquoi, il n'en savait rien. En tant que douanier, il avait pour mission de veiller à ce que leur entrée dans le pays se fasse dans les règles, même s'il n'était pas particulièrement le bienvenu à l'Étang aux Rennes. En fonctionnaire consciencieux, il se tenait prêt à accomplir sa mission, malgré l'effroi que lui inspirait la perspective de contrôler des centaines d'étrangers. Jusque-là, il n'avait été posté que de jour dans une guérite de la vallée de la Torne, à surveiller la frontière d'un œil paresseux, et n'avait guère eu besoin de tampon.

La piste avait été déblayée et éclairée. Il faisait moins quinze, le ciel était couvert, il neigeait. Toute l'équipe de l'Étang aux Rennes était rassemblée à l'aéroport : la patronne Ilona Kärmeskallio, l'agronome Juuso Hihna-aapa, l'évêque Henrik Röpelinen, l'ex-député Kauno Riipinen, l'horticultrice Sanna Saarinen, l'aviateur Pekka Kasurinen et ses collègues irlandais ainsi que le contrôleur bio Jalmari Jyllänketo, qui fumait une cigarette dehors dans le froid, au pied de la tour de contrôle. L'interdiction de fumer dans les lieux publics était en vigueur ici aussi. On vit également arriver le docteur Seppo Sorjonen, donnant le bras à Emma Oikarinen, qui boitillait encore mais s'était parfaitement remise, compte tenu de son âge, de son opération de l'abdomen.

Puis on entendit le grondement de moteurs à réaction et l'on distingua, à l'ouest, la silhouette d'un gros avion commercial. Clignotant de tous ses feux, un jumbo-jet de la Pan Am fendit le ciel nocturne pour se poser sur la piste dans un tourbillon de neige, roula presque jusqu'au cimetière, fit un majestueux demi-tour et vint s'arrêter lentement devant l'aérogare. Une passerelle provisoire en grosses planches rabotées fut en hâte approchée du flanc de l'appareil. La porte s'ouvrit et dans son encadrement apparurent des gardiens de prison en uniforme brun, aux côtés de policiers en veste bleue.

Surgissant de derrière l'aérogare, huit autocars spécialement affrétés vinrent se garer au pied de la passerelle. On déchargea la cargaison humaine : de l'avion s'écoula un flot de condamnés à mort enchaînés les uns aux autres, visiblement heureux et soulagés d'avoir échappé in extremis à l'exécution. Ils agitèrent leur unique main libre pour saluer la nouvelle patrie qui leur offrait le gîte et le couvert, un emploi stable et la vie sauve. On leur ordonna de se mettre en rang devant l'aérogare. Il n'y avait parmi eux que quinze femmes. Elles aussi riaient, leurs dents blanches brillant dans la nuit d'hiver. Il semblait incroyable que quiconque puisse se réjouir d'être enfermé dans les plus profondes galeries de la mine du lac Sauvage, mais la vie est précieuse, aux portes de la mort.

L'agressif chien de chasse à l'ours de l'Étang aux Rennes, Musti, prit bruyamment part aux cérémonies de bienvenue en aboyant avec équité aux basques de tous les arrivants.

On déchargea aussi de l'appareil quatre tonnes

de maïs. En vertu de la constitution des États-Unis, tout condamné à mort doit pouvoir manger s'il le souhaite une fois par semaine de la bouillie de maïs jusqu'à ce qu'on lui tranche le cou.

Les formalités furent brèves et réglementaires. Monseigneur Henrik Röpelinen prononça une sobre prière. Svante Kekäläinen quitta son guichet pour aller vérifier les passeports des criminels. Il y en avait deux sacs pleins — dure besogne, mains nues dans le froid. Puis on fit monter les immigrés dans les autocars, qui partirent pour le lac Sauvage.

L'équipage de l'avion et le personnel de sécurité furent invités à dîner dans la maison des kolkhoziens de l'Étang aux Rennes, puis regagnèrent l'aéroport. Allégé de sa cargaison, le jet pénitentiaire s'éleva dans le ciel noir et glacé de l'Arctique.

44

Rapport final de l'ex-inspecteur principal Jalmari Jyllänketo

Cet hiver fut différent des autres pour les conseillers aux mines finlandais. L'épreuve du lac Sauvage, à l'automne précédent, ne se laissait pas facilement oublier. Certains souffrirent long-temps d'une insomnie tenace. D'autres avaient des accès de panique. Confrontés à des pro-blèmes de santé mentale, plusieurs se tournèrent vers des psychiatres, qui les aidèrent d'ailleurs à surmonter cette effroyable expérience. Les plus coriaces tentèrent de trouver un dérivatif dans des activités sportives. Jamais les grands patrons n'avaient autant skié que cette saison-là. Leur poids total diminua de quarante-deux kilos.

Il fallut attendre la nouvelle année, quand le temps se radoucit avec l'arrivée du printemps, que les neiges fondirent et que les jours rallon-gèrent, pour que les conseillers aux mines et leurs épouses, maîtresses et secrétaires parviennent à se distancier suffisamment de tous ces évé-nements pour voir les bons côtés de leur déten-tion dans la mine. Les galeries du lac Sauvage leur avaient au moins appris que le Finlandais, et pourquoi pas la Finlandaise, était capable de survivre dans n'importe quelles circonstances, si atroces soient-elles. Leur confiance en eux en était sortie renforcée. Ils étaient prêts à prendre des risques et à en payer le prix dans leur chair. Ils finirent par former une confrérie secrète, le Cercle des mineurs, qu'ils appelaient entre eux, par plaisanterie, le Club de Montevideo. Ils se sentaient comme d'anciens combattants ayant brièvement lutté sur le même front, souffert dans le même camp de concentration et supporté la terrible condition de prisonnier de guerre avec un glorieux stoïcisme, comme tous les héros finlandais à travers les âges.

Le Club de Montevideo organisa le dimanche des Rameaux, au Grand Hôtel d'Imatra, une réunion à laquelle participèrent presque tous ceux qui s'étaient battus dans le bunker du lac Sauvage. Laaksovirta n'était pas non plus présent cette fois-ci. Les vétérans de la prison de pierre prononcèrent une nouvelle fois, en s'aidant de leurs notes, les discours qui avaient été préparés à l'automne précédent en prévision du sommet de Montevideo, bien sûr actualisés. Ils s'aperçurent à leur grande surprise que tous mettaient l'accent sur le caractère national de l'activité des entreprises finlandaises et sur la nécessité de ne pas les laisser tomber entre des mains étrangères. On s'était aperçu qu'une gestion supranationale était préjudiciable aux fondements de l'économie d'un petit pays comme la Finlande et que même le soutien de la puissante Union européenne n'était dans ce cas d'aucun secours. Chaque État devait veiller à ses propres intérêts, tant culturels que politiques, militaires et économiques.

Ayant jeté un coup d'œil au menu du dîner de la conférence, les conseillers aux mines firent demander aux cuisines qu'on ne leur serve sous aucune forme des champignons de culture.

En mai, l'ex-inspecteur principal Jalmari Jyllänketo envoya à la Sécurité nationale son rapport final sur les activités du domaine maraîcher de l'Étang aux Rennes:

«Au terme des observations effectuées tout au long d'une année de surveillance, j'atteste officiellement n'avoir rien constaté d'illicite dans les activités du domaine de l'Étang aux Rennes, sis à Turtola, ni rien d'autre de suspect. Afin de réfuter les différentes dénonciations et rumeurs concernant le domaine, je stipule ce qui suit:

1. Les plans cadastraux, listes du personnel, programmes d'exploitation et bilans financiers ci-joints montrent que l'on pratique à Turtola une agriculture biologique qui, compte tenu des conditions climatiques arctiques, peut être considérée comme rentable et économiquement favorable à la région.

2. Construction. Dans le domaine du BTP, les activités ont été nombreuses, cette année, tant à l'Étang aux Rennes qu'à la mine de fer du lac Sauvage qui en dépend. En plus de l'entretien des édifices existants, deux nouveaux bâtiments

ont été construits sur les terres du domaine : un hangar d'aviation et une tour de contrôle. Des travaux de rénovation de grande envergure ont également été engagés dans les champignonnières de la mine, où les trois paliers supérieurs ainsi que les galeries qu'ils desservent ont été climatisés. Leurs plafonds et parois, qui étaient en mauvais état, ont été purgés et chaulés. Les travaux se poursuivront tels que prévus afin d'assurer d'ici le 30 octobre prochain la mise en conformité de toute la mine avec les normes les plus modernes. Le réseau routier, les canaux d'assèchement et l'aéroport ont de même été agrandis ou refaits à neuf.

3. Exportation. L'exportation de la production des champignonnières et des cultures maraîchères de l'Étang aux Rennes a été systématiquement développée, non seulement en direction des pays nordiques, mais aussi vers le reste de l'Europe. Grâce aux efforts de commercialisation entrepris, le domaine s'est assuré une position solide sur le marché des herbes aromatiques et des champignons frais, notamment en Italie et en Espagne.

4. Gestion cynégétique bénévole. Conformément aux principes fondamentaux de l'agriculture biologique, le domaine est entouré d'un grillage métallique afin d'éviter les dommages dus aux élans. L'entretien et le gardiennage de la clôture font l'objet d'un suivi rigoureux. En collaboration avec la société de chasse locale des Giboyeurs du lac Sauvage, des traques et des

battues ont été organisées avec d'excellents résultats.

5. Direction spirituelle. L'évêque du diocèse, monseigneur Henrik Röpelinen, séjourne régulièrement à l'Étang aux Rennes et en assume à titre bénévole la gestion religieuse. Dans le domaine spirituel, on peut aussi mentionner l'écoute thérapeutique assurée sur leur temps libre par les responsables horticoles de l'exploitation. Des loisirs créatifs tels que la fabrication de bijoux connaissent également un succès remarquable, notamment parmi les travailleurs de la mine du lac Sauvage.

6. Thérapie par le silence et le travail. Des locaux ont été spécialement aménagés dans la mine du lac Sauvage afin de permettre à ceux qui le souhaitent de se retirer dans le silence et de travailler en toute tranquillité. Ce service est offert sans frais aux clients, qui sont en outre nourris et logés gratuitement, mais pas totalement libres de leurs mouvements, compte tenu de la nature particulière de la thérapie.

7. Services funéraires. Le cimetière privé des bords du lac de la Harlière a acquis une notoriété dont on ne peut que se féliciter. L'atelier de menuiserie de l'Étang aux Rennes fournit des cercueils en pin rouge de Laponie, non seulement pour les besoins du domaine, mais également pour la vente. Les cérémonies funèbres et l'entretien des tombes sont conformes aux exigences les plus actuelles.

8. Main-d'œuvre. Compte tenu des problèmes

de rentabilité de l'agriculture à l'échelle euro-péenne, il a été décidé d'appliquer à l'Étang aux Rennes et surtout au lac Sauvage une méthode de recrutement fondée sur un principe d'incita-tion que l'on pourrait qualifier d'actif, dont la productivité et l'efficacité en termes de réduction des coûts salariaux ont été établies et qui mérite-rait d'être plus largement recommandé.

9. Activités aéronautiques. À l'égard des nou-veaux aéroport et aérogare susmentionnés, il doit être constaté que l'essentiel du trafic concerne le transport de marchandises et les vols charter à destination de divers pays européens. Le matériel volant est dans un état satisfaisant, conformé-ment à la classification des autorités de l'aviation civile, et comprend deux appareils : un monomo-teur Cessna destiné à l'épandage d'engrais et un Fokker Friendship mixte fret/passagers. Le per-sonnel navigant est finno-irlando-savolais.

10. Gastronomie. On trouvera ci-joint, à titre d'exemple des applications pratiques de l'agricul-ture biologique, le menu de mon repas de noces[1].

11. Généralités. En conclusion, je voudrais souligner que l'on semble respecter dans le

---

1. Premièrement : consommé de pleurotes. Deuxièmement : lavaret à peine grillé sur la braise. Troisièmement : langues de renne fumées à la crème. Quatrièmement : galettes d'orge en aumônière aux filets de perdrix des neiges. Cinquièmement : rôti d'élan mariné aux herbes. Sixièmement : fromage frais cuit au four en croûte salée sucrée. Septièmement : mousse de mûres jaunes à la chantilly. Huitièmement : parfait à la camarine dans son jus de canneberge chaud. Boissons : bière de ménage, eau-de-vie aux herbes, vins de la propriété.

Grand Nord un principe bien établi, et dont la validité a été maintes fois vérifiée en pratique, qui est qu'on ne livre pas publiquement d'informations superflues sur les affaires des gens. Cela vient sans doute de ce que les timides divinités lapones, qui ne savent pas non plus écrire, préfèrent en général se taire, et que l'on souhaite éviter que le battement des tambours chamaniques n'atteigne les oreilles de tous les brailleurs imbéciles.»

À la Pentecôte, on célébra les premières noces de l'Étang aux Rennes. Le temps était variable, comme le sont les unions les plus réussies, il n'y avait presque pas de vent et les oiseaux gazouillaient dans l'église à ciel ouvert. Monseigneur Henrik Röpelinen avait choisi pour thème de son adresse aux époux le psaume 36, versets 6 à 10[1].

Le corsage d'un blanc étincelant de la robe de mariée de Sanna était en dentelle, et sa longue jupe en satin brillant. Son voile de tulle descendait jusqu'au creux de ses reins joliment cambrés, mais quand même pas plus bas. Le fiancé, de son côté, avait d'abord pensé porter le costume

---

1. Éternel! ta bonté atteint jusqu'aux cieux, ta fidélité jusqu'aux nues. Ta justice est comme les montagnes de Dieu, tes jugements sont comme le grand abîme. Éternel! tu soutiens les hommes et les bêtes. Combien est précieuse ta bonté, ô Dieu! À l'ombre de tes ailes les fils de l'homme cherchent un refuge. Ils se rassasient de l'abondance de ta maison, et tu les abreuves au torrent de tes délices. Car auprès de toi est la source de la vie; par ta lumière nous voyons la lumière.

noir dans lequel il avait remporté un franc suc-
cès lors du Noël du personnel de bureau de la
Sécurité nationale, en 1986, mais pour Ilona
Kärmeskallio, il ne pouvait en être question.

«Économise sur les baisers, pas sur l'élégance!»

Jalmari se présenta donc devant l'évêque vêtu
du smoking de Seppo Sorjonen, un peu serré
aux épaules, mais pour le reste parfaitement à
sa taille. Personne n'avait heureusement aucun
autre motif de gêne aux entournures.

Le repas de mariage fut un régal et, quelques
heures plus tard, après une petite sieste diges-
tive, l'équipe de l'Étang aux Rennes monta
dans le Fokker Friendship piloté par l'aviateur
Pekka Kasurinen, qui mit le cap sur la Crimée.
C'était le voyage de noces de Jalmari et Sanna
Jyllänketo, et des vacances bien méritées pour les
autres passagers.

La professeure de savolais Emma Oikarinen,
en uniforme bleu, faisait office d'hôtesse de l'air,
avec pour steward le docteur Seppo Sorjonen,
du centre médical de Turtola. Au retour, on
embarqua pour un séjour illimité au lac Sauvage
vingt-sept condamnés à mort ukrainiens, ce qui
rentabilisa le voyage. Dans l'intervalle, la garde et
le commandement de l'Étang aux Rennes furent
confiés avec pleins pouvoirs au féroce Musti.

DU MÊME AUTEUR

Aux Éditions Denoël

LE LIÈVRE DE VATANEN, 1989 (Folio n° 2462)

LE MEUNIER HURLANT, 1991 (Folio n° 2562)

LE FILS DU DIEU DE L'ORAGE, 1993 (Folio n° 2771)

LA FORÊT DES RENARDS PENDUS, 1994 (Folio n° 2869)

PRISONNIERS DU PARADIS, 1996 (Folio n° 3084)

LA CAVALE DU GÉOMÈTRE, 1998 (Folio n° 3393)

LA DOUCE EMPOISONNEUSE, 2001 (Folio n° 3830)

PETITS SUICIDES ENTRE AMIS, 2003 (Folio n° 4216)

UN HOMME HEUREUX, 2005 (Folio n° 4497)

LE BESTIAL SERVITEUR DU PASTEUR HUUSKO-NEN, 2007 (Folio n° 4815)

LE CANTIQUE DE L'APOCALYPSE JOYEUSE, 2008 (Folio n° 4988)

LES DIX FEMMES DE L'INDUSTRIEL RAUNO RÄMEKORPI, 2009 (Folio n° 5078)

SANG CHAUD, NERFS D'ACIER, 2010 (Folio n° 5250)

LE POTAGER DES MALFAITEURS AYANT ÉCHAPPÉ À LA PENDAISON, 2011 (Folio n° 5408)

LES MILLE ET UNE GAFFES DE L'ANGE GARDIEN ARIEL AUVINEN, 2014 (Folio n° 5931)

MOI, SURUNEN, LIBÉRATEUR DES PEUPLES OPPRIMÉS, (Folio n° 6194)

LE DENTIER DU MARÉCHAL, MADAME VOLOTI-NEN, ET AUTRES CURIOSITÉS, 2016

Aux Éditions Gallimard

PAUVRES DIABLES, 2014 (Folio XL n° 5859, qui contient *Le meunier hurlant*, *Petits suicides entre amis* et *La cavale du géomètre*)

HORS-LA-LOI, 2015 (Folio XL n° 6018, qui contient *La douce empoisonneuse*, *Le potager des malfaiteurs ayant échappé à la pendaison*, *La forêt des renards pendus*)

Composition Utibi
Impression Novoprint
à Barcelone, le 17 octobre 2018
Dépôt légal : octobre 2018
1ᵉʳ dépôt légal dans la collection : avril 2012

ISBN 978-2-07-044653-7./Imprimé en Espagne.